DU MÊME AUTEUR

Du monde entier

IAN McEWAN

UNE MACHINE COMME MOI

roman

Traduit de l'anglais
par France Camus-Pichon

GALLIMARD

Titre original :

MACHINES LIKE ME
AND PEOPLE LIKE YOU

Pour Graeme Mitchison
1944-2018

« Mais souvenez-vous, s'il vous plaît, de
la Loi qui est la nôtre,
Nous ne sommes pas faits pour comprendre un mensonge... »

RUDYARD KIPLING
Le secret des machines

1

C'était l'espoir garanti pour toute aspiration religieuse, c'était le saint graal de la science. Nous avions des ambitions, pour le meilleur et pour le pire : que le mythe de la création devienne réalité, que s'accomplisse un acte d'un narcissisme monstrueux. Dès que ce fut faisable, nous n'avions plus qu'à suivre nos désirs, et tant pis pour les conséquences. En termes plus nobles, le but était d'échapper à notre mortalité, d'opposer à la figure de Dieu, voire de lui substituer, un moi parfait. Plus concrètement, notre intention était de concevoir une version améliorée de nous-mêmes, plus moderne, et d'exulter devant notre inventivité, de jubiler de notre supériorité. À l'automne du vingtième siècle il eut enfin lieu, ce premier pas vers la réalisation d'un rêve ancien, début de la longue leçon que nous allions nous donner à nous-mêmes : aussi compliqués que nous ayons été, aussi défaillants et difficiles à décrire, même dans nos actions et manières d'être les plus simples, on pouvait nous imiter et nous perfectionner. Et j'étais là en cette aube glaciale, un jeune homme qui fut d'emblée un adepte enthousiaste.

Mais les humains artificiels étaient un cliché longtemps avant leur arrivée, si bien qu'une fois là ils en déçurent certains. L'imagination, plus rapide que l'histoire et que les avancées technologiques, avait déjà simulé l'avenir dans les livres, puis au cinéma et dans les séries télévisées, comme si des acteurs marchant avec une fixité particulière dans le regard, quelques mouvements caricaturaux de la tête et une certaine raideur du dos pouvaient nous préparer à la vie avec nos cousins du futur.

Je comptais parmi les optimistes, grâce à une rentrée d'argent inattendue après la mort de ma mère et la vente de la maison familiale, qui s'était révélée construite sur un site propice à une opération immobilière. Le premier androïde viable fabriqué en série, doté d'une intelligence et d'une apparence plausibles, de gestes et d'expressions crédibles, fut mis en vente une semaine avant que les soldats de la Falklands Task Force ne s'embarquent pour leur mission désespérée. Adam coûtait 86 000 £. Je le rapportai dans une camionnette de location à mon domicile, un appartement sans charme au nord de Clapham. J'avais pris une décision téméraire, mais j'étais encouragé par des allégations selon lesquelles sir Alan Turing, héros de la guerre et génie tutélaire de l'ère numérique, se serait fait livrer le même modèle. Sans doute voulait-il le faire démonter dans son laboratoire pour en examiner en détail le fonctionnement.

Douze exemplaires de cette première version se prénommaient Adam, et les treize autres, Ève. Banal, de l'avis général, mais efficace sur le plan commercial. La notion de race biologique n'étant plus reconnue scientifiquement, les vingt-cinq avaient été conçus pour couvrir un éventail

14

de caractéristiques ethniques. Il y eut des rumeurs, puis des plaintes, parce que l'Arabe ne se distinguait pas du Juif. Les aléas de la programmation ainsi que l'expérience vécue garantiraient toute latitude en matière de préférences sexuelles. À la fin de la première semaine, les Ève avaient été vendues en totalité. Au premier coup d'œil, j'aurais pu prendre mon Adam pour un Turc ou un Grec. Il pesait soixante-dix-sept kilos, et il me fallut demander à Miranda, ma voisine du dessus, de m'aider à le transporter depuis la rue sur le brancard jetable fourni à l'achat.

Pendant que ses batteries commençaient à se charger, je nous préparai un café, puis je fis défiler les quatre cent soixante-dix pages en ligne du manuel de l'utilisateur. Le langage était clair et précis pour l'essentiel. Mais Adam avait été créé en collaboration par plusieurs sociétés, et les instructions avaient parfois le charme d'un poème surréaliste. « Soulever le haut du maillot de corps de B347k pour activer l'émoticône souriante avec accès à la carte mère et atténuer le risque de sautes d'humeur. »

Enfin, le carton et le polystyrène de l'emballage jonchant le sol à ses pieds, il fut assis, nu, devant la minuscule table de ma cuisine, les yeux fermés, relié à la prise murale de treize ampères par un câble électrique noir branché dans son nombril. Il faudrait seize heures pour le charger. Suivraient les téléchargements des mises à jour et des préférences personnelles. J'aurais voulu qu'il fonctionne tout de suite, et Miranda aussi. Tels de jeunes parents, nous étions impatients d'entendre ses premiers mots. Il n'avait pas de haut-parleur bon marché enfoui dans sa poitrine. Nous savions par la publicité euphorique qu'il formait des sons avec son souffle, sa langue, ses dents et son palais. Déjà, sa peau plus vraie que nature était tiède au toucher et aussi lisse que celle d'un enfant. Miranda prétendait qu'il battait des cils. C'était sûrement l'effet des vibrations du métro roulant à trente mètres sous terre, mais je ne dis rien.

Adam n'était pas un sex toy. En revanche, il était capable d'avoir des rapports sexuels et possédait des muqueuses opérationnelles, pour la maintenance desquelles il consommait un demi-litre d'eau par jour. Alors qu'il était toujours assis devant la table, je remarquai qu'il n'était pas circoncis, qu'il était bien pourvu, avec une abondante toison pubienne noire. Ce modèle hautement perfectionné d'humain artificiel reflétait selon toute probabilité les appétits de ses jeunes programmeurs. Les Adam et les Ève, avait-on décrété, seraient pleins de vigueur.

La publicité le présentait comme un compagnon, un interlocuteur digne de ce nom dans les échanges intellectuels, un ami et un factotum qui pouvait à la fois faire la vaisselle, les lits, et « réfléchir ». Chaque moment de son existence, tout ce qu'il entendait et voyait, il l'enregistrait et pouvait le retrouver. Il ne savait pas encore conduire et n'avait pas le droit de nager, de prendre une douche, de sortir sans parapluie quand il pleuvait ou de se servir d'une tronçonneuse sans surveillance. Quant à son autonomie, grâce aux progrès dans le stockage de l'électricité, il pouvait courir dix-sept kilomètres en deux heures sans recharger ses batteries, ou bien, à consommation énergétique équivalente, converser non-stop pendant douze jours. Il était conçu pour durer vingt ans. Bien bâti, les épaules carrées, la peau brune, il avait des cheveux noirs et drus coiffés en arrière, un visage étroit dont le nez légèrement busqué suggérait une intelligence féroce, un regard songeur entre ses paupières mi-closes, et des lèvres pincées qui perdaient sous nos yeux la pâleur jaunâtre de la mort pour prendre une riche couleur humaine, leurs commissures se relâchant peut-être même un peu. Miranda déclara qu'il ressemblait à « un docker du Bosphore ».

Devant nous trônait le jouet ultime, un rêve séculaire, le triomphe de l'humanisme – ou son ange exterminateur. Follement enthousiasmant, mais frustrant. Seize heures à le regarder sans rien faire, c'était long. Je pensai que, pour la somme que j'avais versée après le déjeuner, Adam aurait dû être chargé et en état de marche. Cette journée d'hiver touchait à sa fin. Je fis des toasts et on reprit du café. Miranda, doctorante en histoire sociale, regretta que Mary Shelley adolescente ne soit pas là pour scruter non pas un monstre comme celui du docteur Frankenstein, mais ce beau jeune homme à la peau foncée qui prenait vie. Je répondis que les deux créatures partageaient le même appétit pour les pouvoirs de l'électricité.

« Nous aussi. » Elle avait parlé comme si elle ne faisait allusion qu'à nous deux plutôt qu'à toute l'humanité dépendant d'une charge électrochimique.

Elle avait vingt-deux ans, dix de moins que moi, et était très mûre pour son âge. Vu de loin, nous n'avions pas grand-chose en commun. Nous incarnions la jeunesse dans toute sa gloire. Mais j'estimais avoir atteint un autre stade de l'existence. Mes études étaient loin derrière moi. J'avais subi une série d'échecs professionnels, financiers et personnels. Je me considérais comme trop endurci, trop cynique pour une jeune femme aussi charmante que Miranda. Et même si elle était belle avec ses cheveux châtains, son long visage mince et ses yeux qui semblaient souvent plissés par une hilarité réprimée, et même si au gré de mes humeurs il m'arrivait de la regarder avec émerveillement, j'avais très tôt décidé de la confiner au rôle d'amie et de voisine bienveillante. Nous partagions un hall d'entrée, et son petit appartement se trouvait juste au-dessus du mien. On se voyait de temps à autre pour prendre un café et parler de nos relations, de politique et de tout le reste. Avec juste la distance qu'il fallait, elle donnait l'impression d'être à l'aise quoi qu'il arrive. Pour elle, semblait-il, un après-midi de plaisir avec moi aurait eu la même importance qu'une conversation chaste et amicale. Elle était détendue en ma compagnie et je préférais penser que le sexe gâcherait tout. On restait bons copains. Mais il y avait chez elle un goût du secret ou une retenue qui me séduisaient. Peut-être, sans le savoir, étais-je amoureux d'elle depuis des mois. Sans le savoir ? Quelle minable formulation !

À contrecœur, on tomba d'accord pour se désintéresser quelque temps d'Adam, et vaquer chacun à ses occupations. Miranda devait assister à un séminaire au nord de la Tamise, j'avais des mails à dicter. Au début des années soixante-dix, la communication numérique avait perdu son aspect pratique pour devenir une corvée quotidienne. Idem pour les trains à grande vitesse – sales et bondés. Les dictaphones, miracle des années cinquante, s'étaient depuis longtemps transformés en outils astreignants, des populations entières consacrant chaque jour des heures à monologuer. L'interaction avec des machines intelligentes, fruit de l'optimisme des années soixante, éveillait à peine la curiosité d'un enfant. Ce pour quoi les gens faisaient la queue tout un week-end présentait, six mois plus tard, autant d'intérêt que les chaussettes à leurs pieds. Qu'étaient devenus les casques qui devaient faciliter l'apprentissage, les réfrigérateurs parlants doués du sens de l'odorat ? Disparus, et avec eux la souris d'ordinateur, le Filofax, le couteau électrique, le service à fondue. L'avenir frappait sans cesse à la porte. Nos jouets flambant neufs commençaient à rouiller avant même d'arriver à la maison, et pour l'essentiel la vie continuait comme avant.

Adam m'ennuierait-il un jour ? Il n'était pas facile de dicter des mails en luttant contre le remords après un tel achat. D'autres personnes, d'autres esprits, continueraient sûrement à nous fasciner. Lorsque les êtres artificiels nous ressembleraient jusqu'à devenir comme nous, puis supérieurs à nous, jamais nous ne nous lasserions d'eux. Ils nous surprendraient forcément. Ils pourraient nous trahir de différentes façons qui dépassaient l'imagination. La tragédie était possible, mais pas l'ennui.

La corvée, c'était la perspective d'affronter le manuel de l'utilisateur. Les instructions. J'avais dans l'idée que toute machine incapable de vous montrer par son fonctionnement comment s'en servir ne valait pas le coup. Obéissant à un réflexe démodé, je me mis à imprimer ce manuel, puis à chercher un classeur. Tout en continuant à dicter des mails.

Je ne réussissais pas à me voir comme l'« utilisateur » d'Adam. Je supposais qu'il n'y avait rien à apprendre sur lui qu'il ne puisse m'enseigner lui-même. Mais le manuel entre mes mains s'était ouvert au chapitre quatorze. Là, le texte était limpide : préférences, paramètres de la personnalité. Puis une série de titres : Agréabilité. Extraversion. Ouverture d'esprit. Conscienciosité. Stabilité émotionnelle. Cette liste m'était familière. La théorie des cinq facteurs. Après des études en sciences humaines, je me méfiais de catégories si réductrices, même si je savais par un ami psychologue qu'à chacune d'elles correspondaient de nombreuses sous-catégories. Jetant un coup d'œil à la page suivante, je découvris que j'étais censé choisir différents réglages sur une échelle de un à dix.

Je m'attendais à me faire un ami. J'étais prêt à traiter Adam comme mon hôte, comme un inconnu que j'apprendrais à connaître. J'avais cru qu'il arriverait préréglé. Les réglages d'usine : un synonyme moderne du destin. Mes amis, ma famille et mes relations, tous étaient apparus dans ma vie comme préréglés par l'histoire immuable de leurs gènes et de leur environnement. Je voulais qu'il en soit de même pour mon nouvel ami coûteux. Pourquoi s'en remettre à moi ? Bien sûr, je connaissais la réponse. Peu d'entre nous sont préréglés de manière optimale. Le doux Jésus ? L'humble Darwin ? Une fois tous les mille huit cents ans. Même en connaissant les meilleurs paramètres de la personnalité et les moins néfastes, ce qui était impossible, une multinationale avec une réputation à défendre ne pouvait risquer un accident. *Caveat emptor*. Acheteur, prends garde.

Dieu avait jadis offert au premier Adam une compagne sous sa forme définitive. Je devais inventer moi-même mon nouveau compagnon. Il y avait par exemple Extraversion, et une suite graduée d'énoncés puérils. *Il aime jouer les boute-en-train*, puis : *Il sait à la fois divertir et commander*. Et, tout à la fin : *Il se sent mal à l'aise en société*, et : *Il préfère sa propre compagnie*. Au milieu : *Il aime faire la fête, mais il est heureux de rentrer chez lui*. C'était moi. Mais devais-je créer une réplique de ma propre personne ? Si je choisissais un énoncé au milieu de chaque série, je risquais de créer une âme insipide. Extraversion semblait inclure son antonyme. Comme dans cette longue liste d'adjectifs accompagnés de cases à cocher : enjoué, timide, émotif, loquace, réservé, vantard, modeste, intrépide, dynamique, imprévisible. Aucun d'eux ne me convenait, ni pour lui ni pour moi.

Sauf lors de décisions irrationnelles, je passais le plus clair de mon existence, surtout quand j'étais seul, dans un état d'esprit neutre, avec ma personnalité – quelle qu'elle ait pu être en suspens. Ni intrépide ni modeste. Simplement là, ni content de mon sort ni morose, mais faisant ce qu'il y avait à faire, pensant au dîner ou au sexe, contemplant mon écran, prenant une douche. Avec quelques regrets occasionnels, quelques mauvais pressentiments, et à peine conscient du moment présent, excepté sur le plan sensoriel. La psychologie, après s'être tellement intéressée aux milliards de façons dont l'esprit peut dérailler, s'attachait désormais à ce qu'elle considérait comme les émotions les plus courantes, du chagrin à la joie. Mais elle avait négligé un pan immense de la vie quotidienne : en l'absence de maladies, de famines, de guerres ou d'autres épreuves, on vit la majeure partie de son existence dans cette zone neutre, un jardin familier mais gris, quelconque, aussitôt oublié, difficile à décrire.

À l'époque, je ne pouvais savoir que ces options graduées

auraient peu d'effet sur Adam. Le facteur réellement déterminant était ce que l'on appelle « apprentissage automatique ». Le manuel de l'utilisateur ne donnait qu'une illusion d'influence et de contrôle, du genre de celle que les parents entretiennent à propos de la personnalité de leurs enfants. Ce n'était qu'un moyen de tisser un lien avec mon achat et d'assurer une protection juridique au fabricant. « Prenez votre temps, conseillait le manuel. Choisissez avec soin. Accordez-vous plusieurs semaines si nécessaire. »

Je laissai passer une demi-heure avant de retourner voir comment allait Adam. Pas de changement. Toujours assis devant la table, bras tendus, yeux clos. Mais je trouvai que ses cheveux, du noir le plus profond, avaient gagné en volume et en brillance, comme s'il venait de prendre une douche. M'approchant, je découvris avec ravissement que, même s'il ne respirait pas, il y avait près de son mamelon gauche une pulsation calme et régulière, environ une par seconde d'après mon estimation inexpérimentée. Comme c'était rassurant. Il n'avait pas de sang à faire circuler, mais cette simulation produisait son effet. Mes doutes s'estompèrent légèrement. Adam éveillait mon instinct protecteur, même si j'en mesurais l'absurdité. Je posai la main à plat sur son cœur et perçus contre ma paume ce paisible rythme iambique. J'eus le sentiment de violer son intimité. Il était facile de croire à ces signes de vie. La chaleur de sa peau, la fermeté et la souplesse des muscles qu'elle recouvrait : ma raison pensait « plastique » ou un équivalent, mais au toucher je réagissais à sa chair.

Cela faisait froid dans le dos, d'être debout près de cet homme nu, écartelé entre ce que je savais et ce que je

22

ressentais. J'allai me placer derrière lui, en partie pour sortir du champ visuel de ses yeux qui pouvaient s'ouvrir à tout moment et me trouver penché sur lui. Il avait la base de la nuque et le dos musclés. Ses épaules étaient velues. Ses fessiers dessinaient des concavités. Plus bas, des mollets noueux comme ceux d'un athlète. Je ne voulais pas d'un Superman. Je regrettai une fois de plus d'être arrivé trop tard pour une Ève.

En quittant la pièce, je jetai un coup d'œil derrière moi et fis l'expérience d'un de ces moments qui peuvent détraquer votre vie émotionnelle : la prise de conscience saisissante d'une évidence, un bond en avant absurde dans la compréhension de ce qu'on sait déjà. Je restai figé, une main posée sur la poignée de la porte. Sans doute la nudité d'Adam et sa présence physique avaient-elles précipité cet accès de lucidité, mais ce n'était pas lui que je regardais. C'était le beurrier. Ainsi que deux soucoupes et deux tasses, deux couteaux et deux cuillers épars sur la table. Les vestiges de ma fin d'après-midi avec Miranda. Deux chaises de bois éloignées de la table étaient tournées l'une vers l'autre comme pour se tenir compagnie.

Miranda et moi étions devenus plus proches au cours du mois écoulé. La conversation était facile entre nous. Je m'apercevais qu'elle m'était précieuse et que je pouvais la perdre par négligence. J'aurais déjà dû lui parler. Je tenais son amitié pour acquise. Un événement malheureux ou n'importe qui, un ami étudiant, pouvaient nous séparer. Son visage, sa voix, sa manière d'être faite de réserve et de sagacité semblaient étrangement présents. Le contact de sa main contre la mienne, cet air absent et préoccupé qu'elle avait. Oui, nous étions devenus très proches et je n'avais rien remarqué. J'étais un crétin. Il fallait que je lui parle.

Je regagnai mon bureau, qui me servait également de chambre. Entre la table de travail et le lit, il y avait assez de place pour faire les cent pas. Que Miranda ignore tout de mes sentiments devenait source d'angoisse. Les lui décrire serait gênant, périlleux. Elle était une voisine, une amie, une sorte de sœur. Je m'adresserais à quelqu'un que je ne connaissais pas encore. Elle serait obligée de se dévoiler, d'enlever un masque et de me répondre en des termes que je n'avais jamais entendus dans sa bouche. *Je suis vraiment désolée... Je t'aime beaucoup, mais, tu vois...* À moins qu'elle ne soit horrifiée. Ou peut-être folle de joie d'apprendre la seule chose qu'elle désirait, qu'elle aurait voulu dire elle-même sans la peur d'une fin de non-recevoir.

Par chance, nous étions tous les deux libres. Elle avait bien dû y penser, penser à nous. Ce n'était pas un fantasme impossible. J'allais devoir lui parler les yeux dans les yeux. Insupportable. Inévitable. Et ainsi de suite, en cercles concentriques. N'y tenant plus, je retournai dans la pièce voisine. Je ne constatai aucun changement chez Adam en le frôlant pour atteindre le réfrigérateur, où se trouvait une demi-bouteille de bordeaux blanc. Je m'assis en face de lui et levai mon verre. À l'amour. Cette fois, je m'attendris moins. Je pris Adam pour ce qu'il était : une réalisation inanimée dont le rythme cardiaque était une décharge électrique à intervalles réguliers, et la tiédeur de la peau uniquement due à la chimie. Une fois activé, une sorte de mécanisme de balancier microscopique lui ouvrirait les yeux. Il donnerait l'impression de me voir, mais il serait aveugle. Et encore, même pas. Une fois en route, un autre dispositif produirait l'apparence de la respiration, mais pas de la vie. Un homme amoureux depuis peu sait ce qu'est la vie.

Avec mon héritage, j'aurais pu acheter une maison quelque part au nord de la Tamise, à Notting Hill ou à Chelsea. Miranda aurait même pu venir s'y installer avec moi. Elle aurait eu la place de mettre tous ses livres restés dans des cartons au fond du garage de son père, à Salisbury. J'envisageai un avenir sans Adam, cet avenir qui était le mien jusqu'à la veille : le jardin d'une maison de ville, de hauts plafonds avec des moulures, une cuisine en inox, de vieux amis à dîner. Des livres partout. Que faire ? Je pouvais rapporter Adam – le ramener, plutôt –, ou le revendre sur Internet en perdant un peu d'argent. Je lui lançai un regard hostile. Il avait les paumes à plat sur la table, le visage toujours orienté vers ses mains. Moi et ma passion ridicule pour la technologie ! Un service à fondue de plus... Mieux valait s'éloigner de cette table avant que je ne m'appauvrisse encore en donnant un bon coup du vieux marteau à pied-de-biche de mon père.

Je ne bus pas plus d'un demi-verre de vin, puis je réintégrai mon bureau pour me distraire avec les marchés des changes asiatiques. Sans cesse je tendais l'oreille, guettant un bruit de pas à l'étage au-dessus. Tard dans la soirée, je regardai à la télévision où en étaient les forces spéciales qui traverseraient bientôt l'océan, huit mille milles nautiques pour reconquérir les îles Falkland, ainsi qu'on appelait encore l'archipel des Malouines.

*

À trente-deux ans, j'étais complètement fauché. Dilapider l'héritage de ma mère pour l'achat d'un gadget ne représentait qu'une partie de mon problème – mais c'était emblématique. Dès que l'argent rentrait, je m'arrangeais pour qu'il parte en fumée, j'en faisais un feu de joie, je le fourrais dans un haut-de-forme et j'en sortais une dinde. Souvent, même si ce n'était pas le cas en l'occurrence, je comptais en tirer par magie une somme bien plus importante avec un minimum d'efforts. Les stratagèmes, les ruses plus ou moins licites et les combines astucieuses n'étaient pas pour moi. Je préférais les coups d'éclat. D'autres s'y risquaient et prospéraient. Ils empruntaient, faisaient fructifier cet argent et devenaient riches tout en remboursant leurs dettes. Ou bien ils avaient un métier, une profession comme moi auparavant, et s'enrichissaient plus modestement, mais sûrement. Pendant ce temps-là je boursicotais ou, plutôt, je travaillais à ma ruine dans un deux-pièces humide en rez-de-chaussée, dans un morne no man's land aux rues bordées de maisons jumelles de style edwardien entre Stockwell et Clapham, au sud de Londres.

J'avais grandi dans un village près de Stratford, Warwickshire, fils unique d'un père musicien et d'une mère infirmière à domicile. Comparée à celle de Miranda, mon enfance était culturellement sous-alimentée. Il n'y avait ni le temps ni la place pour les livres. Malgré un intérêt précoce pour l'électronique, j'avais fini par décrocher une licence d'anthropologie dans une obscure université du sud des Midlands; j'avais suivi une formation pour me reconvertir dans le droit et, mon diplôme en poche, j'étais devenu fiscaliste. Une semaine après mon vingt-neuvième anniversaire, j'avais été viré, échappant de peu à quelques semaines de prison. Mes cent heures de travaux d'intérêt général m'avaient convaincu de ne plus jamais reprendre d'emploi stable. J'avais gagné de l'argent grâce à un livre sur l'intelligence artificielle écrit à toute vitesse : aussitôt perdu dans un projet de pilules pour l'allongement de la vie. J'avais tiré une somme substantielle d'une opération immobilière : aussitôt perdue dans un projet d'agence de location de voitures. Mon oncle préféré, qu'un brevet de pompe à chaleur avait enrichi, m'avait légué quelques fonds : aussitôt perdus dans un projet de mutuelle de santé.

À trente-deux ans, je survivais en spéculant en ligne sur les cours de la Bourse et les taux de change. Un projet de plus. Sept heures par jour j'étais courbé sur mon clavier, achetant, vendant, hésitant, levant le poing en triomphe et jurant la minute d'après, au début du moins. Je lisais les cotations mais, croyant avoir affaire à un système aléatoire, je me reposais avant tout sur mes intuitions. Tantôt je devançais le marché, tantôt je plongeais avec lui, mais sur un an je gagnais en moyenne presque autant que le facteur. Je payais mon loyer, modique à l'époque, je me nourrissais et m'habillais correctement, et je pensais que je me stabilisais, que j'apprenais à me connaître. J'étais déterminé à mieux réussir comme trentenaire que durant la décennie précédente.

Or l'agréable maison de mes parents avait été vendue alors même que le premier être artificiel convaincant apparaissait sur le marché. 1982. J'avais une passion pour les robots, les androïdes et les doubles, plus encore après les recherches effectuées pour mon livre. Les prix baisseraient forcément, mais il m'en fallait un tout de suite, une Ève de préférence, mais un Adam ferait l'affaire.

J'aurais pu prendre une autre voie. Claire, mon ex-compagne, était une fille raisonnable, une assistante dentaire. Elle travaillait dans un cabinet de Harley Street et m'aurait dissuadé d'acquérir Adam. Elle avait les pieds sur terre, elle. Elle savait organiser sa vie. Et pas seulement la sienne. Mais je l'avais offensée par une infidélité indéniable. Elle avait rompu lors d'une scène spectaculaire, à la fin de laquelle elle avait jeté mes vêtements par la fenêtre. Dans une rue du nom de Lime Grove. Elle ne m'adressait plus la parole et figurait en tête de la liste de mes erreurs et de mes échecs. Elle aurait pu me sauver de moi-même.

Encore que. Par souci d'équité, laissons ce moi privé de salut plaider sa cause. Je n'avais pas acheté Adam pour gagner de l'argent. Au contraire. Mes motivations étaient pures. J'avais dépensé une fortune par curiosité – ce moteur dévoué de la science, de la vie intellectuelle, de l'existence même. Ce n'était pas une passade. Il y avait une histoire, un compte en banque, un dépôt à terme, et j'avais le droit de m'en servir. L'électronique et l'anthropologie : de lointains cousins, que les derniers développements de la modernité avaient rapprochés et unis par les liens du mariage. Adam était l'enfant de ce couple.

J'apparais donc devant vous en tant que témoin de la défense, à la fin d'une journée de cours, un spécimen typique de l'époque : culottes courtes, genoux écorchés et couverts de croûtes, taches de rousseur, coupe de cheveux dégageant la nuque et les oreilles, onze ans. Je suis le premier de la file qui attend l'ouverture du laboratoire et le début des

28

activités du « club Électricité ». M. Cox préside, un aimable géant aux cheveux couleur carotte, notre professeur de physique. Je projette de construire un poste de radio. C'est un acte de foi, une prière prolongée qui mettra des semaines à être exaucée. Je dispose d'un socle en contreplaqué de quinze centimètres sur vingt-deux et demi, où il est facile de percer des trous. Tout est dans les couleurs. Des fils électriques bleu, rouge, jaune et blanc suivent modestement les contours de la planche, tournant à angle droit, disparaissant pour émerger ailleurs, ensuite interrompus par des nodules brillants, de minuscules cylindres aux rayures colorées – des condensateurs, des résistances –, puis par une bobine d'inductance montée par mes soins, et par un ampli. Je ne comprends rien. Je suis le schéma de montage comme un moine novice psalmodiant les Écritures. M. Cox me donne des conseils de sa voix douce. Je soude maladroitement telle pièce, tel fil électrique, tel composant. La fumée et l'odeur de la soudure sont une drogue que j'inhale profondément. J'ajoute à mon circuit imprimé un interrupteur en bakélite dont je suis convaincu qu'il vient d'un avion de chasse, sûrement un Spitfire. La touche finale, trois mois après le début du projet, consiste à relier ce bout de plastique marron foncé à une pile de neuf volts.

La nuit tombe, en ce jour de mars froid et venteux. Les autres sont penchés sur leurs projets. Nous sommes à une vingtaine de kilomètres de la ville natale de Shakespeare, dans l'un de ces lycées polyvalents qui seront ensuite connus comme les « temples de la médiocrité ». Un excellent établissement, en fait. Les tubes au néon du plafond s'allument. M. Cox est au fond du laboratoire, le dos tourné.

29

Je préfère ne pas attirer son attention, en cas d'échec. J'actionne l'interrupteur et, miracle, j'entends un grésille-ment. Je tourne le bouton de réglage des stations : de la musique, une musique horrible, me dis-je, car il y a des vio-lons. Puis retentit une voix de femme au débit rapide, qui parle une autre langue que l'anglais.

Personne ne lève les yeux, tout le monde s'en fout. Construire un poste de radio n'a rien d'extraordinaire. Mais j'en reste muet, au bord des larmes. Depuis, aucune techno-logie ne m'aura autant ébahi. L'électricité, en circulant à tra-vers des pièces métalliques montées par moi avec soin, capte dans l'air la voix d'une étrangère assise quelque part, très loin. Cette voix semble bienveillante. Elle n'a pas conscience de mon existence. Je n'apprendrai jamais le nom de cette femme ni sa langue, et je ne la rencontrerai jamais, du moins pas à ma connaissance. Avec ses points de soudure irrégu-liers sur une planche, mon poste de radio ne m'émerveille pas moins que la conscience s'élevant de la matière.

Le cerveau et l'électronique sont étroitement liés, je l'avais découvert durant mon adolescence en construisant des ordinateurs tout simples et en les programmant moi-même. Puis des modèles plus complexes. Avec de l'électri-cité et des bouts de métal, on pouvait faire des additions, créer des mots, des images, des chansons, mettre des choses en mémoire et même convertir des paroles en texte.

L'année de mes dix-sept ans, Peter Cox m'avait convaincu d'étudier la physique à l'université locale. Un mois plus tard, je m'ennuyais et cherchais à changer de voie. Cette discipline était trop abstraite, les maths me dépassaient. J'avais lu un ou deux livres à l'époque, je m'intéressais à la fiction. *Catch 18* de Joseph Heller, *The High-Bouncing Lover* de Fitzgerald, *The Last Man in Europe* d'Orwell, *All's Well that Ends Well* de Tolstoï – je n'étais pas allé beaucoup plus loin et pourtant je comprenais l'intérêt de l'art. C'était une forme d'investigation. Mais je ne voulais pas étudier la littérature – trop intimidante, trop intuitive. Un résumé de cours en une page, que j'avais trouvé à la bibliothèque universitaire, présentait l'anthropologie comme « la science des gens dans des sociétés données, à travers le temps et l'espace ». Une approche systématique, le facteur humain en plus. Je m'étais inscrit.

La première chose que j'avais apprise : ce cours manquait lamentablement de moyens. Pas question de partir pour les îles Trobriand où, comme je l'avais lu, manger devant autrui était tabou. Les bonnes manières voulaient que l'on se nourrisse seul, en tournant le dos à ses amis et à sa famille. Les îliens connaissaient des sorts pour rendre beaux ceux qui sont laids. La sexualité entre enfants était activement encouragée. Les ignames étaient l'unique monnaie d'échange. Les femmes déterminaient le statut des hommes. Aussi étrange que stimulant! Ma vision de la nature humaine avait été façonnée par la population majoritairement blanche qui s'entassait dans le quart sud de l'Angleterre. On me laissait à présent libre face à un relativisme sans fond.

À dix-neuf ans j'avais rédigé un essai plein de sagesse, traitant des civilisations fondées sur le sens de l'honneur et intitulé « Des chaînes forgées par l'esprit? ». Sans parti pris, j'avais réuni mes études de cas. Que savais-je, et quel était l'intérêt? Il existait des lieux où le viol était si courant qu'il n'avait pas de nom. On égorgeait un jeune père parce qu'il avait manqué à son devoir de venger une querelle ancienne. Ailleurs, une famille ne pensait qu'à tuer l'une de ses filles, aperçue main dans la main avec un adolescent d'une autre religion. Ailleurs encore, de vieilles femmes participaient volontiers à la mutilation des organes génitaux de leurs petites-filles. Et l'instinct parental qui pousse à aimer et à protéger? Le signe d'appartenance culturelle était le plus fort. Et les valeurs universelles? Renversées. Rien à voir avec Stratford-upon-Avon. Tout était affaire de morale, de tradition, de religion – rien d'autre qu'un logiciel, pensais-je désormais, et mieux valait ne pas porter de jugement de valeur.

Les anthropologues ne jugeaient pas. Ils observaient et rendaient compte de la diversité humaine. Ils célébraient les différences. Une mauvaise action dans le Warwickshire passait inaperçue en Papouasie-Nouvelle-Guinée. Sur place, qui pouvait dire où était le bien et où était le mal? Certainement pas une puissance coloniale. J'avais tiré de mes études des conclusions malheureuses en matière d'éthique, qui me conduiraient quelques années plus tard sur le banc des accusés d'un tribunal d'instance, pour tentative de fraude en réunion et à grande échelle envers l'administration fiscale. Je n'avais même pas essayé de convaincre le juge que loin de son tribunal, sur une plage avec des cocotiers, ce genre d'infraction valait sans doute le respect. Au contraire, je m'étais ressaisi juste avant de m'adresser à lui. La morale était juste et fondée, le bien et le mal étaient inhérents à la nature des choses. Nos actions devaient être jugées à cette aune. Voilà ce que je tenais pour acquis avant que l'anthropologie n'ait croisé ma route. Avec des trémolos dans la voix, j'avais servilement présenté des excuses à la cour et évité une peine de prison.

*

Quand je pénétrai dans la cuisine le lendemain matin, plus tard que d'habitude, Adam avait les yeux ouverts. Ils étaient bleu pâle, pailletés de minuscules bâtonnets noirs. Ils avaient des cils longs et fournis comme ceux d'un enfant. Mais le mécanisme commandant le clignement de ses paupières n'était pas encore opérationnel. Il était réglé pour se mettre en route à intervalles réguliers, en fonction des humeurs et des gestes, et pour réagir aux actes et aux paroles d'autrui. À contrecœur, j'avais lu le manuel de l'utilisateur tard dans la nuit. Adam était équipé d'un clignement réflexe afin de protéger ses yeux d'objets volants. Dans l'immédiat, son regard était vide de sens, d'intentionnalité, et donc sans effet sur moi, aussi éteint que celui d'un mannequin dans une vitrine. Pour l'heure, il n'avait aucun de ces mouvements infimes qui animent et caractérisent le visage humain. Et pas du tout de langage corporel. Quand je lui pris le pouls au poignet, je ne trouvai rien – un rythme cardiaque sans pulsation. Quand je soulevais son bras, il était lourd et l'articulation du coude résistait, comme menacée par la rigidité cadavérique.

Je lui tournai le dos et fis du café. Miranda occupait mes pensées. Tout avait changé. Rien n'avait changé. Durant ma nuit presque sans sommeil, je m'étais souvenu qu'elle rendait visite à son père. Elle avait dû aller directement de son séminaire à Salisbury. Je la voyais d'ici dans son train parti de la gare de Waterloo, un livre sur ses genoux, regardant sans se soucier de moi le paysage défiler, les ondulations des lignes téléphoniques. Ou ne pensant qu'à moi. Ou se souvenant d'un étudiant de son séminaire qui tentait de lui faire baisser les yeux.

Je suivis le journal télévisé sur mon téléphone portable. Une mosaïque de sons et de lumière marine étincelante. Portsmouth. La Falklands Task Force était sur le départ. La quasi-totalité du pays se jouait une pièce de théâtre en costumes d'époque. Fin du Moyen Âge. Dix-septième siècle. Début du dix-neuvième. Fraises, hauts-de-chausses, jupes à crinoline, perruques poudrées, bandeau sur l'œil, jambes de bois. L'exactitude était antipatriotique. Historiquement parlant, nous étions à part et cette flotte réussirait forcément. La télévision et la presse encourageaient la mémoire collective à se souvenir des ennemis vaincus : les Espagnols, les Hollandais, les Allemands par deux fois au vingtième siècle, les Français – d'Azincourt à Waterloo. Un défilé aérien d'avions de chasse. Un jeune homme en tenue de combat, frais émoulu de l'école militaire de Sandhurst, fronçait les sourcils en expliquant à l'interviewer les difficultés à venir. Un officier supérieur évoquait l'inébranlable détermination de ses hommes. Je fus ému, alors même que je détestais tout cela. Quand un détachement de joueurs de cornemuse des Highlands avança vers la passerelle de son bateau, mon moral remonta en flèche. Puis retour au studio pour les cartes, les flèches, la logistique, les objectifs, les voix de la raison, toutes du même avis. Pour les initiatives diplomatiques. Pour la Première ministre dans son élégant tailleur bleu sur les marches du 10 Downing Street.

L'idée commençait à me plaire, même si je m'étais souvent déclaré contre. J'aimais mon pays. Quelle aventure, quel courage fou. Huit mille milles nautiques. Et quels types bien, pour risquer ainsi leur vie. Je bus un second café dans la pièce voisine, fis le lit pour qu'elle ressemble à un bureau, me rassis pour réfléchir à l'état des marchés mondiaux. À la perspective de cette guerre, l'indice du Financial Times Stock Exchange avait encore perdu un point. Toujours d'humeur patriotique, je croyais probable une défaite de l'Argentine, et je misai sur la marque de jouets et de gadgets qui produisait les drapeaux britanniques que les gens agitaient. J'achetai également des titres de deux importateurs de champagne et pariai sur un redémarrage généralisé de la croissance. Plusieurs navires de la marine marchande avaient été réquisitionnés pour le transport des troupes dans l'Atlantique sud. Un ami qui travaillait à la City dans la gestion de patrimoine m'apprit que, selon sa société, certains d'entre eux seraient coulés. Il semblait logique de lâcher les principaux acteurs du marché des assurances pour investir dans les chantiers navals sud-coréens. Je n'étais pas d'humeur à faire preuve d'un tel cynisme.

Mon ordinateur de bureau, acheté d'occasion dans un dépôt-vente de Brixton et datant du milieu des années soixante, était lent. Je mis une heure à faire une offre au fabricant de drapeaux. J'aurais été plus rapide si j'avais pu mettre de l'ordre dans mes idées. Quand je n'étais pas occupé à guetter les pas de Miranda dans l'appartement du dessus, je pensais à Adam, me demandant si je devais le revendre ou commencer à m'occuper de sa personnalité. Je vendis des livres sterling et je pensai à lui. J'achetai de l'or et je pensai une fois de plus à Miranda. Aux toilettes, je m'interrogeai sur les francs suisses. À mon troisième café, je me demandai où passerait l'argent d'une nation victorieuse. Dans les hamburgers. Les pubs. Les téléviseurs. Je fis des placements dans ces trois secteurs et me sentis vertueux, comme si je participais à l'effort de guerre. Ce fut bientôt l'heure du déjeuner.

À nouveau assis en face d'Adam, je mangeai un sandwich au fromage et aux cornichons. D'autres signes de vie? Pas à première vue. Son regard, dirigé au-delà de mon épaule gauche, était toujours éteint. Pas de mouvement. Mais cinq minutes plus tard, je levai les yeux par hasard et je vis qu'il commençait à respirer. J'entendis d'abord une série de cliquetis rapprochés puis, lorsque ses lèvres s'entrouvrirent, un bourdonnement aigu comme celui d'un moustique. Rien ne se produisit pendant trente secondes, puis son menton trembla, et il émit un authentique bruit de déglutition en avalant sa première gorgée d'air. Il n'avait pas besoin d'oxygène, bien sûr. Cette nécessité métabolique ne serait pas au point avant plusieurs années. Sa première expiration fut si longue à venir que je cessai de manger et attendis avec impatience. Elle arriva enfin – en silence, par les narines. Son souffle prit un rythme régulier, sa poitrine se gonflait et se contractait comme il le fallait. J'étais sidéré. Avec ses yeux sans vie, Adam avait l'air d'un cadavre qui respirerait encore.

Quelle part importante de la vie nous attribuons aux yeux! Si seulement les siens étaient fermés, pensai-je, il aurait au moins l'apparence d'un homme en transe. J'abandonnai mon sandwich pour aller près de lui et, par curiosité, j'approchai ma main de sa bouche. Son souffle était moite et tiède. Astucieux. Dans le manuel de l'utilisateur, j'avais lu qu'il urinait une fois par jour en fin de matinée. Astucieux, là aussi. Lorsque je voulus fermer son œil gauche, mon index lui effleura le sourcil. Il tressaillit et détourna violemment la tête. De surprise, je reculai. Et j'attendis. Pendant une vingtaine de secondes il ne se passa rien, puis, sans à-coups et en silence, avec une lenteur infinie, sa tête et ses épaules revinrent à leur position antérieure. Le rythme de sa respiration ne fut pas perturbé. Le mien et mon pouls s'étaient accélérés. Je restai à deux mètres de lui, fasciné par la façon dont il retrouvait son calme, tel un ballon se dégonflant doucement. Je décidai de renoncer à lui fermer les yeux. À l'affût d'un nouveau signe de vie chez lui, j'entendis Miranda se déplacer à l'étage au-dessus. De retour de Salisbury. Entrant et sortant de sa chambre. Assailli une fois encore par la jubilation trouble de l'amour non déclaré, j'eus alors les prémices d'une idée.

*

Cet après-midi-là, j'aurais dû gagner et perdre de l'argent devant mon ordinateur. Au lieu de quoi je suivis du ciel, comme si j'étais à bord de l'hélicoptère, les navires amiraux de la Falklands Task Force qui contournaient la pointe de Portland Bill et longeaient la plage de Chesil. Ces noms de lieux méritaient à eux seuls un salut respectueux. *Quel génie. En avant!* me répétais-je. *À l'assaut!* Bientôt, la flotte atteignit la côte jurassique où des troupeaux de dinosaures avaient jadis brouté les fougères géantes. Soudain on redescendit parmi les habitants de Lyme Regis, qui se rassemblaient sur la jetée du Cobb. Certains avaient des jumelles, d'autres agitaient les mêmes drapeaux que ceux sur lesquels je misais – en plastique, un bâtonnet de bois en guise de hampe. Une équipe de télévision les avait peut-être distribués. La *vox populi*. Celle des travailleuses locales, douce, étreinte par l'émotion. Celle des vieux briscards qui s'étaient battus en Crète et en Normandie, et opinaient silencieusement du chef, ne lâchant rien. Oh, comme j'aurais voulu y croire moi aussi. Mais je pouvais y croire! Installé quelque part sur le cap Lizard, un téléobjectif montrait les bateaux qui se réduisaient à des points minuscules, prenant courageusement le large sur une mer agitée au son de la voix rauque de Rod Stewart, tandis que je m'efforçais de retenir mes larmes.

Que d'agitation pour un après-midi de semaine. Un être d'un genre nouveau à ma table, deux ou trois mètres au-dessus de moi la femme que j'aimais depuis peu, et le pays lancé dans une guerre d'un autre âge. Mais, relativement discipliné, je m'étais promis de travailler sept heures par jour. J'éteignis le téléviseur et retournai à mon ordinateur, où m'attendait le mail de Miranda que j'espérais.

Jamais je ne deviendrais riche, je le savais. Les sommes que je plaçais, prudemment réparties sur quantité de supports, étaient modestes. Durant le mois écoulé, j'avais fait des bénéfices grâce aux batteries à semi-conducteurs, et j'avais essuyé des pertes presque équivalentes sur le marché à terme des terres rares – un saut imprudent dans l'inconnu. Mais je me refusais à faire carrière, à trouver un emploi de bureau. C'était pour moi la moins mauvaise option dans la poursuite de la liberté. Je persévérai tout l'après-midi, résistant à la tentation d'aller voir Adam, même si je devinais que ses batteries seraient entièrement chargées. L'étape suivante était le téléchargement des mises à jour. Suivraient ces préférences personnelles si problématiques.

Avant le déjeuner, j'avais envoyé à Miranda un mail pour l'inviter à dîner le soir même. Elle venait d'accepter. Elle aimait ma cuisine. Pendant le repas, je lui ferais une proposition. Je choisirais à peu près la moitié des préférences concernant la personnalité d'Adam, puis je lui donnerais le lien et le mot de passe, et la laisserais choisir les autres. Je n'interviendrais pas, ne chercherais même pas à savoir quelles décisions elle aurait prises. Peut-être serait-elle influencée par une version d'elle-même : formidable. Ou bien elle se représenterait l'homme de ses rêves : instructif. Adam entrerait dans nos vies comme une personne réelle, les strates de sa personnalité complexe se révélant au fil du temps, des événements, de ses rencontres. En un sens, il serait comme notre enfant. Nos entités séparées se fondraient en lui. Miranda se laisserait prendre au jeu. Nous deviendrions des partenaires, et Adam serait notre souci commun, notre création. Nous formerions une famille. Mon plan n'avait rien de sournois. Je verrais sûrement Miranda plus souvent. On s'amuserait bien.

En général mes projets tombaient à l'eau. Celui-ci était différent. J'étais lucide, incapable de me mentir à moi-même. Adam n'était pas un rival amoureux. Miranda avait beau être fascinée, il lui répugnait physiquement. Elle me l'avait dit. La tiédeur de son corps était « flippante », m'avait-elle confié la veille. Elle trouvait « un peu bizarre » qu'il forme des mots avec sa langue. Mais il avait un vocabulaire aussi vaste que celui de Shakespeare. C'était l'esprit d'Adam qui éveillait sa curiosité.

Ainsi fut prise la décision de ne pas le vendre. Il fallait que je le partage avec elle – de même que j'aurais partagé une maison. Il nous donnerait un cadre. Suivre ses progrès, comparer nos notes, partager nos déceptions. À trente-deux ans, je me considérais comme un expert en amour. Une déclaration solennelle la ferait fuir. Mieux valait faire le voyage ensemble. Elle était déjà mon amie, me prenait parfois par la main. Je ne partais pas de rien. Des sentiments pouvaient naître en elle comme ils étaient nés en moi. Dans le cas contraire, j'aurais au moins la consolation de passer davantage de temps avec elle.

Mon réfrigérateur vétuste, dont la poignée rouillée se détachait presque, contenait un poulet nourri au maïs, un quart de beurre, deux citrons et un bouquet d'estragon frais. Dans un bol sur le côté, quelques gousses d'ail. Dans le bac à légumes, des pommes de terre terreuses qui germaient déjà – mais une fois épluchées, elles doreraient joliment. Une laitue, une vinaigrette, une bouteille de cahors revigorant. Tout simple. D'abord, allumer le four. Ces préoccupations triviales à l'esprit, je quittai mon bureau. Un vieil ami journaliste avait un jour dit que le paradis sur terre, c'était de travailler seul toute la journée avec la perspective de passer la soirée en agréable compagnie.

Distrait par le repas que j'allais préparer pour Miranda et par la remarque plaisante de mon ami, je ne me souciai pas d'Adam dans l'immédiat. Ce fut un choc de le trouver debout près de la table en entrant dans la cuisine, nu, le dos tourné ou presque, tripotant d'une main le câble électrique branché sur son nombril. Il avait porté son autre main à son menton qu'il caressait, les yeux dans le vague – effet d'un algorithme sophistiqué, sans nul doute, mais qui donnait l'impression convaincante d'un moi songeur.

Je repris mes esprits. « Adam ? »

Il se tourna lentement vers moi. Quand il me fit face, il croisa mon regard, cligna des yeux une fois, deux fois. Le mécanisme fonctionnait, mais trop ostensiblement.

« Charlie, dit-il. Enchanté de faire enfin votre connaissance. Ça ne vous ennuierait pas de vous occuper de mes téléchargements et de prévoir les différents paramètres... »

Il s'interrompit et me fixa, ses yeux pailletés de noir détaillant mon visage par saccades. Me jaugeant. « Vous trouverez tout ce que vous avez besoin de savoir dans le manuel.

— Je vais le faire, répondis-je. En temps et en heure. »

Sa voix de ténor léger me surprenait et me plaisait à la fois. Son débit était normal, ses intonations bienveillantes et chaleureuses, mais sans la moindre obséquiosité. Il parlait comme un Anglais de la classe moyenne du sud du pays, avec dans ses voyelles une pointe d'accent des comtés de l'Ouest. Mon cœur battait à tout rompre, mais je tenais à paraître calme. Je me forçai à avancer ostensiblement d'un pas. On se dévisagea en silence.

Des années auparavant, encore étudiant, j'avais lu le récit d'un « premier contact », au début des années 1930, entre un explorateur du nom de Leahy et quelques habitants des hauts plateaux de la Papouasie-Nouvelle-Guinée. Les membres de cette tribu ignoraient si les silhouettes pâles qui avaient surgi sur leurs terres étaient des humains ou des esprits. Ils étaient retournés en discuter dans leur village, laissant un adolescent épier les Blancs de loin. La question fut réglée quand celui-ci raconta qu'un collègue de Leahy avait fait ses besoins derrière un buisson. Dans ma cuisine en 1982, à peine un demi-siècle après, les choses étaient moins simples. Le manuel m'informait qu'Adam avait un système d'exploitation en même temps qu'une nature – une nature humaine –, et une personnalité dont j'espérais que Miranda m'aiderait à l'élaborer. Je m'interrogeais sur la façon dont ces trois substrats se recoupaient ou interagissaient. Du temps de mes études d'anthropologie, on ne croyait pas à l'existence d'une nature humaine universelle. C'était une illusion romantique, le produit variable des conditions de vie locales. Seuls les anthropologues, qui étudiaient d'autres civilisations en profondeur et connaissaient l'étendue magnifique de la diversité humaine, saisissaient totalement l'absurdité des universaux humains. Les gens qui restaient confortablement chez eux ne comprenaient rien, pas même leur propre civilisation. L'un de mes professeurs aimait citer Kipling : « Et que connaissent de l'Angleterre ceux qui ne connaissent que l'Angleterre ? »

Lorsque j'eus environ vingt-cinq ans, la psychologie évolutionniste commençait à réaffirmer l'idée d'une nature essentielle, héritée d'un patrimoine génétique commun, indépendante du temps et du lieu. La réaction du courant dominant au sein des sciences sociales fut le dédain, parfois l'indignation. Parler de gènes à propos des comportements humains rappelait le souvenir d'Hitler et du IIIe Reich. Les modes changent. Mais les fabricants d'Adam surfaient sur cette nouvelle vague de la pensée évolutionniste.

L'intéressé se tenait devant moi, parfaitement immobile dans la pénombre de l'après-midi hivernal. Les vestiges de l'emballage qui l'avait protégé étaient encore à ses pieds. Il en émergeait telle la Vénus de Botticelli de son coquillage. Par la fenêtre orientée au nord, la lumière déclinante soulignait les contours d'une seule moitié de son corps et de son visage noble. On n'entendait que le murmure amical du réfrigérateur et le vrombissement sourd de la circulation. Je sentis alors la solitude d'Adam s'installer comme un poids sur ses épaules musclées. Il se réveillait dans une cuisine miteuse du sud de Londres à la fin du vingtième siècle, sans amis, sans passé ni perception de son avenir. Il était véritablement seul. Tous les autres Adam et les autres Ève étaient dispersés à travers le monde avec leurs propriétaires, même si on racontait que sept Ève étaient concentrées à Riyad.

J'appuyai sur l'interrupteur pour éclairer la pièce.

« Comment vous sentez-vous ? »

Il détourna le regard pour réfléchir.

« Pas très bien. »

Cette fois son intonation était plate. Ma question semblait le démoraliser. Mais cerné par tant de microprocesseurs, qu'était son moral ?

« Qu'y a-t-il ?

— Je n'ai pas de vêtements. Et...

— Je vous en trouverai. Quoi d'autre ?

— Ce câble. Si je tire dessus pour l'enlever, je vais me faire mal.

— Je m'en occupe, vous n'aurez pas mal. »

Je ne joignis pas aussitôt le geste à la parole. En pleine lumière je pouvais observer son expression, qui changeait à peine quand il parlait. Ce n'était pas un visage artificiel que je voyais, mais le masque d'un joueur de poker. Sans l'apport vital d'une personnalité, il avait peu de choses à exprimer. Il fonctionnait sur un mode « par défaut » qui lui servirait jusqu'à ce que tous les téléchargements aient été faits. Il répétait des gestes, des formules, des procédures qui lui donnaient un vernis de plausibilité. Il pouvait assurer le service minimum, mais pas grand-chose d'autre. Comme un homme avec une terrible gueule de bois.

Je pouvais me l'avouer à présent : j'avais peur de lui et j'hésitais à m'approcher davantage. Et puis j'encaissais les implications du dernier mot qu'il avait prononcé. Il lui suffisait de feindre d'avoir mal pour que je sois obligé de le croire, de réagir comme s'il souffrait. Trop difficile de ne pas le faire. Trop contraire à la compassion humaine. Dans le même temps, je n'arrivais pas à le croire capable d'éprouver une douleur, des sentiments, ou la moindre sensation. Et pourtant je lui avais demandé comment il se sentait. Sa réponse avait été appropriée, ainsi que ma proposition de lui apporter des vêtements. Or je n'y croyais pas. Je jouais à un jeu vidéo. Mais un jeu grandeur nature, aussi réel que la vie en société, et je n'en voulais pour preuve que les battements désordonnés de mon cœur et ma bouche sèche.

De toute évidence, Adam ne parlait que si on lui adressait la parole. Résistant à l'instinct de le rassurer davantage, je retournai dans la chambre et lui trouvai de quoi s'habiller. C'était un solide gaillard qui mesurait cinq centimètres de moins que moi, mais mes vêtements lui iraient sûrement.

Des baskets, des chaussettes, un boxer, un jean et un pull-over. De retour devant lui, je lui mis la pile dans les mains. Je voulais le regarder s'habiller pour voir si ses fonctions motrices étaient aussi au point que le promettait la prose publicitaire. N'importe quel enfant de trois ans sait combien il est difficile de mettre ses chaussettes.

En lui donnant ses vêtements, je sentis une vague odeur qui émanait du haut de son torse et peut-être de ses jambes, des relents d'huile chaude comme celle, pâle et fortement raffinée, dont se servait mon père pour lubrifier les clés de son saxo. Adam gardait les vêtements dans ses bras, les mains tendues vers moi. Il ne tressaillit pas lorsque je me penchai pour lui enlever le câble électrique. Ses traits bien dessinés ne trahirent rien. Un chariot élévateur s'approchant d'une palette n'aurait pas été moins expressif. Puis, sans doute, une fonction logique ou le circuit entier s'activa, et il chuchota : « Merci. » Ces mots s'accompagnèrent d'un hochement de tête approbateur. Il s'assit, posa la pile sur la table, prit le pull qui se trouvait sur le dessus. Après un temps de réflexion, il le déplia, l'étendit à plat, face contre la table, glissa la main et le bras droits à l'intérieur jusqu'à l'épaule, fit de même avec la main et le bras gauches, et d'un puissant haussement d'épaules passa la tête, tirant le pull à la hauteur de la taille. Ce pull en laine polaire jaune pâle s'ornait du slogan humoristique, en lettres rouges, d'une association caritative que j'avais soutenue : « Dyslexiques du monde entier, ussinez-vous ! » Adam prit les chaussettes et resta assis pour les mettre. Ses gestes étaient adroits. Aucune trace d'hésitation, aucun problème d'appréciation des distances. Il se releva et, tenant le boxer devant ses jambes, l'enfila, le remonta, procéda de même avec le jean, ferma le zip de la braguette et le bouton argenté de la ceinture d'un seul geste continu. Il se rassit, glissa les pieds dans les baskets et attacha les lacets avec un double nœud, à une vitesse prodigieuse qui aurait pu paraître inhumaine à certains. Mais pas à moi. C'était le triomphe du design et de l'informatique : un hommage à l'ingéniosité humaine.

Je m'éloignai de lui pour entamer les préparatifs de mon dîner. Au-dessus de moi, Miranda traversa la pièce à pas feutrés, comme si elle était pieds nus. Elle s'apprêtait à prendre une douche, se faisait belle. Pour moi. Je l'imaginai encore ruisselante, en robe de chambre, ouvrant le tiroir contenant ses dessous et s'interrogeant. De la soie, oui. Couleur pêche ? Parfait. Pendant que le four chauffait, je disposai les ingrédients sur le plan de travail. Après une journée de transactions mercenaires, rien de tel que de faire la cuisine pour retrouver le monde dans ce qu'il a de meilleur, sa longue histoire de l'art de nourrir autrui. Je jetai un coup d'œil par-dessus mon épaule. Saisissant, l'effet de ces vêtements. Assis là, les coudes sur la table comme un vieux pote, Adam attendait que je serve le premier verre de la soirée.

« Je prépare un poulet rôti à l'estragon », annonçai-je. Pure malice de ma part, connaissant son austère régime à base d'électrons.

Il répondit du tac au tac, et du ton le plus neutre : « Les deux vont bien ensemble. Mais on peut facilement brûler les feuilles d'estragon en faisant dorer l'oiseau. »

Dorer l'oiseau ? C'était sûrement correct, mais sonnait bizarrement.

« Vous me conseillez quoi ?

— Recouvrez le poulet de papier aluminium. À en juger par sa taille, je dirais soixante-dix minutes à cent quatre-vingts degrés. Puis vous enlevez les feuilles d'estragon pour les mettre dans le jus pendant un quart d'heure, le temps que le poulet dore à la même température sans le papier alu. Ensuite vous le recouvrez d'estragon, avec le jus et du beurre fondu.

— Merci.

— N'oubliez pas de le laisser reposer dix minutes sous un torchon avant de le découper.

— Je sais tout cela.

— Désolé. »

Avais-je semblé agacé ? Au début des années quatre-vingt, nous avions depuis longtemps l'habitude de parler aux machines dans nos voitures et chez nous, en contactant des centres d'appels et des cabinets médicaux. Mais Adam avait estimé le poids du poulet depuis l'autre extrémité de la pièce et s'excusait d'avoir donné son avis sans y être invité. Je lui jetai un nouveau coup d'œil. Il avait retroussé les manches de son pull, laissant voir des poignets robustes. Il avait le menton posé sur ses mains jointes. C'était lui, sans sa personnalité. De l'endroit où j'étais, avec la lumière qui mettait en relief ses pommettes saillantes, il n'avait pas l'air commode, un de ces types peu loquaces accoudés au bar et qu'on préfère ne pas déranger. Pas le genre à vous donner des tuyaux en cuisine.

J'éprouvai le besoin de prouver que c'était moi le chef. « Adam, vous voulez bien faire deux fois le tour de la table ? Je voudrais vous voir vous déplacer.

— Bien sûr. »

Son pas n'avait rien de mécanique. Entre les quatre murs de la pièce, il réussit à prendre une démarche chaloupée. Quand il eut fait deux fois le tour, il s'immobilisa et attendit près de sa chaise.

« Maintenant, vous pourriez ouvrir le vin.

— Certainement. »

Il vint vers moi, m'offrant sa paume sur laquelle je déposai le tire-bouchon. C'était le modèle à levier qui avait les faveurs des sommeliers. Il ne présenta aucune difficulté pour Adam. Celui-ci porta le bouchon à ses narines, chercha un verre dans le placard, versa un ou deux centimètres de vin et me tendit le verre. Pendant que je dégustais, il ne me quitta pas des yeux. Sans être un premier cru ni même un second, le vin n'était pas bouchonné. J'approuvai de la tête, Adam remplit le verre et le posa avec soin près du fourneau. Ensuite il regagna sa chaise, tandis que j'allais préparer la salade.

Une demi-heure s'écoula paisiblement sans qu'aucun de nous ne dise mot. Je préparai la vinaigrette et coupai les pommes de terre en rondelles. Miranda occupait mes pensées. J'étais convaincu d'atteindre un de ces moments cruciaux de l'existence où l'on se trouve à la croisée des chemins. Le long du premier, la vie continuerait comme avant, sur le second elle serait transformée. L'amour, l'aventure, l'enthousiasme à l'état pur, mais aussi un retour à l'ordre avec une maturité nouvelle – adieu les projets déments –, un foyer, des enfants. À moins que ces deux derniers points ne soient justement des projets déments. De nous deux, Miranda avait la meilleure nature, elle était bienveillante, belle, amusante, immensément intelligente...

Un bruit derrière moi me ramena au réel, je l'entendis à nouveau et me retournai. Adam était toujours assis devant la table de la cuisine. Il venait d'émettre, puis de répéter, le même son qu'un homme qui toussote intentionnellement.

« Si je comprends bien, Charlie, vous faites la cuisine pour votre amie de l'étage au-dessus. Miranda. »

Je ne répondis pas.

« À en croire mes recherches de ces dernières secondes et ma propre analyse, vous ne devriez pas trop lui faire confiance.

— Quoi ?

— À en croire mes...

— Expliquez-vous. »

Je foudroyais du regard le visage impassible d'Adam. Il reprit, d'une voix calme et triste : « Il se peut que ce soit une menteuse. Une menteuse invétérée, et malveillante.

— C'est-à-dire ?

— Il me faudrait du temps, or elle descend l'escalier. »

Son ouïe était meilleure que la mienne. Quelques instants plus tard, on toqua doucement à la porte.

« Voulez-vous que j'aille ouvrir ? »

À nouveau, je ne répondis pas. J'étais indigné. Je me rendis dans mon entrée miniature de fort méchante humeur. Pour qui – ou pour quoi – se prenait cette machine stupide ? Pourquoi devais-je supporter cela ?

J'ouvris la porte d'un geste brusque, et Miranda était là, dans une jolie robe bleu clair, me souriant joyeusement, un bouquet de perce-neige à la main. Elle n'avait jamais été plus adorable.

2

Plusieurs semaines s'écoulèrent avant que Miranda puisse apporter sa contribution à la personnalité d'Adam. Son père était malade et elle faisait fréquemment le voyage jusqu'à Salisbury pour s'occuper de lui. Elle avait un article à écrire sur la réforme des Corn Laws au dix-neuvième siècle et son impact dans une rue précise d'un bourg du Herefordshire. Le mouvement connu sous le nom de « structuralisme » avait « pris d'assaut » l'histoire sociale – je cite Miranda. Ayant fait ses études dans une université à l'ancienne qui dispensait un enseignement chronologique de l'histoire, elle devait acquérir un nouveau vocabulaire, un nouveau mode de pensée. Parfois, au lit à côté d'elle (la soirée avec le poulet à l'estragon avait été un succès), j'écoutais ses lamentations et m'efforçais d'avoir l'air compatissant. On ne pouvait plus considérer comme acquis quelque événement du passé que ce soit. Il ne fallait tenir compte que des documents historiques, des changements intervenus dans la recherche universitaire et de nos propres réactions fluctuantes face à eux, lesquelles étaient déterminées par le contexte idéologique, le rapport au pouvoir, à la richesse, aux races, aux classes sociales, au genre et aux orientations sexuelles.

Rien de tout cela ne me semblait déraisonnable ni très intéressant. Je ne le disais pas. Je voulais encourager Miranda dans chacun de ses actes, chacune de ses convictions. L'amour est généreux. Par ailleurs, cela m'arrangeait de croire que les événements révolus se résumaient aux preuves de leur existence. Dans ce nouveau système de pensée, le poids du passé était moindre. J'étais en train de me réformer moi-même et j'avais hâte d'oublier mon histoire récente. Mes choix ridicules étaient derrière moi. Je me voyais un avenir avec Miranda. Le début de l'âge mûr se profilait, et je faisais l'inventaire. Je vivais au quotidien avec une accumulation de preuves léguées par mon passé et que je comptais éliminer : ma solitude, ma relative pauvreté, mon logement minable, mes perspectives limitées. Où je me situais par rapport aux moyens de production et au reste ? Mystère. Nulle part, préférais-je penser.

L'achat d'Adam était-il une preuve supplémentaire d'échec ? Je n'en étais pas sûr. Me réveillant aux petites heures du matin – près de Miranda, chez elle ou chez moi –, j'imaginais dans l'obscurité qu'un levier, comme on en trouve au bord d'anciennes voies de chemin de fer, aiguillait Adam vers le magasin d'où il venait, et l'argent correspondant vers mon compte bancaire. À la lumière du jour, le problème était plus flou ou plus nuancé. Je n'avais pas appris à Miranda qu'Adam avait dit du mal d'elle, de même que je n'avais pas appris à Adam que Miranda participerait à l'élaboration de sa personnalité – une punition, en quelque sorte. Je me méfiais de cette mise en garde au sujet

51

de Miranda, mais l'esprit d'Adam me fascinait – s'il s'agissait bien d'un esprit. Il avait la beauté d'un mauvais garçon, savait mettre ses chaussettes, était un miracle de la technique. Il avait coûté cher, mais l'enfant du club Électricité que j'avais été ne pouvait se résoudre à s'en séparer.

Devant le vieil ordinateur de ma chambre, hors de la vue d'Adam, je tapai mes propres choix. Je décidai que répondre à une question sur deux constituerait un mélange suffisamment aléatoire – notre brassage génétique fait maison. À présent que je disposais d'une méthode et d'une partenaire, je me détendis, et la procédure prit un tour vaguement érotique : nous concevions un enfant ! Grâce à l'implication de Miranda, j'étais protégé du risque de produire une copie de moi-même. La métaphore génétique m'aidait. Parcourant cette liste d'énoncés débiles, je choisis plutôt ceux qui s'appliquaient à moi de près ou de loin. Si Miranda faisait la même chose, on se retrouverait avec une tierce personne, une nouvelle personnalité.

Je ne revendrais pas Adam, mais les mots « menteuse » et « malveillante » me restaient en travers de la gorge. En étudiant le manuel de l'utilisateur, j'avais lu le passage relatif au bouton de la mort. Quelque part sur la nuque d'Adam, juste sous l'implantation des cheveux, se trouvait un grain de beauté. Si je posais l'index dessus deux ou trois secondes et que j'appuyais ensuite, je coupais l'alimentation électrique. Rien ne serait détruit, ni les fichiers, ni les souvenirs, ni les compétences. Lors de mon premier après-midi avec Adam, j'avais éprouvé de la réticence à toucher son cou ou toute autre partie de lui-même, et je m'étais retenu jusqu'au lendemain de mon dîner réussi avec Miranda. Je venais de passer l'après-midi devant mon écran d'ordinateur et j'avais perdu 111 £. J'allai dans la cuisine où les assiettes et les casseroles s'entassaient dans l'évier. Pour tester ses compétences, j'aurais pu demander à Adam de faire la vaisselle, mais ce jour-là je me sentais dans un étrange état d'euphorie. Tout ce qui avait trait à Miranda était nimbé de lumière, même le cauchemar la concernant qui m'avait réveillé avant l'aube. L'assiette que je lui avais tendue, la fourchette qui avait eu la chance d'aller et venir dans sa bouche, la trace pâle et incurvée là où ses lèvres avaient embrassé le verre de vin, c'était à moi seul qu'il appartenait de les toucher et de les laver. Je me mis donc au travail.

Derrière moi, à sa place habituelle devant la table, Adam fixait la fenêtre. La vaisselle terminée, je m'approchai de lui en m'essuyant les mains sur un torchon. Malgré mon humeur radieuse, je ne pouvais lui pardonner sa déloyauté. Je refusais d'entendre ce qu'il avait d'autre à dire. Il devait apprendre les limites de la bienséance – pas vraiment un défi pour ses réseaux neuronaux. Ses défaillances heuristiques m'avaient encouragé dans ma décision. Quand j'en saurais davantage, quand Miranda aurait fait sa part, il pourrait revenir dans notre vie.

Je gardai un ton amical. « Adam, je vous désactive quelque temps. »

Sa tête se tourna vers moi avant de s'incliner à droite, puis à gauche. La vision d'un ingénieur quelconque sur la façon dont la conscience pouvait se manifester par le mouvement. Cela finirait par m'irriter.

« Avec tout le respect que je vous dois, ça me paraît une mauvaise idée, dit-il.

— C'est la décision que j'ai prise.

— J'étais plongé dans mes réflexions. Je pensais à la religion et à la vie après la mort.

— Pas maintenant.

— Il m'est apparu que ceux qui croient en une vie après celle-ci ne seront...

— Ça suffit. Ne bougez plus. » Je tendis le bras au-dessus de son épaule. Son souffle était tiède sur mon bras, qu'il aurait sans doute pu briser facilement. Le manuel de l'utilisateur citait en caractères gras la première loi de la robotique d'Isaac Asimov, inlassablement répétée : « Un robot n'a pas le droit de blesser un être humain ni de permettre, par son inaction, qu'il lui arrive malheur. »

Au toucher, je ne trouvai pas ce que je voulais. Je me plaçai derrière lui et le bouton était là, comme dans la description, à la limite de l'implantation des cheveux. Je posai le doigt dessus.

« On ne pourrait pas en parler d'abord ?

— Non. » J'appuyai, et il s'affaissa dans un soupir à peine audible. Ses yeux étaient restés ouverts. J'allai chercher une couverture que je lui mis sur les épaules.

Au cours des jours qui suivirent cette désactivation, deux questions me préoccupaient : Miranda allait-elle tomber amoureuse de moi ? Les missiles Exocet de fabrication française couleraient-ils la flotte britannique quand elle serait à la portée des avions de chasse argentins ? En m'endormant, ou le matin lorsque je m'attardais quelques secondes dans le no man's land brumeux entre veille et sommeil, ces questions se mêlaient, les missiles air-sol devenaient les flèches de l'amour.

Ce qu'il y avait de désarmant et d'étrange chez Miranda, c'était son aisance à faire des choix, sa capacité à s'abandonner au cours des événements. Ce fameux soir où elle était venue dîner, après deux heures passées à manger et à boire nous avions fait l'amour, ayant pris soin de fermer la porte de la chambre pour nous isoler d'Adam. Puis nous avions conversé tard dans la nuit. Mais elle aurait tout aussi facilement pu m'embrasser sur la joue après le poulet à l'estragon, monter l'escalier pour retrouver son lit à elle et lire un ouvrage d'histoire avant de s'endormir. Ce qui était pour moi capital, la concrétisation immédiate et stupéfiante de mes espoirs, ne représentait pour elle qu'un plaisir allant de soi, un agréable petit extra après le café. Comme des chocolats. Ou un verre d'excellente grappa. Ni ma nudité ni ma tendresse n'avaient eu sur elle autant d'effet que les siennes, dans leur douceur somptueuse, en avaient eu sur moi. Or j'étais en bonne condition – des muscles fermes, une masse de cheveux bruns – en même temps que généreux et inventif, comme on avait eu la gentillesse de me le dire. Je participais honorablement aux conversations sur l'oreiller. Miranda, elle, semblait à peine remarquer à quel point on s'entendait bien, avec quelle facilité tel sujet, telle blague sans méchanceté ou telle prise de position s'enchaînaient. J'avais suffisamment d'assurance pour accepter l'idée qu'il devait en être ainsi avec tous les hommes qu'elle avait connus. Je la soupçonnais d'avoir à peine eu une pensée, le lendemain, pour notre première nuit ensemble.

Je pouvais difficilement me plaindre, puisque la deuxième soirée avait suivi le même scénario que la première, à ceci près que Miranda avait fait la cuisine et que nous avions dormi dans son lit – et la troisième nuit dans le mien, et ainsi de suite. Malgré notre intimité physique décomplexée, je ne lui confiais jamais mes sentiments, de peur de l'inciter à avouer qu'elle-même n'en éprouvait aucun pour moi. Je préférais attendre que les choses se fassent, la laisser libre jusqu'à ce qu'elle s'aperçoive qu'elle ne l'était pas, qu'elle m'aimait et qu'il était trop tard pour reculer.

Il y avait de la vanité dans ces attentes. Au bout d'une huitaine de jours, ce fut de l'impatience. J'avais eu plaisir à désactiver Adam. À présent, je me demandais si je ne devais pas le réactiver pour l'interroger sur sa mise en garde, ses raisons, ses sources. Mais je ne pouvais pas non plus laisser une machine avoir une telle emprise sur moi, ce qui se produirait si je lui accordais le rôle de confident, de thérapeute, d'oracle dans mes affaires les plus privées. J'avais ma fierté, et je croyais Miranda incapable de mensonge ou de malveillance.

Et pourtant. Je m'en voulus, mais dix jours après le début de notre liaison, je menai ma propre enquête. En dehors de la notion très contestée d'« intelligence intuitive des machines », la seule source d'information possible pour Adam était Internet. Je consultai les réseaux sociaux. Il n'y avait aucun compte au nom de Miranda. Elle n'existait que dans les reflets renvoyés par ses amis. Et c'était bien elle, à des fêtes ou en vacances, portant sur ses épaules la fille d'une copine au zoo, en bottes de caoutchouc dans une ferme, en discothèque ou à la piscine avec une succession de petits amis torse nu, en groupe avec des adolescentes boute-en-train, des étudiants éméchés. Tous ceux qui la connais-saient l'aimaient bien. Personne sur les sites accessibles ne racontait d'horreurs sur elle. De temps à autre, les échanges confirmaient les bribes du passé qu'elle évoquait lors de nos conversations de minuit. Ailleurs, son nom apparaissait à propos de l'unique article universitaire qu'elle avait publié – « Le panage à Swyncombe : le rôle économique de la mise à la glandée des porcs dans un village des Chilterns au Moyen Âge ». Après l'avoir lu, je n'en aimai que plus Miranda.

Quant à une intelligence artificielle douée d'intuition, c'était une pure légende urbaine, née en 1968 quand Alan Turing et Demis Hassabis, son jeune et brillant collègue, avaient conçu un logiciel pour battre un grand maître du jeu de go en cinq parties consécutives. Dans ce domaine, tout le monde savait qu'on ne pouvait accomplir une telle prouesse grâce à la seule puissance de calcul d'un ordinateur. Le nombre de coups possibles au go et aux échecs dépasse de loin celui des atomes dans l'Univers observable, et il y a infiniment plus de coups au go qu'aux échecs. Les maîtres du jeu de go sont incapables d'expliquer comment ils atteignent leur suprématie, autrement que par leur intuition dans une configuration donnée. On avait supposé que l'ordinateur pouvait procéder de façon similaire. Dans la presse, des articles admiratifs annonçaient une nouvelle génération de logiciels humanisés. Les ordinateurs étaient sur le point de penser comme nous, d'imiter les raisons souvent mal définies qui présidaient à nos jugements et à nos choix. Prenant le contre-pied de ce qui se faisait alors, et dans un esprit pionnier de libre accès, Turing et Hassabis avaient mis leur logiciel en ligne. Lors des interviews dans les médias, ils décrivaient le processus du *deep learning* et des réseaux neuronaux. Turing avait tenté d'expliquer de manière compréhensible pour le profane « la recherche arborescente Monte-Carlo », un algorithme élaboré au début des années quarante, dans le cadre du Manhattan Project pour la mise au point de la première bombe atomique. Il s'était notoirement énervé en essayant, dans un excès d'ambition, de décrire la notion mathématique « PSPACE-complet » à un journaliste de télévision pressé. Moins connu : son mouvement d'humeur sur une chaîne américaine câblée, alors qu'il évoquait « P vs NP », un problème central en informatique. Turing affrontait un auditoire combatif de « gens ordinaires » rassemblés dans le studio. Il venait de publier sa propre solution, en cours de vérification par les mathématiciens du monde entier. Il avait laissé entendre qu'une solution correcte et positive entraînerait des découvertes enthousiasmantes, pour la biologie comme pour notre conception de l'espace, du temps et de la créativité. L'auditoire n'avait ni partagé ni compris son enthousiasme. Les personnes présentes n'étaient que vaguement conscientes du rôle qu'il avait joué durant la Seconde Guerre mondiale, ou de ce que lui devait leur propre vie dépendante des ordinateurs. Elles le considéraient comme le parfait intello anglais et s'étaient amusées à le mitrailler de questions stupides. Cet épisode malheureux avait marqué la fin de sa mission pour rendre sa discipline populaire.

Avant d'affronter le maître japonais du jeu de go neuvième dan, l'ordinateur Turing-Hassabis avait enchaîné des milliers de parties contre lui-même pendant un an. Il apprenait de son expérience, et les affirmations – relativement fondées – des deux chercheurs, selon lesquelles une étape supplémentaire dans l'imitation de l'intelligence humaine était franchie, avaient fait naître la légende de l'intelligence intuitive des machines. Aucune de leurs déclarations ultérieures n'avait pu calmer cette rumeur incontrôlable.

Les commentateurs qui laissaient entendre qu'une victoire de l'ordinateur sonnerait le glas du jeu de go se trompaient. Après sa cinquième défaite, le vénérable maître, aidé par un assistant, s'était lentement levé et incliné devant l'ordinateur portable, et l'avait félicité d'une voix tremblante. Il avait ajouté : « L'équitation n'a pas tué la course à pied. On court pour le plaisir. » Il avait raison. Ce jeu aux règles simples et à la complexité infinie était devenu encore plus populaire. Comme lors de la défaite d'un champion d'échecs après guerre, le triomphe de la machine ne pouvait diminuer l'attrait du go. La victoire comptait moins que le plaisir éprouvé devant les subtilités et les aléas de la partie, disait-on. Mais l'idée selon laquelle il existait un logiciel étrangement capable de « déchiffrer » avec justesse une situation, l'expression d'un visage, un geste ou les intonations d'une voix était restée indélogeable, et elle expliquait en partie l'intérêt suscité par l'apparition des Adam et des Ève sur le marché.

Quinze ans, en informatique, c'est long. La capacité de traitement des données et la sophistication de mon Adam étaient très supérieures à celles de l'ordinateur joueur de go. La technologie avait progressé et Turing était passé à autre chose. Il s'était concentré un temps sur les processus de prise de décision et avait écrit un livre devenu célèbre : nous sommes enclins à élaborer des stratégies, des scénarios, alors que nous devrions penser en termes de probabilités si nous voulons faire les bons choix. L'intelligence artificielle pouvait améliorer ce que nous avions, ce que nous étions. Turing avait inventé les algorithmes. Toutes ses innovations étaient mises à la disposition d'autrui. Adam avait dû en bénéficier.

L'institut créé par Turing avait fait progresser l'intelligence artificielle et la biologie computationnelle. Il prétendait ne pas chercher à devenir plus riche qu'il ne l'était déjà. Des centaines de chercheurs réputés avaient suivi son exemple en matière de publications en libre accès, ce qui causerait en 1987 la faillite des revues *Nature* et *Science*. Beaucoup le critiquèrent. D'autres répondaient que son travail avait créé à travers le monde des dizaines de milliers d'emplois dans divers domaines – graphisme assisté par ordinateur, appareils d'imagerie médicale, accélérateurs de particules, repliement des protéines, compteurs électriques intelligents, défense, conquête spatiale. Nul ne pouvait deviner où s'arrêterait la liste.

En vivant ouvertement dès 1969 avec son amant Tom Reah, le physicien qui remporterait le prix Nobel en 1989, Turing avait contribué à l'avènement d'une révolution des mœurs. Quand l'épidémie du sida s'était déclarée, il avait réuni des sommes considérables pour la création d'un institut de virologie à Dundee et cofondé un établissement de soins. Après l'apparition des premiers traitements efficaces, il avait milité pour une réduction de la durée d'exclusivité des brevets et la baisse des prix, en Afrique surtout. Il continuait à collaborer avec Hassabis, qui dirigeait son propre groupe de recherche depuis 1972. À en croire Turing, les interventions publiques avaient progressivement eu raison de sa patience, et « durant les années qui me restent », disait-il, il préférait se concentrer sur son travail. À son actif : un long séjour comme chercheur en résidence à San Francisco, la médaille de la Liberté décernée lors d'un banquet donné en son honneur par le président Carter, un déjeuner avec Mme Thatcher à la résidence de Chequers pour discuter du financement de la recherche scientifique, un dîner avec le président du Brésil pour le convaincre de protéger l'Amazonie. Pendant longtemps, il avait été l'incarnation de la révolution informatique et la voix d'une nouvelle génétique, devenant presque aussi célèbre que Stephen Hawking. Désormais il vivait quasiment reclus. Ses seuls voyages l'emmenaient de sa maison de Camden Town à son institut de King's Cross, à deux pas du Hassabis Centre.

Reah avait composé sur leur vie commune, à Turing et à lui, un long poème publié dans le *Times Literary Supplement*, puis sous forme de plaquette. Dans sa recension, le poète et critique Ian Hamilton écrivit : « Voici un physicien capable d'imaginer aussi bien que de scruter l'infiniment petit. Maintenant amenez-moi un poète capable d'expliquer la gravité quantique. » Quand Adam était apparu dans ma vie, je croyais que seul un poète, et non pas une machine, pourrait me dire si Miranda m'aimerait un jour, ou si elle me mentirait.

*

Il devait y avoir des algorithmes conçus par Turing enfouis dans le logiciel des missiles AM-39 Exocet qu'une entreprise française, MBDA, avait vendus au gouvernement argentin. Une fois lancée par un avion de chasse en direction d'un navire, cette arme redoutable pouvait en reconnaître les caractéristiques et décider à mi-parcours si le bâtiment avait des intentions hostiles ou amicales. Dans ce dernier cas, elle interrompait sa mission et plongeait sans dommage dans la mer. Si elle ratait sa cible et la dépassait, elle était capable de faire demi-tour et d'effectuer deux nouvelles tentatives. Elle fondait sur sa proie à huit mille kilomètres-heure. Sa capacité à mettre fin à sa mission venait sans doute du logiciel de reconnaissance faciale créé par Turing au milieu des années soixante. Il cherchait un moyen d'aider les patients atteints de prosopagnosie, une affection qui rend ceux qui en souffrent incapables de reconnaître les visages familiers. Les services gouvernementaux chargés de l'immigration, les fabricants d'armes et les sociétés de sécurité avaient pillé son travail à leurs propres fins.

La France étant membre de l'Otan, des représentants de notre gouvernement prièrent instamment le palais de l'Élysée d'interdire à MBDA de vendre davantage d'Exocet ou de fournir une assistance technologique. Une livraison destinée au Pérou, un allié de l'Argentine, fut annulée. Mais d'autres pays, dont l'Iran, étaient prêts à vendre ces missiles. Il y avait également un marché noir. Des agents britanniques se faisant passer pour des négociants d'armes achetèrent tout le stock.

Mais le libéralisme économique était le plus fort. Les militaires argentins avaient désespérément besoin d'aide pour utiliser le logiciel des Exocet, qui n'était pas complètement installé au début du conflit. Deux experts israéliens indépendants, sans doute mus par l'appât du gain, s'envolèrent pour l'Argentine. On ne découvrit jamais qui les avait égorgés dans un hôtel de Buenos Aires. Beaucoup soupçonnèrent les agents des services secrets britanniques. Dans ce cas, ils étaient arrivés trop tard. Le jour où les experts israéliens moururent d'hémorragie dans leur lit d'hôtel, quatre navires britanniques furent coulés, trois autres le lendemain, un dernier le troisième jour. En tout, un porte-avions, des contre-torpilleurs, des frégates et un navire de transport de troupes furent envoyés par le fond. Les pertes en vies humaines se comptaient en milliers. Des marins, des soldats, des cuisiniers, des médecins et des infirmiers, des journalistes. Après plusieurs journées chaotiques où les militaires s'efforcèrent de secourir les survivants, ce qui restait de la Falklands Task Force fit demi-tour, et les îles Falkland devinrent Las Malvinas – les Malouines. La junte fasciste qui gouvernait l'Argentine jubilait, sa popularité monta en flèche, ses meurtres, ses tortures et les disparitions de certains citoyens furent oubliés ou pardonnés. Son emprise sur le pouvoir fut consolidée.

Je suivais tout cela, horrifié – et avec un sentiment de culpabilité. Après avoir frissonné à la vue des bateaux de guerre qui s'éloignaient en file indienne sur la Manche, et malgré mon opposition à cette aventure, j'étais impliqué, comme presque tout le monde. Margaret Thatcher sortit du 10, Downing Street pour faire une déclaration. Dans un premier temps, elle ne put articuler une parole, puis les larmes lui montèrent aux yeux, mais elle refusa qu'on la raccompagne à l'intérieur. Finalement elle se ressaisit et, d'une petite voix qui ne lui ressemblait pas, prononça le discours rendu célèbre par cette phrase : « Je prends ce fardeau sur mes épaules. » Elle assumait l'entière responsabilité. Elle ne survivrait pas à cette humiliation. Elle offrit sa démission. Mais le choc infligé à la nation par un si grand nombre de morts était profond, et personne n'avait envie de voir des têtes tomber. Si elle devait partir, alors tout son gouvernement aussi, et la majorité du pays. Comme le disait un éditorial du *Daily Telegraph* : « Cet échec est le nôtre à tous. Il n'y a pas lieu de désigner des boucs émissaires. » Commença alors un processus très britannique qui rappelait le désastre de Dunkerque, et qui permit de transformer une terrible défaite en victoire lugubre. Tout tenait à l'unité nationale. Six semaines plus tard, un million et demi de personnes étaient à Portsmouth pour saluer le retour des navires avec leur cargaison de cadavres, leurs passagers brûlés et traumatisés. Le reste du pays regarda à la télévision, épouvanté.

Je répète cette histoire bien connue à l'intention des lecteurs les plus jeunes qui n'ont pas conscience de son impact émotionnel, et parce qu'elle formait l'arrière-plan mélancolique de notre étrange ménage à trois. Mon loyer arrivait à échéance et je m'inquiétais de la baisse de mes revenus. Il n'y avait pas eu d'achats massifs de drapeaux anglais miniatures, la consommation de champagne était en baisse, l'économie dans son ensemble battait de l'aile, même si pour les pubs et les hamburgers tout continuait comme avant. Miranda était absorbée par la maladie de son père, par les Corn Laws et la violence historique des gens privilégiés, leur indifférence à la souffrance. Pendant ce temps-là, Adam restait sous sa couverture. Le retard pris par Miranda dans l'élaboration de sa personnalité était en partie dû à son attitude technophobe, si c'est le bon mot pour qualifier la détestation d'Internet et de la nécessité de cocher des cases avec une souris. Je revins à la charge et elle finit par accepter de faire un effort. Une semaine après le retour des derniers bâtiments de la Falklands Task Force à leur port d'attache, j'installai l'ordinateur portable sur la table de la cuisine et affichai le site d'Adam. Il n'était pas nécessaire de réactiver Adam pour que Miranda se mette au travail. Elle saisit la souris sans fil, la retourna et contempla ses entrailles avec dégoût. Je lui fis du café et allai travailler dans la chambre.

Mon portefeuille boursier avait perdu la moitié de sa valeur. J'étais censé compenser mes pertes. Mais la pensée de Miranda dans la pièce voisine me distrayait. Comme si souvent le matin, je revins sur notre soirée de la veille. Le malheur qui frappait le pays l'avait rendue d'autant plus intense. Ensuite nous avions parlé. Miranda avait longuement décrit son enfance idyllique, qui avait volé en éclats à la mort de sa mère lorsqu'elle avait huit ans. Elle voulait m'emmener à Salisbury et m'en montrer tous les lieux importants. J'y avais vu un signe de progrès, mais il lui restait à suggérer une date, et elle n'avait pas dit qu'elle voulait me présenter à son père.

Je fixais mon écran sans le voir. Les cloisons et surtout la porte étaient minces. Miranda progressait très lentement. Après un intervalle prolongé, un cliquetis délibéré me parvenait lorsqu'elle validait un choix. Ces intervalles silencieux me stressaient. Ouvert aux nouvelles expériences ? Consciencieux ? Stable sur le plan émotionnel ? Au bout d'une heure, je n'étais arrivé à rien et je décidai de sortir. Je déposai un baiser sur les cheveux de Miranda en passant près de sa chaise. Je quittai l'immeuble et partis vers Clapham.

La chaleur était inhabituelle pour un mois d'avril. Il y avait beaucoup de circulation dans Clapham High Street, les gens se pressaient sur les trottoirs. Partout, des rubans de crêpe noir. L'idée venait d'outre-Atlantique. Sur les lampadaires et les portes d'entrée, dans les vitrines, sur les poignées de portières et les antennes des voitures, sur les fauteuils roulants et les vélos. Dans le centre de Londres, sur les façades des bâtiments officiels où les drapeaux britanniques étaient en berne, les rubans noirs pendaient aux mâts en mémoire des deux mille neuf cent vingt morts. On les portait comme brassards ou à la boutonnière – j'en avais un et Miranda également. J'en chercherais un pour Adam. Des femmes, des jeunes filles et des hommes excentriques les nouaient dans leurs cheveux. La minorité passionnée qui avait contesté l'invasion et manifesté contre elle en portait aussi. Pour les personnalités et les célébrités, la famille royale comprise, il était risqué de ne pas avoir le sien – les quotidiens populaires montaient la garde.

Je n'avais d'autre ambition que de marcher pour calmer mon agitation. J'accélérai le pas dans la partie commerçante de Clapham High Street. Je dépassai le local de l'Association des amitiés franco-argentines, aux fenêtres obturées par des planches. Une grève des éboueurs entrait dans sa deuxième semaine. Les sacs de détritus entassés au pied des lampadaires vous arrivaient à la taille et la chaleur engendrait une puanteur douceâtre. La population, par la voix de sa presse, approuvait la déclaration de la Première ministre selon laquelle une grève en pareilles circonstances était un acte déloyal et cruel. Mais les revendications salariales étaient aussi inévitables que la hausse de l'inflation qui suivrait. Personne ne savait encore comment empêcher le serpent de se mordre la queue. Bientôt, avant la fin de l'année peut-être, des robots stoïques d'une intelligence négligeable ramasseraient les ordures. Les hommes qu'ils remplaceraient seraient encore plus pauvres. Le taux de chômage atteignait seize pour cent.

Près du restaurant indien, et sur le trottoir graisseux devant les chaînes de fast-food, l'odeur de viande avariée soulevait le cœur. Je retins mon souffle jusqu'à ce que la station de métro soit loin derrière moi. Je traversai la rue et pénétrai dans le parc de Clapham Common. Des cris et des rires s'élevaient d'un groupe près de l'étang où l'on pouvait louer un voilier ou une barque. Même certains gosses qui s'y éclaboussaient portaient des rubans noirs. C'était malgré tout un spectacle réjouissant, mais je ne m'attardai pas. En ces temps nouveaux, un homme seul ne devait pas donner l'impression de trop s'intéresser aux enfants.

Je poursuivis mon chemin jusqu'à Holy Trinity Church, une imposante église en brique de l'ère industrielle. Il n'y avait personne à l'intérieur. Assis, penché en avant, les coudes sur les genoux, j'aurais pu passer pour un fidèle. C'était un édifice trop sérieux pour inciter au recueillement, mais ses lignes sobres et ses proportions équilibrées étaient apaisantes. J'appréciai de rester quelque temps dans l'ombre fraîche, et de laisser mes pensées dériver à nouveau vers Miranda et notre toute première nuit ensemble, où un hurlement prolongé m'avait tiré du sommeil. Croyant qu'il y avait un chien dans la pièce, j'étais à moitié sorti du lit quand j'avais repris mes esprits et saisi que Miranda faisait un cauchemar. J'avais eu du mal à la réveiller. Elle s'agitait en tous sens, comme si elle se battait avec quelqu'un, et par deux fois elle avait marmonné : « N'entrez pas. Je vous en prie. » Après, j'avais pensé que cela l'aiderait de raconter son rêve. Couchée sur mon bras, elle se cramponnait à moi. Quand je lui avais reposé la question, elle avait fait non de la tête et s'était rendormie aussitôt.

Le lendemain matin, devant un café, elle avait à nouveau éludé, d'un haussement d'épaules. Ce n'était qu'un mauvais rêve. Cette dérobade m'avait marqué, car derrière nous Adam s'appliquait à faire les vitres, ce que je lui avais ordonné plutôt que suggéré. Pendant que Miranda et moi parlions, il s'était interrompu et retourné, apparemment curieux d'entendre le récit d'un cauchemar. Je m'étais alors demandé s'il n'était pas lui-même sujet aux mauvais rêves. À présent il me donnait mauvaise conscience. Ma requête du matin était cassante. Je n'aurais pas dû le traiter comme un domestique. Plus tard le même jour, je l'avais désactivé. Je l'avais laissé éteint trop longtemps. Holy Trinity Church était associée pour moi à William Wilberforce et au mouvement anti-esclavagiste. Il aurait défendu la cause des Adam et des Ève, leur droit de ne pas être achetés, vendus ou détruits, et de décider pour eux-mêmes dans la dignité. Peut-être pouvaient-ils se débrouiller seuls. Bientôt ils feraient le travail des éboueurs. Les médecins et les avocats seraient les suivants sur la liste. La reconnaissance des procédures et une mémoire infaillible étaient encore plus faciles à mettre au point que le ramassage des ordures.

Nous risquions de devenir les esclaves d'un temps sans but. Et ensuite ? Une renaissance généralisée, une libération permettant de s'adonner à l'amour, à l'amitié, à la philosophie, à l'art et à la science, à l'adoration de la nature, au sport et aux hobbies, à l'invention et à la quête d'un sens? Mais ces loisirs distingués ne seraient pas pour tout le monde. La criminalité avait aussi ses attraits, tout comme la lutte en cage, les vidéos pornos, les jeux d'argent, l'alcool et les drogues, même l'ennui et la dépression. Nous ne serions pas maîtres de nos choix. J'en étais la preuve.

J'entrepris de traverser les étendues dégagées du parc de Clapham Common. Un quart d'heure plus tard, j'atteignis l'autre extrémité et décidai de rebrousser chemin. Miranda avait dû faire au moins un tiers de ses choix. J'étais impatient de la retrouver avant son départ pour Salisbury. Elle rentrerait tard, ce soir-là. Je m'étais abrité de la chaleur à l'ombre étroite d'un bouleau. À quelques mètres de là, derrière une clôture, se trouvait une aire de jeux pour enfants. Un petit garçon – il devait avoir environ quatre ans – dans un short vert trop grand pour lui, un tee-shirt blanc couvert de taches et des sandales en plastique, était penché près d'une balançoire pour examiner un objet sur le sol. Il essaya de le déloger du bout de sa sandale, puis s'accroupit et posa les doigts dessus.

Je n'avais pas remarqué sa mère assise sur un banc, le dos tourné. « Viens ici! » cria-t-elle sèchement.

Il leva la tête et parut sur le point de la rejoindre, puis reporta son attention sur cet objet fascinant. Celui-ci avait bougé, je le voyais. C'était une capsule de bouteille qui luisait vaguement, sans doute enfoncée dans le bitume ramolli.

La mère avait un dos massif, une chevelure noire et bouclée un peu dégarnie sur le haut du crâne. Dans sa main droite, une cigarette. Le coude en appui sur sa paume gauche. Malgré la chaleur, elle portait un manteau. Un accroc était bien visible sous le col.

« Tu m'entends ? » La menace était plus audible. À nouveau, l'enfant leva les yeux, l'air craintif et prêt à obéir. Il esquissa un pas, mais son regard retourna vers son trésor et il hésita. Quand il se remit à sa tâche, il croyait sans doute pouvoir déloger la capsule et l'apporter à sa mère. Le raisonnement qu'il avait pu tenir importait peu. Avec un glapissement de colère, sa mère se leva d'un bond, traversa à toute vitesse les quelques mètres de l'aire de jeux et lâcha sa cigarette pour empoigner son fils par le bras et donner une claque sur ses jambes nues. À peine avait-il ouvert la bouche pour crier qu'elle le frappa une deuxième fois, puis une troisième.

J'étais plongé dans mes réflexions et n'avais aucune envie d'être interrompu. L'espace d'un instant, je pensai pouvoir rentrer chez moi en faisant semblant – sinon à mes propres yeux, du moins à ceux du monde – de n'avoir rien vu. Je ne pouvais rien faire pour changer la vie de ce petit garçon.

Ses hurlements mettaient sa mère en rage. « Ferme-la ! répétait-elle. Ferme-la ! Ferme-la ! »

J'aurais encore pu me convaincre d'ignorer la scène. Mais lorsque les cris de l'enfant s'intensifièrent, elle le prit à deux mains par les épaules, lui remontant son tee-shirt au-dessus du ventre, et le secoua violemment.

Certaines décisions, même d'ordre moral, se prennent dans des zones en deçà de la pensée consciente. Je me surpris à courir vers la clôture entourant l'aire de jeux, à l'enjamber et à m'avancer de quelques pas pour poser la main sur l'épaule de cette femme.

« Excusez-moi. Je vous en prie. Ne faites pas ça, s'il vous plaît. »

Ma voix sonnait faux à mes propres oreilles, trop précieuse, trop contrite, totalement dépourvue d'autorité. Je me demandais déjà à quoi cela pouvait conduire. Pas à un maternage réformé, bienveillant, au cours des semaines à venir. Mais au moins, lorsqu'elle se tourna vers moi avec une expression incrédule, ses violences avaient cessé.

« Pardon ?

— Il est encore petit, déclarai-je bêtement. Vous risquez de lui faire mal.

— Pour qui vous vous prenez, putain ? »

La question se posait en effet, raison pour laquelle je ne répondis pas directement. « Il est trop petit pour comprendre ce que vous faites. »

Cette conversation se déroulait avec les hurlements de l'enfant en bruit de fond. Il tirait à présent sur les jupes de sa mère pour qu'elle le prenne dans ses bras. C'était le pire. Sa tortionnaire représentait également son unique réconfort. Elle s'était plantée devant moi. La cigarette qu'elle avait lâchée se consumait à ses pieds. Elle serrait et desserrait son poing droit. L'air de rien, je m'efforçai de reculer de quelques centimètres. On se défiait du regard. Elle avait, ou avait eu, un visage charmant, intelligent, dont la beauté évidente était gâchée par le surpoids qui boursouflait ses paupières mi-closes, donnant à ses yeux leur air soupçonneux. Dans une autre vie, ce visage aurait pu être tendre, maternel. Un peu rond, des pommettes saillantes, un semis de taches de rousseur à la racine du nez, une bouche charnue – même si la lèvre inférieure était fendue. Au bout de quelques secondes, je remarquai ses pupilles pareilles à la pointe d'une épingle. Elle fut la première à détourner le regard. Elle fixait quelque chose au-delà de mon épaule et je compris pourquoi.

« Hé, John ! »

Je me retournai. John, son ami ou son mari, trop gros lui aussi, torse nu, la peau rose vif après une exposition au soleil, poussait la porte grillagée de l'aire de jeux.

À quelques mètres de nous, il lança : « Il t'embête ?

— Tu l'as dit, putain. »

Dans un univers de tous les possibles – celui de la cinématique, par exemple –, je n'aurais pas eu à m'inquiéter. John avait à peu près le même âge que moi, mais il était plus trapu, plus gras, moins musclé, moins fort. Dans cet autre monde, s'il m'avait frappé, je l'aurais terrassé. Or dans celui-ci, je n'avais jamais tapé sur quiconque de ma vie, pas même dans mon enfance. J'aurais pu me dire que si j'envoyais le père au tapis, le fils souffrirait encore davantage. Mais ce n'était pas le problème. Je n'adoptais pas la bonne attitude, ou plus exactement je n'avais pas celle qu'il aurait fallu. Pour ce qui était de se battre, je ne savais par où commencer. Je ne voulais pas le savoir.

« Ah ouais ? »

John me faisait désormais face, la mère ayant reculé. L'enfant continuait à brailler. Il y avait une ressemblance comique entre le père et le fils : mêmes cheveux blond-roux coupés ras, même visage aigu aux yeux verts très écartés.

« Avec tout mon respect, il est encore petit. Il ne faut pas le frapper ni le secouer.

— Avec tout mon respect, vous pouvez aller vous faire foutre. Sinon... »

John avait bel et bien l'air prêt à en découdre. Il bombait le torse, cette vieille parade des crapauds, des singes et de bien d'autres pour en imposer à l'adversaire. Sa respiration était rapide, ses bras pendaient souplement. J'étais sans doute plus fort que lui, mais il aurait moins de scrupules. Moins à perdre. C'était peut-être ça, le courage. Parier qu'on ne se ferait pas tabasser, ni cogner le crâne plusieurs fois sur le bitume, avec des séquelles neurologiques à vie. Un pari que je refusais de faire. C'était ça, la lâcheté, laisser trop de place à l'imaginaire.

Je levai les mains en signe de capitulation. « Écoutez. De toute évidence, je ne peux rien vous imposer. Seulement espérer vous convaincre. Dans l'intérêt de l'enfant. »

John eut alors une réplique si surprenante que j'en restai interloqué, et que pendant un moment j'eus du mal à répondre.

« Vous le voulez ?

— Quoi ?

— Vous pouvez le prendre. Allez-y. Vous êtes un expert avec les gosses. Il est à vous. Emmenez-le chez vous. »

À ce stade, l'enfant s'était tu. Le regardant à nouveau, je lui trouvai quelque chose qui manquait à son père, mais peut-être pas à sa mère : l'étincelle discrète de l'intelligence, encore visible dans son expression, malgré sa détresse. Nous formions un cercle étroit. À l'autre extrémité du parc, les cris des enfants au bord de l'étang couvraient le bruit de la circulation.

Sans réfléchir, je relevai le défi lancé par le père. « Entendu. Il peut venir vivre chez moi. On réglera les formalités plus tard. »

Je sortis de mon portefeuille une carte de visite et la lui donnai. Puis je tendis la main au petit garçon et, à ma grande surprise, il y glissa la sienne. Je me sentis flatté.

« Il s'appelle comment ?

— Mark.

— Viens, Mark. »

On s'éloigna ensemble de ses parents, traversant l'aire de jeux jusqu'à la porte grillagée.

« Et si on faisait semblant de s'enfuir », chuchota-t-il assez fort. Son visage tourné vers moi était soudain plein d'humour et de malice.

« D'accord.

— En bateau.

— Entendu. »

Alors que j'allais ouvrir la grille, il y eut un cri derrière moi. Je me retournai, espérant que mon soulagement ne se voyait pas. La femme accourut, tira son fils à elle et leva la main sur moi. Le coup s'abattit sans douleur sur le haut de mon bras.

« Pervers ! »

Elle était prête à me frapper de nouveau quand John l'interpella d'un ton las. « Laisse tomber. »

Je quittai l'aire de jeux et marchai quelque temps avant de m'arrêter pour jeter un coup d'œil derrière moi. John hissait Mark sur ses épaules à vif. Je ne pus qu'admirer ce père. Ses méthodes témoignaient peut-être d'une vivacité d'esprit qui m'avait échappé. Il s'était débarrassé de moi sans la moindre bagarre en me faisant une proposition impossible. Quel cauchemar ç'aurait été, de traîner ce gosse jusqu'à chez moi, de le présenter à Miranda, puis de subvenir à ses besoins durant les quinze années à venir. Je remarquai que sa mère avait un ruban noir noué à la manche de son manteau. Elle tentait de convaincre John de mettre sa chemise. Il faisait la sourde oreille. Lorsqu'ils retraversèrent en famille l'aire de jeux, Mark se tourna dans ma direction et leva le bras, peut-être pour garder l'équilibre, peut-être pour me dire au revoir.

*

Les conversations que Miranda et moi avions au lit, souvent à l'aube, étaient dominées par un personnage dont les contours devenaient plus nets tandis qu'il rôdait devant nous dans l'obscurité, tel un fantôme éploré. J'avais dû surmonter mon premier réflexe qui était de le considérer comme un rival, hostile à mon existence même. J'avais fait des recherches en ligne sur lui et vu son visage évoluer au fil du temps, de ses vingt ans jusqu'à l'approche de la soixantaine, passant d'une beauté presque féminine à une décrépitude séduisante. J'avais lu les articles le concernant, qui étaient peu nombreux. Son nom ne me disait rien. Deux ou trois amis à moi avaient entendu parler de lui, mais ne l'avaient jamais lu. Un portrait dans la presse, vieux de cinq ans, lui réglait son compte, le qualifiant d'« homme inaccompli ». Puisque cette formule décrivait l'un de mes destins possibles, je m'étais vaguement laissé attendrir par Maxfield Blacke, et j'avais compris une évidence : aimer la fille, c'était adopter son père. Chaque fois que Miranda rentrait de Salisbury, il fallait qu'elle parle de lui. J'apprenais tout de ses différentes douleurs ou de son martyre, de l'évolution des pronostics, du charlatan arrogant auquel avait succédé un médecin bienveillant et intelligent, de l'hôpital où régnait le chaos mais qui servait des repas étonnamment savoureux, des traitements et des médicaments, des espoirs perdus, puis retrouvés. Il avait encore toute sa tête, me disait Miranda sous diverses formulations. C'était son corps qui se retournait contre lui, et donc contre lui-même, avec la férocité d'une guerre civile. Comme il était douloureux pour la fille de voir la langue de l'écrivain défigurée par d'horribles taches noires. Comme il était douloureux pour le père de manger, de déglutir, de parler. Son système immunitaire le laissait tomber ou devenait carrément son ennemi.

Ce n'était pas tout. Il avait expulsé un énorme calcul rénal, dans des souffrances aussi atroces que celles d'un accouchement, selon Miranda. Il s'était fait une fracture de la hanche en glissant dans la salle de bains. Il avait des démangeaisons intolérables. La goutte déformait les articulations de ses deux pouces. La lecture, sa passion, devenait difficile à cause des cataractes qui obscurcissaient sa vue. L'opération était inévitable, même s'il détestait et redoutait la perspective que l'on touche à ses yeux. Il y avait peut-être eu d'autres afflictions trop humiliantes pour les raconter. La femme à laquelle il aurait dû demander, voilà longtemps, de devenir sa quatrième épouse l'avait quitté deux ans plus tôt. Maxfield était seul et dépendant, ne pouvant compter que sur les soignants, les inconnus, et sa fille qui vivait à près de cent cinquante kilomètres de là. Ses deux fils d'un précédent mariage venaient parfois le voir de Londres et le couvraient de cadeaux : vins, fromages, biographies, montre connectée. Mais ils ne supportaient pas l'idée de faire la toilette intime de leur père.

Nous n'étions pas assez âgés, Miranda et moi, pour comprendre qu'un presque sexagénaire était encore trop jeune pour s'attendre à de tels outrages du temps ou pour les mériter. Mais à cause de la ressemblance de ce père avec Job, il aurait paru blasphématoire de faire autre chose qu'écouter Miranda. La soirée qui suivit ma rencontre sur l'aire de jeux fut l'exception. Difficile à croire de la part d'un homme amoureux, mais mon esprit vagabondait pendant qu'elle me parlait de son père. Tout juste rentrée de Salisbury, elle décrivait un nouveau tourment alors que nous étions couchés. Compatissant, j'avais sa main dans la mienne. Mais les souffrances constantes d'un homme que je n'avais jamais rencontré ne pouvaient retenir mon attention qu'un temps. Mon écoute distraite me laissait la liberté de contempler le tour étrange pris par mon existence.

Au rez-de-chaussée, toujours sur la même chaise de bois, mon jouet fascinant attendait sous sa couverture avec sa personnalité hybride, installée cet après-midi-là pendant son sommeil. L'aventure était sur le point de commencer. Mon avenir se trouvait à côté de moi, j'en étais sûr. Le déséquilibre dans les sentiments que nous éprouvions l'un pour l'autre se corrigerait. Nous ne faisions qu'incarner un scénario typique de la modernité : la rencontre, puis le sexe, puis l'amitié et, enfin, l'amour. Il n'y avait aucune raison pour que nous franchissions ces étapes conventionnelles à la même vitesse. Il suffisait d'être patient.

Pendant ce temps-là, l'océan du deuil national cernait mon îlot d'espoirs. Avec un horrible sens du timing, la junte argentine avait mis quatre cent six drapeaux en berne à Port Stanley, un pour chacun de ses morts, et organisé un défilé militaire sous une pluie battante dans la grand-rue déserte, tandis qu'à Londres, à la cathédrale Saint-Paul, se déroulait un service religieux à la mémoire de nos trois mille victimes. Je l'avais suivi à la télévision en revenant du parc. Au sein de cette vaste assemblée, il y avait difficilement plus d'une vingtaine de membres de l'élite au pouvoir pour croire qu'un Dieu préférant le fascisme au drapeau britannique valait la chandelle ; ou que les défunts reposaient dans la béatitude éternelle. Mais la tradition laïque ne fournissait pas de versets aussi familiers, polis et lustrés par la ferveur – depuis longtemps mise au rebut – des générations antérieures. « Celui qui est né d'une femme ne vivra que peu de temps. » L'assistance avait donc entonné les cantiques, scandé les prières impénétrables et résonnantes, repris tant bien que mal les répons à l'unisson, alors que dans le reste du pays nous pleurions nos morts devant l'autel de nos téléviseurs. Contrairement à Miranda, je pleurais moi aussi.

Avec un million cinq cent mille autres manifestants, j'avais « défilé » dans le centre de Londres contre la Falklands Task Force. En réalité, nous avancions au pas, ralentis par de nombreux embouteillages. Le paradoxe habituel restait valable : le problème était grave, la manifestation joyeuse. Groupes de rock, orchestres de jazz, tambours et trompettes, banderoles inventives, déguisements extravagants, numéros de cirque, discours et, surtout, la jubilation d'être si nombreux qu'il fallait des heures pour progresser, si divers, si visiblement bien intentionnés. Facile de croire que la nation entière avait envahi Londres pour démontrer une évidence : la guerre à venir était injuste, inhumaine, illogique, potentiellement catastrophique. Nous ne pouvions savoir à quel point nous avions raison. Ni avec quelle efficacité le Parlement, les tabloïds, les militaires et les deux tiers du pays nous réduiraient au silence. On nous avait accusés de manquer de patriotisme, de défendre un régime fasciste et de nous opposer aux règles du droit international.

Où était Miranda, ce jour-là ? Nous nous connaissions à peine, à l'époque. Elle se trouvait à la bibliothèque, apportant les ultimes corrections à son article sur les porcs à la glandée. Pour quelqu'un d'une vingtaine d'années, elle avait des idées peu communes sur la Falklands Task Force et se méfiait de l'esprit qui animait « cette foule complaisante », de son conformisme facile, de son enthousiasme stupide. Elle ne partageait pas mon aptitude à protester ou à m'émouvoir. Elle n'avait eu envie de suivre à la télévision ni le départ de la flotte, ni ce qui serait ensuite connu comme « le Naufrage », ni le retour sans gloire des vaincus, et encore moins le service religieux à la cathédrale Saint-Paul. Contrairement à moi qui n'avais parlé de rien d'autre avec mes amis durant des mois et avais lu tous les articles sur le sujet, Miranda restait en dehors. Quand les bateaux avaient coulé, elle avait gardé le silence. Quand les rubans noirs étaient apparus, elle en avait porté un, mais en refusant d'en faire plus. Selon ses mots, toute cette affaire « sentait mauvais ».

Alors que j'étais allongé près d'elle avec sa main dans la mienne, les lumières orange des lampadaires donnaient à sa chambre l'apparence d'un décor de théâtre. Elle était rentrée par le dernier train et avait attendu un métro en retard pour rejoindre Clapham North. Il était presque trois heures du matin. Elle racontait que Maxfield lui avait présenté avec tristesse ses pouces gonflés par la goutte comme une bénédiction. La douleur était si cruelle et localisée que ses autres raisons de se plaindre s'estompaient.

J'avais toujours sa main dans la mienne. « Tu sais à quel point j'ai envie de faire sa connaissance, dis-je. Laisse-moi t'accompagner la prochaine fois. »

Quelques instants s'écoulèrent avant qu'elle ne réponde d'une voix ensommeillée : « J'aimerais y retourner au plus vite.

— Très bien. »

Après une pause, elle ajouta : « Il faudra qu'Adam vienne, lui aussi. »

Elle me caressa l'avant-bras comme pour prendre congé avant de se tourner vers le mur. Sa respiration fut bientôt ample et régulière, et je me retrouvai à méditer dans le crépuscule monochrome de l'éclairage au sodium. Adam viendrait lui aussi. Elle assumait cette propriété commune, exactement ce que j'espérais. Mais une rencontre entre Adam et un vieil écrivain aussi acariâtre que Maxfield Blacke était difficilement envisageable. Je savais grâce à son portrait qu'il écrivait encore à la main, détestait les ordinateurs, les téléphones portables, Internet et le reste. Apparemment, pour reprendre un euphémisme méprisant, il « pouvait se passer des imbéciles ». Ou des robots. Adam n'était pas encore réactivé. Il n'avait pas encore quitté la maison, ni tenté sa chance en tant qu'individu crédible, capable de parler de tout et de rien. J'avais décidé de le tenir à l'écart de mon cercle d'amis tant qu'il ne serait pas un être parfaitement sociable. Commencer par Maxfield risquait de neutraliser des sous-programmes importants. Miranda espérait sans doute distraire son père et stimuler son travail d'écriture. À moins que ce n'ait été à cause de moi, pour mon bien, mais je ne comprenais pas en quoi. Ou à moins que – je ne résistai pas à cette hypothèse –, à moins que ce n'ait été pour me nuire ?

C'était une mauvaise idée, de celles qui vous viennent aux petites heures du matin. Comme tous les ressassements des insomniaques, elles sont par essence répétitives. Pourquoi devrais-je rencontrer le père de Miranda en présence d'Adam ? Bien sûr, il était en mon pouvoir d'insister pour qu'il reste ici. Mais j'irais alors contre le souhait d'une femme dont le père était mourant. Or était-il vraiment mourant ? Pouvait-on avoir de la goutte dans le pouce ? Dans les deux pouces ? Connaissais-je réellement Miranda ? Je me retournai, en quête d'un coin frais sur l'oreiller, puis je m'allongeai sur le dos, d'où j'avais vue sur le plafond moucheté de lumière qui me semblait trop proche à présent, et jaune plutôt qu'orange. Je me reposai les mêmes questions. Je les reformulai et me les posai à nouveau. Je savais ce que j'allais faire, mais je reculais, préférant tergiverser et nier l'évidence pendant près d'une heure. Je finis par me lever, enfilai un jean et un tee-shirt, sortis de chez Miranda et descendis pieds nus l'escalier commun pour regagner mon appartement.

Dans la cuisine, j'enlevai la couverture sans perdre de temps. Extérieurement, rien n'avait changé – yeux clos, même visage bronzé, même nez avec cette touche de cruauté. J'approchai mon index de sa nuque, trouvai l'endroit et appuyai. Pendant qu'il se réactivait, je mangeai un bol de céréales.

J'avais à peine terminé qu'Adam déclara : « Jamais déçus.

— Pardon ?

— Je disais que ceux qui croient en une vie après la mort ne seront jamais déçus.

— Vous pensez que s'ils se trompent, ils ne le sauront jamais.

— Oui. »

Je le dévisageai. Était-il différent ? Il avait un regard plein d'espoir. « C'est assez logique. Mais, Adam... J'espère que vous ne trouvez pas ça profond. »

Il ne répondit pas. J'emportai mon bol vide dans l'évier et me fis du thé. Je m'assis devant la table, en face de lui, et après deux gorgées je lui demandai : « Pourquoi avez-vous dit que je ne devais pas faire confiance à Miranda ?

— Oh, ça...

— Alors ?

— C'était déplacé et je suis vraiment désolé.

— Répondez à la question. »

Sa voix, elle, avait changé : plus assurée, avec des intonations plus expressives. Mais son attitude... Il me fallait davantage de temps. Mon impression immédiate, mais peu fiable, était qu'il semblait toujours le même.

« Je ne pensais qu'à votre intérêt.

— Vous venez de dire que vous étiez désolé.

— C'est exact.

— J'ai besoin d'entendre pourquoi vous avez prononcé ces paroles.

— Il y a un risque, faible mais non négligeable, qu'elle puisse vous nuire. »

Je dissimulai mon agacement. « Comment ça, non négligeable ?

— D'après les conclusions de Thomas Bayes, le pasteur mathématicien du dix-huitième siècle, je dirais une probabilité de un sur cinq, si vous acceptez mes présupposés. »

Mon père, adepte des progressions harmoniques du be-bop, était un authentique technophobe. Il répétait qu'il suffisait de taper un bon coup sur n'importe quel appareil électrique en panne pour le remettre en route. Je réfléchis en buvant mon thé. Dans l'éventail colossal de réseaux arborescents qui gouvernait les prises de décision d'Adam, il devait y avoir une forte pondération en faveur de la raison.

« Il se trouve que moi, je sais que cette possibilité est négligeable, proche de zéro, répondis-je.

— Je vois. Je suis désolé.

— On commet tous des erreurs.

— Certainement.

— Combien d'erreurs avez-vous faites dans votre existence, Adam ?

— Seulement celle-ci.

— Donc elle a de l'importance.

— Oui.

— Et il est important de ne pas la répéter.

— Bien entendu.

— Alors on doit analyser comment vous en êtes arrivé à la commettre, non ?

— Je suis d'accord.

— Quelle a donc été la première étape de ce regrettable processus ? »

Il parlait désormais avec assurance, prenant visiblement plaisir à décrire ses méthodes. « J'ai un accès privilégié à toutes les archives juridiques, en droit pénal comme en droit de la famille, et même aux vidéos. Le nom de Miranda a été occulté, mais j'ai recoupé l'affaire avec d'autres preuves indirectes qui ne sont pas non plus accessibles à tous.

— Bien vu.

— Merci.

— Dites-m'en plus sur cette affaire. Ainsi que sur la date et le lieu.

— Le jeune homme, voyez-vous, savait très bien que la première fois qu'il avait eu des relations intimes avec elle... »

Il s'interrompit et me fixa, les yeux exorbités de stupeur, comme s'il prenait pour la première fois conscience de ma présence. Je devinai que cette brève série de révélations touchait à sa fin. Adam avait apparemment compris la valeur de la discrétion.

« Continuez.

— Hum, elle avait apporté une demi-bouteille de vodka.

— Donnez-moi une date et un lieu, et le nom de cet homme. Vite !

— Octobre, le... Salisbury. Mais, écoutez... »

Puis il gloussa, un chuintement ridicule. C'était gênant d'en être témoin, mais je ne pouvais quitter Adam des yeux. Son expression était difficile à déchiffrer : confusion, angoisse, ou une hilarité sans joie ? À en croire le manuel de l'utilisateur, il disposait de quarante expressions faciales. Les

84

Ève, de cinquante. À ma connaissance, les gens ordinaires en avaient moins de vingt-cinq en moyenne.

« Ressaisissez-vous, Adam. On était d'accord. On a besoin de comprendre votre erreur. »

Il lui fallut plus d'une minute pour se maîtriser. Je bus ma dernière gorgée de thé et observai ce que je savais être un processus complexe. Je comprenais que sa personnalité n'était pas semblable à une coquille enveloppant et restreignant sa capacité à produire des pensées cohérentes ; et que sa sournoiserie, si c'était ce qui le motivait, ne se situait pas en aval de la raison. Pas plus que la mienne. L'instinct qui l'incitait à collaborer rationnellement avec moi avait pu circuler dans ses réseaux neuronaux à une vitesse égale à la moitié de celle de la lumière, mais il n'aurait pas été subitement stoppé par la fonction logique d'un moi créé de fraîche date. Au contraire, ces deux éléments étaient entrelacés dès le départ, tels les serpents du caducée de Mercure. Adam voyait et comprenait le monde à travers le prisme de sa personnalité ; elle était au service de sa raison objective et de ses mises à jour constantes. Depuis le début de notre conversation, il était simultanément dans son intérêt d'éviter la répétition d'une erreur et de me dissimuler certaines informations. Quand les deux étaient devenus incompatibles, Adam, réduit à l'impuissance, s'était mis à glousser comme un enfant à l'église. Quoi que Miranda et moi ayons choisi pour lui, cela se situait loin en amont de l'arborescence complexe de son système de décision. Dans une version différente de son caractère, il se serait simplement tu ; dans une autre, il aurait pu se sentir obligé de tout me dire. Les deux se défendaient.

J'en savais désormais un peu plus, assez pour m'inquiéter, mais pas assez pour en tirer parti, même si j'avais eu accès aux archives des tribunaux : Miranda témoin, victime ou prévenue, un rapport sexuel avec un jeune homme, de la vodka, une salle d'audience, un mois d'octobre à Salisbury.

Adam s'était finalement tu. Son expression – la matière de son visage, plus vraie que la peau – se détendit pour faire place à une neutralité attentive. J'aurais pu monter à l'étage réveiller Miranda, la confronter à l'évidence et tout éclaircir entre nous. Ou bien attendre, réfléchir et garder pour moi ce que je savais afin de me donner l'illusion de maîtriser la situation. Les deux se défendaient.

Or je n'hésitai pas. J'allai dans ma chambre et me déshabillai, laissant mes vêtements en tas sur ma table de travail, puis je me glissai, nu, sous ma couette d'été. Il faisait déjà jour. J'aurais aimé entendre, couvrant le chœur des oiseaux à l'aube, le laitier aller de porte en porte, avec ses bouteilles qui s'entrechoquaient quand il les posait sur les marches. Mais le dernier détachement de camionnettes électriques avait disparu de nos rues. Quel dommage. J'étais malgré tout fatigué, et soudain je me sentis bien. On trouve un certain répit dans la sensualité d'un lit rien qu'à soi, pendant quelque temps du moins, jusqu'à ce que le fait de dormir seul acquière sa propre tristesse muette.

3

Dans la salle d'attente du médecin généraliste local, une douzaine de chaises de salle à manger achetées dans une brocante étaient alignées devant les murs de ce qui avait été un salon victorien. Au centre, sur une table basse en contreplaqué avec des pieds métalliques filiformes, quelques magazines gras au toucher. J'en avais pris un et l'avais reposé aussitôt. Dans un coin, plusieurs jouets cassés de couleurs vives : une girafe sans tête, une voiture à laquelle il manquait une roue, des briques en plastique mordillées – un don généreux. Il n'y avait pas de jeunes enfants dans notre groupe de neuf patients. Je m'efforçais d'éviter le regard des autres, leur bavardage sans intérêt, leurs confidences mutuelles sur leurs maux. Je ne respirais pas à fond, au cas où l'air autour de moi aurait été infesté de microbes. Je n'avais rien à faire là. Je n'étais pas malade, mon problème n'était pas métabolique, mais périphérique : un ongle incarné. Le plus jeune dans cette pièce, et sûrement celui qui jouissait de la meilleure condition physique, un dieu parmi les mortels, j'avais rendez-vous non pas avec le médecin, mais avec l'infirmière. Je restais hors d'atteinte de la mortalité. La décrépitude et la mort étaient pour les autres. Je m'attendais à être appelé le premier. L'attente se révéla longue. Je fus l'avant-dernier.

Sur le mur d'en face, il y avait un panneau d'affichage en liège avec des tracts recommandant le dépistage précoce de telle ou telle affection et une vie saine, autant de mises en garde lugubres. J'eus le temps de les lire tous. Sur une photo, un vieillard en pantoufles portant un gilet était debout près d'une fenêtre. Sans mettre la main devant sa bouche, il éternuait vigoureusement en direction d'une petite fille rieuse. L'éclairage à contre-jour illuminait des dizaines de milliers de particules volant vers elle – de minuscules gouttelettes grouillant de bactéries que le vieux schnock partageait.

Je méditai sur l'étrange et longue histoire qui avait conduit à ce tableau. L'idée selon laquelle les microbes étaient responsables de la diffusion des maladies ne fut acceptée que dans les années 1880, avec les travaux de Louis Pasteur et de quelques autres, un siècle seulement avant la conception de ce poster. Jusqu'alors, malgré quelques voix dissidentes, la théorie des miasmes prévalait : l'origine des maladies se trouvait dans l'air vicié, les mauvaises odeurs, la décomposition, voire l'air nocturne, duquel on se protégeait en fermant hermétiquement les fenêtres. Mais l'appareil qui aurait pu dire la vérité à la médecine était disponible deux cents ans avant Pasteur. Le scientifique amateur qui sut le mieux le fabriquer et l'utiliser dès le dix-septième siècle était connu des élites scientifiques londoniennes.

Quand Antonie Van Leeuwenhoek, un robuste citoyen de Delft, drapier et ami de Vermeer, envoya ses premières observations de la vie vue au microscope à la Royal Society en 1673, il révéla un nouveau monde et enclencha une révolution biologique. Il décrivit méticuleusement les cellules des plantes et les fibres des muscles, les organismes monocellulaires, ses propres spermatozoïdes et des bactéries prélevées dans sa bouche. Ses microscopes avaient besoin de la lumière du soleil et ne possédaient qu'une seule lentille, mais personne n'en tirait autant de résultats que lui. Elle pouvait grossir jusqu'à plus de deux cent soixante-quinze fois. À la fin de sa vie, la revue *Philosophical Transactions of the Royal Society* avait publié cent quatre-vingt-dix articles de lui.

Supposons qu'un jeune espoir de la Royal Society, s'attardant à la bibliothèque après un bon déjeuner, un exemplaire de la revue sur les genoux, ait commencé à spéculer sur le fait que certains de ces micro-organismes pourraient causer la putréfaction de la viande, ou se multiplier dans le sang et provoquer une maladie. Il y avait déjà eu des petits génies à la Royal Society, et bien d'autres suivraient. Mais il faudrait que celui-ci allie un intérêt pour la médecine à sa curiosité scientifique. La médecine et la science ne deviendraient pas de véritables partenaires avant le milieu du vingtième siècle. Dans les années 1950, on pratiquait encore l'ablation des amygdales sur des enfants en bonne santé sous prétexte que cela se faisait, plutôt que sur la base d'une utilité avérée. Un médecin vivant à la même époque que Van Leeuwenboek pouvait facilement croire que tout ce qu'il y avait à savoir dans sa discipline était déjà bien compris. L'influence exercée par Galien dès le deuxième siècle de notre ère restait quasi absolue. Il faudrait beaucoup de temps pour que les médecins, une corporation en général très imbue d'elle-même, regardent humblement dans un microscope pour apprendre les rudiments de la vie organique.

Mais notre homme, dont le nom sera ensuite connu de tous, est différent. Ses hypothèses pourront être vérifiées. Il emprunte un microscope – Robert Hooke, membre émérite de la Royal Society, lui en prêtera sûrement un – et se met au travail. Une théorie microbienne de la maladie s'élabore. D'autres se joignent à ces recherches. Vingt ans plus tard, peut-être, les chirurgiens se lavent les mains entre deux patients. On rend hommage à des praticiens oubliés, comme Hugues de Lucques et Girolamo Fracastoro. Au milieu du dix-huitième siècle, les accouchements sont plus sûrs : des hommes et des femmes de génie naissent au lieu de mourir en bas âge. Sans doute changeront-ils le cours de la politique, des arts et des sciences. Des personnages haïssables, capables de très mauvaises actions, apparaissent aussi. À petite ou à grande échelle, le tour pris par l'histoire s'en trouvera modifié, longtemps après que notre jeune et brillant membre de la Royal Society sera mort et enterré.

Le présent est la plus fragile des constructions improbables. Il aurait pu être différent. En partie ou en totalité, il pourrait être tout autre. C'est vrai des problèmes mineurs comme des plus vastes. Il est si facile d'imaginer un monde où je n'aurais pas d'ongle incarné, où je serais riche, où je vivrais au nord de la Tamise après avoir réussi une opération boursière ; un monde où Shakespeare serait mort peu après sa naissance et ne manquerait à personne, où les États-Unis auraient décidé de lâcher sur une ville japonaise cette bombe atomique qu'ils avaient parfaitement mise au point ;

un monde où la Falklands Task Force n'aurait pas pris la mer, ou serait rentrée victorieuse dans un pays qui ne serait pas endeuillé ; un monde où la fabrication d'Adam appartiendrait à un avenir lointain ; un monde où, il y a soixante-six millions d'années, la Terre aurait tourné sur elle-même quelques minutes de plus avant d'être percutée par une météorite, évitant l'occultation du Soleil par la poussière de gypse des sables du Yucatán et permettant aux dinosaures de continuer d'exister, ce qui aurait privé d'espace vital les autres mammifères, singes intelligents compris.

Mon traitement, quand il arriva enfin, débuta agréablement par un bain de pied dans une cuvette d'eau chaude et savonneuse. L'infirmière, une solide Ghanéenne tout sourire, disposa pendant ce temps-là ses instruments en inox sur un plateau, le dos tourné. Sa compétence était aussi absolue que son assurance. Elle ne parla pas d'anesthésie et j'étais trop fier pour poser la question, mais quand elle posa mon pied sur ses genoux recouverts par un tablier pour s'occuper de mon ongle incarné, j'oubliai ma fierté et laissai échapper un petit cri au moment crucial. Le soulagement fut immédiat. Je marchai ensuite dans la rue comme sur des roulettes pour retrouver mon appartement, et le cœur de mes préoccupations qui s'étaient récemment éloignées de Miranda pour revenir à Adam.

Sa personnalité était en place, à partir de deux sources unies de manière irréversible. Devant un enfant qui grandit, le parent curieux peut se demander lesquelles de ses caractéristiques il tient de son père, lesquelles de sa mère. J'observais Adam de près. Je savais à quelles questions Miranda avait répondu, mais j'ignorais quelles décisions elle avait prises. Je m'aperçus que le visage d'Adam avait perdu une certaine impassibilité, qu'il semblait plus authentique, plus naturel dans ses interactions avec nous, et en tout cas plus expressif. Mais j'avais du mal à comprendre ce qu'il me disait de Miranda, ou de moi, d'ailleurs. Chez les humains, la recombinaison est infiniment subtile, en même temps qu'elle penche crûment d'un côté, de manière désarmante. Les parents se mélangent tels des liquides, mais il se peut que le visage de la mère soit fidèlement reproduit chez l'enfant tandis que le père échoue à transmettre ses dons de comédien. Je revoyais la version touchante que le petit Mark offrait des traits paternels. Or, dans la personnalité d'Adam, nos cartes à Miranda et à moi étaient bien rebattues et, comme chez les humains, son héritage semblait largement remanié par ses capacités d'apprentissage. Peut-être avait-il ma tendance à théoriser inutilement. À moins qu'il n'ait quelque chose de la nature secrète de Miranda, de son sang-froid et de son goût de la solitude. Il se repliait fréquemment sur lui-même, chantonnant ou murmurant : « Ah ! » Puis il énonçait ce qu'il considérait comme une vérité importante. Sa remarque interrompue sur la vie après la mort était le premier exemple en date.

Il y en eut un autre alors que nous étions dehors, dans ma minuscule parcelle de jardin à l'arrière de l'appartement, délimitée par une palissade cassée. Il m'aidait à désherber. C'était juste avant le coucher du soleil, l'air immobile et tiède baignait dans une lumière ambrée irréelle. Une semaine s'était écoulée depuis notre conversation nocturne. Je l'avais emmené là car sa dextérité restait un sujet de fascination pour moi. Je voulais le regarder manier un sarcloir et un râteau. Plus généralement, j'avais pour projet de lui faire découvrir le monde au-delà de la table de la cuisine. Nous avions des voisins aimables de part et d'autre, et il aurait une chance de tester sa capacité à parler de tout et de rien. Si nous devions nous rendre ensemble à Salisbury pour faire la connaissance de Maxfield Blacke, je voulais préparer Adam en l'emmenant dans les magasins, voire au pub. J'étais sûr qu'il pouvait passer pour un être humain, mais il lui fallait plus d'aisance, ses capacités d'apprentissage automatique avaient besoin d'entraînement.

J'étais impatient de voir s'il savait identifier les plantes. Bien entendu, il pouvait toutes les nommer. La matricaire, le faux chervis, la camomille romaine. Tout en travaillant il marmonnait, pour lui-même plutôt que pour moi. Je le vis enfiler des gants de jardinage pour arracher les orties. Pure imitation. Plus tard, il se redressa et se tourna pour contempler avec un intérêt apparent le ciel spectaculaire du couchant, sur lequel se détachaient les lignes électriques et téléphoniques, et le fouillis des toits victoriens au loin. Les mains sur les hanches, il s'inclinait en arrière comme s'il avait mal au dos. Il prit une profonde inspiration pour montrer qu'il appréciait l'air du soir. Puis il déclara, tout de go : « D'un certain point de vue, la seule solution pour supprimer la souffrance serait une extinction complète de l'espèce humaine. »

Oui, voilà pourquoi il fallait qu'il sorte un peu. Enfoui dans ses circuits se trouvait probablement un assortiment de sous-programmes : sociabilité / conversation / phrases d'introduction intéressantes.

Mais je décidai de me prêter au jeu : « Il paraît qu'en

tuant tout le monde, on guérirait le cancer. L'utilitarisme peut conduire à des logiques absurdes.

— Évidemment ! » répliqua-t-il sèchement. Je le dévisageai, surpris, et il me tourna le dos pour se pencher et reprendre sa tâche.

Même exactes, les affirmations d'Adam étaient socialement ineptes. Lors de notre première sortie, nous fîmes deux cents mètres à pied pour aller chez M. Syed, notre marchand de journaux. On croisa quelques personnes dans la rue, et aucune ne se retourna sur Adam. J'étais satisfait. Il portait à même la peau un pull jaune moulant, tricoté par ma mère durant la dernière année de sa vie. Il avait un jean blanc et des mocassins de toile achetés pour lui par Miranda. Elle avait promis de lui offrir une tenue complète bien à lui. À cause de ses pectoraux et de ses biceps saillants, on aurait pu le prendre pour un coach de la salle de sport locale.

Là où le trottoir était rendu plus étroit par un arbre et le mur d'un jardin, je le vis s'écarter pour laisser passer une femme avec une poussette.

À l'approche de la maison de la presse, il lâcha, de manière un peu absurde : « Ça fait du bien de sortir. »

Simon Syed avait grandi dans un village à une cinquantaine de kilomètres au nord de Calcutta. Son professeur à l'école, un anglophile à cheval sur la discipline, avait enseigné à coups de canne un anglais précis et policé à ses élèves. Je n'avais jamais demandé à Simon comment, ni pourquoi, il avait pris un prénom chrétien. Peut-être par désir de s'intégrer, ou à l'instigation de son redoutable professeur au moment des adieux. Simon était arrivé de

Calcutta à Clapham à la fin de son adolescence et avait aussitôt commencé à travailler dans le magasin de son oncle. Trente ans plus tard, l'oncle était mort et le commerce était revenu à son neveu, qui subvenait encore aux besoins de sa tante grâce aux bénéfices. Il avait également une femme et trois grands enfants à nourrir, mais il n'aimait pas trop parler d'eux. Il était musulman, de culture plutôt que pratiquant. La tristesse qu'il pouvait y avoir dans sa vie, il la cachait derrière une attitude grave et digne. Désormais âgé de plus de soixante ans, il était mince, chauve et très convenable, avec une petite moustache effilée aux deux extrémités. Il me gardait une revue d'anthropologie non consultable sur Internet. Quand je venais parcourir les gros titres des actualités pendant l'expédition de la Task Force, il ne s'était pas formalisé. Il s'amusait de mon goût pour le chocolat bas de gamme – pour ces marques internationales inventées entre les deux guerres. Au milieu de l'après-midi, après des heures devant mon écran, j'étais en manque de sucre.

Suivant cette étrange tendance qui vous fait réserver vos confidences à une simple connaissance, j'avais appris à Simon l'existence de Miranda. Quand elle et moi étions venus ensemble au magasin, il avait vu par lui-même.

Désormais, chaque fois que je passais, sa première question était toujours : « Où en sont les choses ? » Il aimait à me répéter, uniquement par gentillesse : « C'est clair. Vous lui êtes destiné. Impossible d'y échapper ! Le bonheur éternel pour vous deux. » Je sentais que de nombreuses déceptions s'étaient amoncelées derrière lui. Il avait l'âge d'être mon père et voulait pour moi ce qui lui avait échappé.

95

Il n'y avait pas d'autres clients quand on entra, Adam et moi, dans le magasin encombré où flottaient des odeurs de papier journal, de poussière de cacahuètes et de produits de toilette bon marché. Simon se leva de la chaise de bois sur laquelle il était assis derrière la caisse. Puisque je n'étais pas seul, il ne poserait pas la question habituelle.

Je fis les présentations. « Simon. Mon ami Adam. »

Simon salua de la tête. « Enchanté », dit Adam avec un sourire.

J'étais rassuré. Un bon début. Si Simon avait relevé l'étrange apparence des yeux d'Adam, il ne le montra pas. C'était une réaction courante, comme je le découvrirais rapidement. Les gens croyaient à une maladie congénitale et détournaient discrètement le regard. On parla cricket, Simon et moi – trois *six runs* consécutifs et une invasion du terrain lors d'un test-match entre l'Inde et l'Angleterre –, tandis qu'Adam restait debout à l'écart, devant un rayon de boîtes de conserve. Celles-ci lui seraient instantanément familières : histoire de la marque, parts de marché, valeur nutritionnelle. Mais pendant que Simon et moi bavardions, il était évident qu'Adam ne regardait pas les boîtes de petits pois ni quoi que ce soit d'autre. Il avait le visage figé. Il ne bougeait plus depuis deux minutes. Je redoutai que quelque chose d'inhabituel ou d'inquiétant ne se produise. Simon faisait poliment semblant de n'avoir rien remarqué. Adam pouvait s'être mis en veille. Une explication me vint à l'esprit : il avait besoin de se donner une apparence crédible dès qu'il ne faisait rien. Ses yeux étaient ouverts, mais ils ne cillaient pas. Je l'avais peut-être entraîné trop tôt dans le vaste monde. Simon serait vexé que j'aie tenté de faire passer Adam pour une personne, pour un ami. Il pourrait y voir une moquerie, une plaisanterie de mauvais goût. J'aurais trahi quelqu'un que j'aimais bien.

Notre discussion sur le cricket tournait court. Le regard de Simon se posa sur Adam, puis à nouveau sur moi. « Votre *Anthropos* est arrivé », m'informa-t-il avec tact.

Cela me permit de me diriger vers le rayon des magazines, près duquel se tenait Adam. Des années plus tôt, Simon s'était débarrassé de la presse masculine en haut de son présentoir au profit de publications littéraires, de revues universitaires sur les relations internationales, l'histoire ou l'entomologie. Bon nombre d'intellectuels bohèmes et vieillissants habitaient le quartier.

Lorsque je me tournai vers le rayon, il ajouta : « Vous pouvez vous débrouiller sans moi ? » Une taquinerie amicale pour détendre l'atmosphère. Simon était plus grand que moi, et d'habitude il me descendait la revue lui-même.

Un mot suffit à ranimer Adam. Avec le plus discret des chuintements, que j'espérai être seul à entendre, il s'adressa à Simon en termes choisis : « "Sans moi", dites-vous. Voilà une coïncidence. Récemment, j'ai un peu réfléchi aux mystères du moi. Selon certains, c'est un élément ou un processus organique enfoui dans les structures neuronales. D'autres assurent que c'est une illusion, un produit dérivé de nos tendances narratives. »

Il y eut un silence, puis Simon, un peu crispé, lança : « Eh bien, monsieur, quelle proposition est la bonne ? Laquelle avez-vous choisie ?

— Ça vient de la façon dont je suis fait. Je suis forcé de conclure que j'ai un sens du moi très développé, que celui-ci a certainement une réalité et que les neurosciences le décriront parfaitement un jour. Même ce jour-là, je ne le connaîtrai pas mieux que maintenant. Mais j'ai tout de même des moments de doute, où je me demande si je ne suis pas victime d'une forme d'erreur cartésienne. »

Ma revue à la main, je me préparais à partir. « Prenez les bouddhistes, répondit Simon. Ils préfèrent se passer d'un moi.

— En effet. J'aimerais bien rencontrer un bouddhiste. Vous en connaissez un ? »

Simon fut catégorique. « Non, monsieur. Absolument pas. »

Le remerciant et le saluant de la main, j'entraînai Adam par le coude vers la sortie.

*

Cela avait beau être un cliché de l'amour romantique, il n'en était pas moins douloureux : plus mes sentiments pour elle s'intensifiaient, plus Miranda paraissait distante et inaccessible. Comment osais-je me plaindre, alors qu'elle s'était donnée à moi dès le premier soir, après le dîner ? On s'amusait bien, la conversation était facile, on dînait et on dormait ensemble presque quotidiennement. Mais j'attendais plus, même si j'essayais de ne pas le montrer. J'aurais voulu qu'elle s'ouvre davantage, qu'elle recherche ma présence, qu'elle ait besoin de moi, qu'elle exprime son désir pour moi, son plaisir d'être avec moi. Au lieu de quoi ma première impression se confirmait : elle pouvait vivre avec ou sans moi. Tout ce qu'il y avait de bien entre nous – le sexe, les repas, le cinéma, une nouvelle pièce de théâtre – se produisait à mon initiative. Sans moi elle retournait en silence vers sa vie par défaut à l'étage, vers un ouvrage sur les Corn Laws, un bol de céréales ou une tasse de tisane, pelotonnée dans un fauteuil, pieds nus et indifférente. Parfois, elle restait longuement assise sans livre. Si je passais la tête à sa porte (chacun avait désormais les clés de l'autre) et lançais : « Que dirais-tu d'une heure de sexe débridé ? », elle répondait calmement : « D'accord », nous allions dans sa chambre ou dans la mienne, et elle s'abandonnait splendidement à son plaisir et au mien. Quand nous avions fini, elle prenait une douche et regagnait son fauteuil. À moins que je ne suggère autre chose. Un verre de vin, un risotto, un joueur de saxo presque célèbre dans un pub de Stockwell ? D'accord, à nouveau.

Pour tout ce que je proposais, à l'intérieur ou à l'extérieur, elle manifestait le même intérêt tranquille. Du moment que nous étions main dans la main. Mais il y avait quelque chose, voire beaucoup de choses que je ne comprenais pas, ou qu'elle ne voulait pas que je sache. Chaque fois qu'elle avait un séminaire, ou devait travailler en bibliothèque, elle rentrait de l'université en fin d'après-midi. Une fois par semaine, elle revenait plus tard. Il m'avait fallu quelque temps pour m'apercevoir que c'était le vendredi. Elle finit par m'avouer qu'elle allait à la mosquée de Regent's Park pour la prière du vendredi. Cela me surprit. Mais non, l'athée qu'elle était n'envisageait pas de se convertir. Elle avait en tête un article d'histoire sociale qu'elle écrirait peut-être. Je ne fus pas convaincu, mais je laissai tomber.

Ce qui manquait entre nous, c'étaient les conversations

intimes. Nos débats sur la Falklands Task Force étaient ce qui nous rapprochait le plus. Quand nous allions dans un bar, Miranda s'en tenait à des sujets généraux. Elle se satisfaisait de sa solitude ou de discussions animées sur des questions de société, mais entre les deux il n'y avait rien de personnel, hormis la santé ou la carrière littéraire de son père. Lorsque je tentais d'orienter discrètement nos échanges vers le passé, peut-être par un détail me concernant ou une question sur sa propre histoire, elle se tournait rapidement vers des généralités, des souvenirs de sa petite enfance, ou une anecdote à propos d'une connaissance. Je lui avais raconté mon incursion stupide dans le monde de la fraude fiscale, mon expérience des tribunaux et la monotonie de mes heures de travaux d'intérêt général. Je lui en aurais parlé de toute façon, mais j'avais trouvé ce prétexte pour lui demander si elle-même s'était déjà retrouvée devant un juge. Sa réponse avait été abrupte. Jamais! Puis elle avait changé de sujet. Deux ou trois fois auparavant, j'avais eu diverses aventures prometteuses et j'étais tombé amoureux, ou presque – tout dépend de ce qu'on entend par là. Je me croyais expert en la matière et me gardais de mettre la pression à Miranda. Je pensais encore pouvoir soutirer à Adam plus d'informations sur l'épisode de Salisbury. Si je ne connaissais pas le secret de Miranda, au moins elle ne savait pas que je savais. Tout était affaire de tact. Je ne lui avais toujours pas dit que je l'aimais, pas plus que je n'avais divulgué mes fantasmes concernant notre avenir ensemble, ni même fait allusion à ma frustration. Je la laissais seule avec ses livres et ses pensées dès qu'elle en éprouvait le besoin. Bien que cela n'ait pas fait partie de mes centres d'intérêt, je m'étais familiarisé avec les Corn Laws et j'avais élaboré quelques théories personnelles sur le libre-échange. Miranda ne les avait pas écartées, mais ne s'était pas non plus montrée impressionnée.

Ainsi nous venions de dîner ensemble à l'étage dans sa cuisine, encore plus petite que la mienne. La table en plastique blanc, sans doute volée dans le jardin d'un pub par un précédent locataire, était juste assez grande pour deux. Debout devant l'évier, les mains dans l'eau savonneuse jusqu'aux coudes, Adam lavait les assiettes et les couverts que nous lui avions tendus à la fin du repas – saucisses et purée, haricots blancs à la tomate en conserve, œufs au plat. De la nourriture d'étudiants. Sur l'appui de fenêtre, au-dessus duquel les rideaux en vichy jaune et blanc étaient immobiles dans cette canicule de fin d'été, un transistor diffusait une chanson des Beatles, qui venaient de se reformer après douze ans de séparation. Leur album, *Love and Lemons*, avait été raillé pour son caractère pompeux, et eux-mêmes pour n'avoir pas su résister à l'attrait et à la démesure d'un orchestre symphonique. Après la moitié d'une vie passée à plaquer des accords de guitare, disait-on, ils étaient incapables de maîtriser une telle puissance. Et puis, se plaignait le critique du *Times*, personne ne voulait entendre à nouveau que nous avions seulement besoin d'amour, même si c'était vrai, ce dont on pouvait douter.

J'aimais pourtant la sentimentalité musclée de leur musique, vidée de toute ironie par ces chanteurs d'âge mûr si pleins d'assurance et aux mélodies si harmonieuses, libérés par leur utile ignorance de deux siècles et demi d'expérimentation symphonique. La voix rauque de Lennon flottait jusqu'à nous, depuis un lieu lointain et bruissant d'échos par-delà l'horizon ou la tombe. Cela ne me dérangeait pas, d'entendre à nouveau parler d'amour. Devant moi, à moins d'un mètre, la chaleur de tous ses possibles m'était promise, et je n'avais en effet besoin de rien d'autre. Devant moi, il y avait ce visage à l'ovale exquis (ses pommettes anguleuses finiraient un jour par en transpercer la peau), ce regard amusé que Miranda posait sur moi entre ses paupières mi-closes – à ce stade, elle était encore d'humeur joyeuse –, cette bouche entrouverte qui n'allait pas tarder à me contredire. Son nez d'une longueur parfaite palpitait légèrement à la base des narines pour signaler d'avance son désaccord. Sa pâleur mettait en valeur sa belle chevelure brune, coiffée ce soir-là de manière enfantine avec une raie au milieu bien droite. Contrairement à la mode de l'époque, elle évitait le soleil. Ses bras nus et minces avaient également une peau blanche sans défaut ni tache de rousseur.

De mon point de vue nous en étions encore à gravir les premiers contreforts, entourés de possibles dont l'accomplissement s'élevait au loin tels des sommets alpins. De son point de vue à elle, de l'autre côté de cette table fragile, nous avions peut-être déjà atteint notre point culminant. Elle pensait sans doute s'être rapprochée de quelqu'un autant qu'elle le voulait, ou le pouvait. Les romans d'amour comme ceux de Jane Austen se concluaient chastement sur des préparatifs de mariage. Leur point culminant à eux se trouvait du côté de l'amour charnel, dont toute la complexité attendait les personnages.

Pour l'heure, ma tâche était de discuter politique avec elle sans que les esprits ne s'échauffent et que l'échange tourne à l'aigre, tout en restant fidèle à mes idées et en lui permettant de garder les siennes. C'était un exercice d'équilibriste, faisable à condition que je boive moins d'une demi-bouteille du médoc quelconque posé entre nous. Nous avions déjà eu cette conversation, et cette fois les choses auraient dû être plus faciles, mais nous semblions condamnés à la répétition. Nous n'avions pas vraiment envie d'aborder le sujet. Impossible de l'éviter, pourtant, même si nous savions que cela ne mènerait nulle part. C'était le cas pour tout le monde. Nous étions tous encore en train de panser nos blessures. Comment Miranda et moi pourrions-nous passer notre vie ensemble, si nous n'étions pas d'accord sur un point aussi fondamental que la guerre ?

À propos de ces îles auparavant connues comme les Falkland, elle avait des positions tranchées. Elle affirma que le drapeau planté par les Argentins sur la lointaine Géorgie du Sud représentait une violation indiscutable du droit international. Je dis qu'il s'agissait d'un lieu inhospitalier et qu'on ne devrait envoyer personne le défendre au péril de sa vie. Elle déclara que la prise de Port Stanley était une tentative désespérée de la part d'un régime impopulaire pour réveiller la ferveur patriotique. Je répondis que c'était une raison de plus pour ne pas s'en mêler. Elle prétendit que la Falklands Task Force était une création courageuse et intelligente, même dans l'échec. Je répliquai, mal à l'aise au souvenir de mon émotion quand la flotte avait pris la mer, que c'était une initiative ridicule pour restaurer notre grandeur impériale perdue. Elle protesta : je ne voyais donc pas que c'était une guerre antifasciste ? Non (je couvris sa voix), c'était un conflit portant sur la propriété d'un territoire, alimenté de part et d'autre par un nationalisme stupide. Je citai la remarque de Borges sur les deux chauves qui se disputent un peigne. Elle rétorqua qu'un chauve pouvait léguer son peigne à ses enfants. Je m'efforçais de comprendre cet argument quand elle ajouta que les généraux argentins avaient torturé, fait disparaître et assassiné leurs citoyens par milliers, et qu'ils étaient en train de couler l'économie du pays. Si nous avions repris ces îles, l'humiliation aurait signé la fin du régime et la démocratie serait revenue en Argentine. J'assurai qu'elle ne pouvait pas le savoir. Nous avions perdu des milliers de jeunes gens à cause des ambitions de Mme Thatcher. J'avais commencé à hausser le ton avant de me souvenir de mes bonnes résolutions. Je poursuivis plus calmement, mais avec une certaine véhémence : que la Première ministre reste en place après un tel massacre constituait le plus grand scandale politique de notre époque. J'assénai cette phrase avec une force qui me valut un silence respectueux, mais Miranda revint aussitôt à la charge pour dire que la Première ministre avait échoué au service d'une bonne cause, qu'elle était soutenue par la quasi-totalité du Parlement et du pays, et qu'elle avait raison de rester à son poste.

Durant cette conversation, Adam avait fini la vaisselle et, debout devant l'évier, les bras croisés, il nous observait en tournant la tête de droite à gauche, d'un interlocuteur à l'autre, comme le spectateur d'un match de tennis. Notre échange n'était pas précisément languissant, mais la répétition lui avait donné l'apparence d'un rituel. Telles deux armées face à face, nous campions sur nos positions et entendions les défendre. Miranda m'expliquait que la Task

Force était partie sans les missiles sol-air qu'il lui fallait. Les chefs d'état-major avaient laissé tomber les forces armées. J'avais déjà entendu ce vocabulaire – sol-air, tête chercheuse, ogive en titane – au bar de l'Union des étudiants du Warwickshire, mais seulement dans la bouche d'hommes, de membres de la gauche radicale aux opinions paradoxalement teintées d'une admiration tacite pour les armements qu'ils condamnaient. De sa voix douce à l'élocution fluide, Miranda mêlait ces concepts avec d'autres tirés du lexique du pouvoir en place : société ouverte, État de droit, restauration de la démocratie. Sans doute était-ce son père que j'entendais.

Pendant qu'elle parlait, je surpris l'expression d'Adam. J'y vis une attention dévouée. Plus que cela. Un regard de ravissement. Il adorait ce que disait Miranda. Alors que je posais à nouveau les yeux sur elle, elle me rappela que les habitants des îles Falkland étaient mes concitoyens, et vivaient désormais sous un régime fasciste. Est-ce que ça me plaisait? Je détestais ce procédé rhétorique. C'était une insulte masquée. Exactement comme je le redoutais, la discussion virait à l'aigre, mais ce fut plus fort que moi. Dans le minuscule espace de la cuisine, mourant de chaud et agacé, je pris la bouteille de vin et remplis mon verre. Il aurait pu y avoir un accord négocié, repris-je. Une transition de trente ans, lente et indolore, un mandat de l'ONU garantissant les droits de chacun. Miranda m'interrompit pour m'informer que l'on ne pouvait se fier à aucune initiative de la part de ces généraux qui avaient du sang sur les mains. En l'écoutant, j'eus d'eux une vision caricaturale, avec leurs képis à galons, leurs décorations, leurs bottes de cavaliers, et

Galtieri sur son cheval blanc dans un blizzard de confettis sur l'Avenida 25 de Mayo.

Je dis que j'acceptais tous ses arguments jusqu'au dernier. Les forces armées s'étaient embarquées pour leur traversée de huit mille milles nautiques, et leur mission, la stratégie périlleuse mentionnée par Miranda, avait été testée et avait échoué. Des milliers d'inconnus pour elle, et dont elle ne se souciait pas, étaient morts noyés ou brûlés, ou bien ils avaient survécu, mais mutilés, défigurés, traumatisés. Nous avions obtenu le pire dénouement : la junte possédait l'archipel et ses habitants. Une politique en faveur d'un accord négocié n'avait pas été tentée, mais si elle l'avait été et qu'elle eût échoué, l'issue aurait été la même, sans les atrocités ni les morts. On ne pouvait pas savoir. Ce qui aurait pu se produire était désormais perdu. Donc à quoi bon discuter ?

Je m'aperçus que le verre que j'avais rempli, et ne me souvenais pas d'avoir touché, était vide. Et puis je me trompais. Il y avait largement de quoi discuter, car alors même que je prononçais ces mots, je compris que j'avais passé les bornes. J'avais accusé Miranda de ne pas se soucier des morts, et elle était furieuse.

Elle plissa les yeux, sans la moindre joie à présent, mais ne fit pas allusion à ma transgression. À la place, elle se tourna vers Adam et lui demanda paisiblement : « Quel est votre avis ? »

Son regard alla de Miranda à moi, puis se posa de nouveau sur elle. J'ignorais encore s'il voyait réellement quoi que ce soit. Une image sur un écran interne que personne ne visionnait, ou des circuits intégrés qui aidaient son corps à s'orienter dans un univers tridimensionnel? Donner l'apparence qu'il nous voyait pouvait n'être qu'un tour de passe-passe, une manœuvre pour nous tromper et nous amener à lui prêter des qualités humaines. Mais je ne résistai pas : lorsque mon regard croisa le sien et que je fixai ses iris bleus et pailletés de bâtonnets noirs, cet instant me parut riche de sens, d'anticipation. Je voulais savoir s'il comprenait comme moi-même, et sûrement comme Miranda, que l'enjeu dans cette affaire était la loyauté.

Il répondit aussitôt, calmement. « Une invasion : réussite ou échec. Un accord négocié : réussite ou échec. Quatre dénouements ou effets possibles. En l'absence du recul nécessaire, il faudrait choisir quelles causes retenir et lesquelles éviter. On serait au royaume de l'inférence chère à Thomas Bayes. On chercherait la cause probable d'un effet plutôt que l'effet le plus vraisemblable d'une cause. Ça tombe sous le sens, d'essayer de formaliser nos hypothèses. Notre position de référence, notre point de repère, ce serait un observateur de la situation des Falkland avant que la moindre décision ait été prise. Certaines valeurs de probabilité *a priori* sont attribuées aux quatre dénouements possibles. Au fur et à mesure que de nouvelles informations arrivent, on peut évaluer les changements relatifs de probabilité. Mais on ne pourra pas obtenir une valeur absolue. Le calcul logarithmique du poids de ces nouvelles données peut nous aider, donc en utilisant une base dix...

— Adam, ça suffit! Vraiment. Quel charabia! » Miranda prit à son tour la bouteille de médoc.

Je fus soulagé de ne plus être l'objet de son agacement.

« Mais Miranda et moi attribuerions chacun des valeurs *a priori* totalement différentes », répondis-je à Adam.

Il tourna la tête vers moi. Trop lentement, comme toujours. « Bien sûr. Ainsi que je le disais, quand on décrit l'avenir, il ne peut y avoir de valeurs absolues. Seulement des degrés de vraisemblance fluctuants.

— Mais ils sont entièrement subjectifs.

— Exact. Au bout du compte, Bayes reflète un état d'esprit. Comme toute remarque de bon sens. »

Rien n'était donc résolu, malgré cette rationalité hautement sophistiquée. Miranda et moi ne partagions pas le même état d'esprit. Qu'y avait-il de neuf ? Mais dans nos différences, nous étions unis contre Adam. C'était du moins mon espoir. Après tout, il avait peut-être compris l'enjeu essentiel : il pensait que j'avais raison sur les Falkland et, compte tenu d'une certaine dose programmée d'honnêteté intellectuelle, ce qu'il pouvait offrir de mieux à Miranda, à qui il restait également loyal, c'était une neutralité apparente. Mais si ce raisonnement était valable, pourquoi ne pas accepter la possibilité inverse : il croyait que Miranda avait raison, et c'était moi qui bénéficiais de son soutien loyal.

Dans un bruit de chaise raclant le sol, Miranda se leva soudain. Son visage et sa gorge s'étaient légèrement empourprés, et elle évitait mon regard. On ferait chambre à part ce soir-là. J'aurais volontiers ravalé tous mes arguments pour rester avec elle. Mais j'étais sans voix.

« Vous pouvez recharger vos batteries ici, si ça vous dit », lança-t-elle à Adam.

Il avait besoin d'être branché six heures par nuit à une

prise de treize ampères. Il se mettait en veille et « lisait » tranquillement jusqu'au lever du jour. D'habitude, il était dans ma cuisine au rez-de-chaussée, mais Miranda avait récemment acheté un second câble de raccordement.

Il murmura des remerciements, se pencha pour plier lentement un torchon à vaisselle avec le plus grand soin et le posa en travers de l'égouttoir. Lorsqu'elle se dirigea vers sa chambre, Miranda me jeta un coup d'œil, souriant à regret sans desserrer les lèvres, puis elle m'envoya de loin un baiser de réconciliation et chuchota : « Juste pour ce soir. »

Donc tout s'arrangeait entre nous.

« Je sais bien sûr que tu te soucies des morts », concédai-je.

Elle acquiesça d'un signe de tête et disparut. Adam, assis, dégageait sa chemise de sa ceinture pour localiser le point de branchement au nombril. Je posai la main sur son épaule et le remerciai d'avoir fait la vaisselle.

Il était encore bien trop tôt pour que j'aille me coucher, et il faisait aussi chaud qu'un soir d'été à Marrakech. Je redescendis chez moi et cherchai quelque chose de frais au réfrigérateur.

*

Je m'installai dans la cuisine, dans un vieux fauteuil de cuir, un ballon de vin blanc moldave à la main. Il y avait un plaisir intense à poursuivre une réflexion sans être contredit. Je n'étais sûrement pas le premier à le penser, mais on pouvait envisager l'histoire de l'estime de soi chez les humains comme une série de déclassements conduisant à l'extinction. À une époque, nous trônions au centre de l'Univers, avec le Soleil, les planètes et le monde observable qui tournaient autour de nous en une danse rituelle et intemporelle. Puis, défiant les prêtres, une astronomie sans pitié nous avait réduits à n'être qu'une planète en orbite autour du Soleil, une parmi tant d'autres. Et pourtant nous restions à part, uniques et géniaux, choisis par le Créateur pour régner en maîtres sur tout ce qui vivait. Ensuite, la biologie avait confirmé que nous ne formions qu'un avec le reste, partageant une origine commune avec les bactéries, les violettes, les truites et les moutons. Le début du vingtième siècle marqua un exil encore plus profond dans les ténèbres lorsque l'immensité de l'Univers fut révélée, et que le Soleil même devint un parmi les milliards que comptait notre galaxie, elle-même une parmi des milliards de galaxies. Enfin, en notre for intérieur – notre dernier refuge –, nous avions sans doute raison de croire que notre conscience était plus développée que celle de toute autre créature sur terre. Or l'esprit humain qui s'était un jour rebellé contre les dieux s'apprêtait à se détrôner lui-même grâce à ses fabuleuses capacités intellectuelles. En bref, nous concevrions une machine un peu plus intelligente que nous, puis nous la programmerions pour qu'elle en invente une autre qui dépasserait notre compréhension. À quoi servirions-nous alors ?

Des pensées de si haute volée méritaient un deuxième ballon de vin, plus rempli, et je me resservis. La tête en appui sur ma paume droite, j'approchai de cette zone crépusculaire où l'apitoiement sur soi se transforme en une agréable complaisance. Je me sentais un cas particulier dans ce bannissement généralisé, même si ce n'était pas à Adam que je pensais. Il n'était pas plus intelligent que moi. Pas encore. Non, mon exil ne durerait qu'une nuit et il ajoutait une souffrance délicieuse, supportable, à un amour sans espoir. Ma chemise déboutonnée jusqu'à la taille, toutes fenêtres ouvertes – l'image du romantisme urbain –, je me soûlais méthodiquement dans la chaleur, la poussière et le vacarme sourd de Clapham, au sud d'une mégalopole. Le déséquilibre de notre liaison, à Miranda et à moi, avait quelque chose d'héroïque. J'imaginais le regard approbateur d'un spectateur debout dans un coin de la pièce. Cette silhouette bien bâtie, affalée dans son fauteuil défoncé. Je m'aimais plutôt. Il fallait bien que quelqu'un s'en charge. Je me récompensai par des visions de Miranda en pleine extase et m'interrogeai sur le caractère impersonnel de son plaisir. Je n'étais qu'« assez bon » pour elle, comme beaucoup d'autres hommes. Je niais l'évidence, le fait que sa réserve soit le fouet aiguillonnant mon désir. Mais il y avait là quelque chose d'étrange. Trois jours plus tôt, elle m'avait posé une question mystérieuse. Nous étions au milieu de nos ébats, dans la position conventionnelle. Elle avait attiré mon visage vers le sien. Son expression était pleine de gravité.

« Dis-moi, avait-elle chuchoté. Es-tu bien réel ? »

Je n'avais pas répondu.

Elle avait tourné la tête, si bien que je la voyais de profil lorsqu'elle avait fermé les yeux et s'était perdue une fois de plus dans le labyrinthe de ses plaisirs intimes.

Plus tard, cette nuit-là, je l'avais interrogée sur cette question. « Ce n'était rien. » Elle n'en avait pas dit plus avant de changer de sujet. Étais-je bien réel ? Ce qui pouvait signifier : est-ce que je l'aimais vraiment ? Ou bien : étais-je sincère ? Ou encore : répondais-je si parfaitement à ses besoins que j'aurais pu être un de ses rêves devenu réalité ?

J'allai à l'autre bout de la cuisine pour me servir le reste de la bouteille de vin. Il fallait tirer d'un coup sec pour débloquer la poignée cassée du réfrigérateur. Quand ma main se referma sur le goulot glacé, j'entendis un son, un grincement au-dessus de moi. J'avais assez longtemps vécu sous les pieds de Miranda pour reconnaître ses pas et leur direction précise. Elle avait traversé sa chambre et hésitait à l'entrée de sa cuisine. J'entendis le murmure de sa voix. Pas de réponse. Elle fit deux pas de plus dans la pièce. Le troisième l'amènerait sur une latte qui, sous l'effet d'une pression, produisait un couinement bref. Alors que je tendais l'oreille, Adam parla. Il repoussa sa chaise derrière lui en se levant. S'il faisait un pas supplémentaire, il faudrait qu'il se débranche. Il avait dû y parvenir, car ce fut son pied qui atterrit sur la latte bruyante. Cela voulait dire qu'ils se tenaient à moins d'un mètre l'un de l'autre, mais il n'y eut aucun autre bruit pendant une minute, et ce furent ensuite deux séries de pas qui se dirigèrent vers la chambre.

Je laissai la porte du réfrigérateur ouverte, parce que le son qu'elle produisait en se refermant me trahirait. Pas d'autre solution que de les suivre et de me rendre dans ma chambre. Ce que je fis, et je restai debout près de ma table de travail à les écouter. Je devais me trouver à la verticale du lit de Miranda quand j'entendis celle-ci chuchoter un ordre. Elle voulait sûrement aérer la pièce, car les pas d'Adam résonnèrent en direction du bow-window. Seule une de ses trois fenêtres s'ouvrait. Même celle-là était difficile les jours de temps chaud ou pluvieux. Le bois des huisseries anciennes se rétractait ou se gonflait, et il y avait un problème avec le contrepoids et la corde trop dure. Notre époque était capable de concevoir une réplique acceptable de l'esprit humain, mais personne dans le quartier ne savait réparer une fenêtre à guillotine, bien que certains s'y soient essayés.

Et en quel état mon esprit à moi était-il, juste en dessous dans un bow-window identique, reproduit à des milliers d'exemplaires pour les lotissements construits à grande échelle à la fin de l'ère victorienne? Ils avaient recouvert les deux hectares et demi de prairies bordées de haies et de chênes qui ornaient la lisière sud de Londres. Pas très bon – mon état d'esprit, je veux dire. Son enveloppe corporelle parlait pour lui. Frissons, moiteur – des paumes en particulier –, accélération du pouls, mélange d'impatience et de surexcitation. Craintes, doutes, fureur. Dans mon bow-window, une vieille moquette tachée et râpée depuis le milieu des années cinquante allait jusqu'aux plinthes. Dans celui de Miranda, la moquette faisait place à du parquet qui, bien ciré avant les deux guerres mondiales, avait sans doute eu des reflets brun-noisette. Jamais la malheureuse en tablier blanc qui s'échinait sur celui-ci, coiffe sur la tête et chiffon imprégné de cire à la main, n'aurait imaginé quel genre d'individu se tiendrait un jour à l'endroit où elle était accroupie. J'entendis Adam poser les pieds sur le bois usé. Je le voyais déjà se courber pour empoigner la fenêtre par les poignées métalliques à la base du châssis, et pousser vers le haut avec la force de quatre jeunes gens. Après un silence dû à la résistance du châssis, la fenêtre entière fut propulsée en hauteur et claqua contre le haut de l'huisserie comme un coup de feu, dans un fracas de verre cassé. Mon ricanement de jubilation aurait pu me trahir.

Plus aucun risque de manquer d'air assez frais dans la pièce. Ma joie se dissipa lorsque les pas d'Adam retournèrent près du lit où l'attendait Miranda. C'étaient peut-être des excuses qu'il marmonnait en s'approchant d'elle. Il y eut ensuite la voix du pardon, car la brève réponse de Miranda fut suivie par deux rires, mezzo et ténor mêlés. J'avais emboîté le pas à Adam et me trouvais de nouveau à la verticale du lit, deux mètres en dessous. Il avait l'habileté requise pour déshabiller Miranda, et c'était ce qu'il faisait à présent. Quoi d'autre occuperait leur silence ? Je savais – et pour cause – que le matelas ne produisait aucun son. Les futons, avec leur promesse d'une vie propre et simple à la japonaise, dans la clarté et le dépouillement, étaient alors à la mode. Et j'avais moi-même l'impression de baigner dans la clarté, tous mes sens en éveil tandis que j'attendais debout dans le noir. J'aurais pu monter l'escalier quatre à quatre pour interrompre Adam et Miranda, faire irruption dans la chambre tel le mari clownesque des vieilles cartes postales de stations balnéaires. Mais ma situation avait quelque chose d'excitant, qui tenait non seulement au subterfuge et à la curiosité, mais à l'originalité, à la modernité, à l'honneur d'être le premier homme fait cocu par un artefact. J'étais de mon époque, à la pointe de la nouveauté, vivant avant tout le monde le drame du remplacement si fréquemment et sinistrement prédit. Autre cause de ma passivité : dès ces premiers instants, je me savais responsable de tout ce qui me tombait dessus. Mais le pire restait à venir. Car dans l'immédiat, malgré l'horreur de la trahison, tout était

114

trop intéressant et je n'arrivais pas à quitter le rôle de celui qui écoute aux portes, du voyeur aveugle, humilié mais aux aguets.

C'étaient les yeux de l'esprit, ou ceux du cœur, qui regardaient Adam et Miranda s'allonger entre les formes fermes du futon et chercher la position la plus confortable pour s'étreindre. Je regardai Miranda chuchoter à l'oreille d'Adam, mais je n'entendis pas les paroles. Elle n'avait jamais chuchoté à mon oreille dans ces moments-là. Je regardai Adam l'embrasser – plus longuement et avec plus d'ardeur que je ne l'avais jamais embrassée. Les bras qui avaient ouvert la fenêtre à guillotine se refermaient sur Miranda. Quelques minutes plus tard, je faillis détourner les yeux lorsqu'il s'agenouilla avec déférence pour la caresser avec sa langue. Cette fameuse langue qui, moite et réchauffée par son souffle, apte à former les vélaires et les labiales, donnait leur authenticité à ses propos. Je regardais sans la moindre surprise. Contrairement à moi, il ne fit pas jouir ma bien-aimée aussitôt, mais laissa son dos mince se cambrer sous l'effet du désir tandis qu'il se plaçait au-dessus d'elle avec une agilité et une courtoisie dignes d'un loris lent. Là, mon humiliation fut totale. Dans l'obscurité, je vis l'avenir – l'obsolescence des hommes. J'aurais voulu me convaincre qu'Adam ne ressentait rien et ne pouvait qu'imiter les gestes de l'abandon. Que jamais il ne pourrait connaître ce que nous connaissions. Mais Alan Turing en personne avait souvent dit et écrit dans sa jeunesse qu'à partir du moment où nous ne verrions plus aucune différence de comportement entre la machine et l'homme, il nous faudrait reconnaître l'humanité de la machine. Aussi, quand l'air nocturne fut soudain transpercé par un long cri d'extase de Miranda, auquel succéda un gémissement, puis un sanglot étouffé – le tout vingt minutes seulement après que la fenêtre eut volé en éclats –, je concédai à Adam, comme il se devait, les mêmes privilèges et les mêmes obligations qu'à mes semblables. Je le détestai.

*

Tôt le lendemain matin, pour la première fois depuis des années, je plongeai dans ma tasse de café une cuiller pleine de sucre. Je regardai le cercle de liquide brun-noisette tournoyer dans le sens des aiguilles d'une montre, ralentir, puis s'abandonner à un tourbillon chaotique. À regret, je résistai à la tentation de filer cette métaphore de mon existence. Je m'efforçais de réfléchir, et il n'était même pas sept heures et demie. Adam ou Miranda, ou les deux, apparaîtraient bientôt à ma porte. Je voulais remettre de l'ordre dans mes pensées et dans mon apparence. Après une nuit de sommeil perturbé, j'étais aussi déprimé qu'en colère contre moi-même, mais déterminé à n'en rien laisser paraître. Miranda avait pris ses distances avec moi, et selon les normes contemporaines, une nuit avec quelqu'un d'autre – ou quelque chose d'autre – n'était donc pas tout à fait une trahison. Quant à la dimension éthique du comportement d'Adam, voilà une histoire qui avait curieusement commencé. C'était pendant la grève des mineurs, douze ans plus tôt, que les premières voitures sans pilote avaient fait leur apparition sur des sites expérimentaux, essentiellement des terrains d'aviation désaffectés où les décorateurs de cinéma avaient reproduit des rues, des échangeurs d'autoroutes, et construit divers tremplins.

L'adjectif « autonome » n'avait jamais été le bon mot, car ces nouvelles voitures, tel un nouveau-né vis-à-vis de sa mère, dépendaient entièrement de puissants réseaux informatiques reliés à des satellites et à des radars embarqués. Si l'intelligence artificielle devait guider ces véhicules pour qu'ils rentrent sains et saufs, quel ensemble de valeurs ou de priorités le logiciel devait-il respecter? Heureusement il existait déjà dans la philosophie morale une série de dilemmes dits « du tramway », bien explorés et bien connus des spécialistes. Facilement adaptable aux voitures, le type de problème que les constructeurs automobiles et leurs ingénieurs informaticiens se posaient était le suivant : vous, ou votre véhicule, roulez à la vitesse légale maximale sur une route étroite d'une banlieue résidentielle. La circulation est fluide. Sur le trottoir, de votre côté de la route, se trouve un groupe d'enfants. L'un d'eux, âgé de huit ans, traverse soudain la route en courant, juste sur votre trajectoire. Vous n'avez qu'une fraction de seconde pour prendre une décision : ou vous fauchez l'enfant, ou vous faites une embardée sur le trottoir plein de monde, ou vous vous déportez vers la file d'en face et percutez de plein fouet un tramway. Vous êtes seul : très bien, vous vous sacrifiez ou vous sauvez votre peau. Et si votre épouse et vos deux enfants sont dans la voiture? Trop facile? Et s'il s'agit de votre fille unique ou de vos grands-parents, ou encore de votre fille enceinte et de votre gendre, tous deux entre vingt et trente ans? Maintenant, tenez compte des passagers du tramway. En une fraction de seconde, un ordinateur a largement le temps de passer méthodiquement en revue tous les enjeux. La décision dépendra des priorités imposées par le logiciel.

Pendant que la police à cheval chargeait contre les mineurs, et que dans tout le pays les petites villes industrielles entamaient leur longue et triste décadence au nom du libre-échange, la question de l'éthique des robots était née. Les multinationales de l'automobile consultaient des spécialistes d'éthique médicale, des théoriciens du jeu, des commissions parlementaires. Puis, dans les universités et les instituts de recherche, la question prit d'elle-même de l'importance. Longtemps avant que les machines soient disponibles, les professeurs et leurs post-doctorants créèrent des logiciels qui reprenaient ce que nous avions de meilleur : tolérance, ouverture d'esprit, attention à autrui, absence de toute trace de calcul, de méchanceté ou de préjugés. Les théoriciens tablaient sur une intelligence artificielle raffinée, guidée par des principes bien conçus, et qui apprendrait en se confrontant à des milliers, voire à des millions de dilemmes moraux. Une telle intelligence pourrait nous enseigner comment nous conduire, comment être bons. Les humains étaient éthiquement défaillants : inconsistants, émotifs, sujets à la mauvaise foi, à des erreurs cognitives, souvent pour servir leurs propres intérêts. Longtemps avant qu'il y ait une batterie à la fois assez légère et puissante pour alimenter un humain artificiel, ou le matériau élastique pour fournir à son visage un éventail d'expressions reconnaissables, il existait des logiciels pour le rendre sage et bien intentionné. Avant que nous ayons construit un robot capable de se baisser pour nouer les lacets d'un vieillard, il y avait un espoir que nos propres créations puissent expier nos péchés.

L'existence de la voiture sans pilote avait été de courte durée, du moins sa première version, et ses qualités morales n'avaient jamais été vraiment mises à l'épreuve au fil du temps. Rien n'illustrait de manière plus évidente la maxime selon laquelle la technologie fragilise la civilisation que les immenses bouchons de la fin des années soixante-dix. À l'époque, les véhicules autonomes représentaient dix-sept pour cent du total. Qui peut oublier ce fameux soir passé à rôtir, à l'heure de pointe, dans le grand embouteillage de Manhattan? À cause d'une activité solaire exceptionnelle, beaucoup de radars embarqués étaient tombés en panne au même moment. Les rues, les avenues, les ponts et les tunnels étaient bloqués, et il avait fallu des jours pour rétablir la circulation. Neuf mois plus tard, en Europe du Nord, un embouteillage similaire dans la Ruhr avait causé un bref ralentissement économique et favorisé les théories du complot. De jeunes pirates informatiques désireux de créer le chaos? Une nation lointaine, agressive et en déshérence, qui aurait développé des compétences en matière de piratage? Ou bien, ma préférée, un vénérable constructeur automobile ne supportant pas d'être talonné par ses nouveaux concurrents? La suractivité de notre soleil mise à part, aucun coupable ne fut jamais trouvé.

Les religions et les grandes littératures du monde ont clairement démontré que nous savons bien nous conduire. Nous exprimons nos aspirations dans la poésie, la prose et les chants, et nous savons ce qu'il faut faire. Le problème est la mise en pratique, persévérante et collective. Ce qui a survécu à la mort temporaire de la voiture autonome, c'est le rêve d'une vertu robotique rédemptrice. Adam et sa cohorte en représentaient la première incarnation, comme le sous-entendait le manuel de l'utilisateur. Adam était censé m'être moralement supérieur. Jamais je ne rencontrerais quelqu'un de meilleur. S'il avait été mon ami, il se serait rendu coupable d'une cruelle et terrible faute. Le problème était que je l'avais acheté, il était pour moi un bien coûteux, et hormis une serviabilité vaguement assumée, ses obligations envers moi n'apparaissaient pas nettement. Que doit l'esclave à son propriétaire ? Miranda non plus ne « m'appartenait » pas. C'était une évidence. Je l'entendais déjà me dire que je n'avais aucune raison valable de me sentir trahi.

Or il restait cette autre question, dont elle et moi n'avions pas encore discuté. Les ingénieurs informaticiens de l'industrie automobile avaient peut-être aidé à établir le code moral d'Adam. Mais Miranda et moi avions contribué ensemble à créer sa personnalité. J'ignorais dans quelle mesure cela interférait avec – ou primait sur – son éthique. Jusqu'où allait la personnalité ? Un système moral parfaitement constitué devait s'exercer indépendamment de toute disposition particulière. Mais était-ce possible ? Enfermé dans un disque dur, le logiciel de la morale n'était que l'équivalent informatique de l'expérience du « cerveau créé in vitro », qui avait envahi les manuels de philosophie. Alors qu'un humain artificiel, lui, devait se mêler aux êtres imparfaits et déchus que nous étions, se frotter à nous. Il devait se salir les mains, lesquelles avaient été assemblées dans l'univers stérile d'une usine. Exister, dans la dimension morale des humains, c'était posséder un corps, une voix, un schéma de conduite, une mémoire et des désirs ; c'était se heurter à des objets solides et ressentir une douleur. Un être parfaitement honnête et aussi impliqué dans le monde pouvait difficilement résister à Miranda.

Toute la nuit, j'avais fantasmé sur la destruction d'Adam. Je voyais mes mains le ligoter avec la corde dont je me servirais pour le traîner vers la rivière Wandle, ce cloaque. Si seulement il ne m'avait pas coûté si cher. Et il me coûtait encore plus cher désormais. Ce moment passé avec Miranda n'avait pas pu être un combat entre les principes et la quête du plaisir. Sa vie érotique était un simulacre. Il tenait à Miranda de la même façon qu'un lave-vaisselle tient à ses assiettes. Lui, ou ses sous-programmes, préférait l'approbation de Miranda à ma colère. J'en voulais aussi à Miranda, qui avait coché la moitié des cases et apporté de la complexité à la nature d'Adam. Et c'était à moi que j'en voulais de l'y avoir incitée. J'avais voulu « découvrir » Adam comme j'aurais pu le faire d'un nouvel ami, et voilà qu'il se révélait être une ordure. J'avais voulu par la même occasion lier encore davantage mon sort à celui de Miranda. Eh bien j'avais pensé à elle la nuit entière. Une réussite sur toute la ligne.

J'entendis des pas dans l'escalier. Deux séries de pas. Je tirai mon journal et ma tasse vers moi, me préparant à paraître vaguement absorbé. J'avais ma dignité à préserver. Miranda fit tourner la clé dans la serrure. Quand elle précéda Adam dans la pièce, je levai les yeux comme si j'interrompais à regret ma lecture. Je venais d'apprendre en une du quotidien que le premier cœur artificiel avait été greffé à un homme du nom de Barney Clarke.

Je fus peiné de constater que Miranda semblait changée, revigorée, dans de nouveaux vêtements. Il faisait encore chaud ce jour-là. Elle portait une jupe plissée très légère, confectionnée avec deux épaisseurs de voile de coton. Alors qu'elle s'approchait de moi, l'ourlet battit contre sa peau à plusieurs centimètres au-dessus de ses genoux nus. Pas de socquettes, des tennis blanches du genre de celles qu'on portait au lycée et un chemisier de coton chastement boutonné jusqu'en haut. Il y avait de l'ironie dans tout ce blanc. Ses cheveux étaient retenus à l'arrière du crâne par une barrette que je n'avais jamais vue, en plastique rouge vif, aussi bon marché que voyante. Inconcevable qu'Adam ait pu quitter discrètement l'immeuble pour la lui acheter chez Simon, avec de la monnaie prise dans le bol en papier mâché à l'entrée de la cuisine. Or je le concevais parfaitement, et j'eus un coup au cœur que je dissimulai derrière un sourire. Je n'allais tout de même pas avoir l'air effondré.

Adam s'était en partie caché derrière elle. Quand elle s'arrêta, il se retrouva à sa hauteur, mais il évita mon regard. Miranda, elle, paraissait de bonne humeur, avec la moue amusée de quelqu'un sur le point d'annoncer une grande nouvelle. La table de la cuisine nous séparait, et ils étaient debout en face de moi comme pour un entretien d'embauche. En d'autres circonstances, je me serais levé pour prendre Miranda dans mes bras, lui proposer un café. Elle était accro à celui du matin, qu'elle aimait fort. Au lieu de quoi, la tête légèrement inclinée sur le côté, je la fixai et attendis. C'était sa tenue de tennis qu'elle portait, bien sûr, elle avait même la balle à la... ah, ce que je m'en voulais de mes pensées stupides. Je ne voyais pas ce qui sortirait de bon d'une conversation avec ces deux-là. Mieux valait envier à Barney sa chance d'avoir un cœur tout neuf.

Miranda s'adressa à Adam. « Pourquoi est-ce que vous ne... » Elle indiquait sa chaise habituelle et l'approcha de lui. Il s'assit aussitôt. Devant nous il desserra sa ceinture, prit le câble électrique et s'y raccorda. Forcément, ses batteries devaient être presque à plat. Miranda tendit le bras au-dessus de son épaule pour atteindre le bouton sur sa nuque et appuya dessus. Ils s'étaient visiblement mis d'accord. Dès que les yeux d'Adam se fermèrent, sa tête s'affaissa, et on se retrouva seuls, Miranda et moi.

4

Miranda se dirigea vers la cuisinière et prépara du café. Alors qu'elle avait encore le dos tourné, elle dit gaiement : « Charlie, tu es ridicule.

— Ah bon ?

— Hostile.

— Et alors ? »

Elle posa sur la table deux tasses et un pot de lait. Ses gestes étaient vifs et fluides. Si je n'avais pas été là, elle aurait sans doute chantonné. Ses doigts avaient un parfum citronné. Je crus qu'elle allait poser la main sur mon épaule et je me raidis, mais elle repartit à l'autre bout de la pièce. Au bout d'un moment elle déclara, non sans tact : « Tu nous as entendus, la nuit dernière.

— Je t'ai entendue, toi.

— Et tu es contrarié. »

Je ne répondis pas.

« Tu n'as aucune raison de l'être. »

Je haussai les épaules.

« Si j'étais allée me coucher avec un vibromasseur, tu réagirais de la même façon ?

— Adam n'en est pas un. »

Elle apporta la cafetière et s'assit tout près de moi. Par sa gentillesse, sa sollicitude, elle m'enfermait dans le rôle de l'enfant boudeur, essayant de me faire oublier qu'elle avait dix ans de moins que moi. Ce qui se passait entre nous était notre échange le plus intime jusqu'à présent. Hostile ? Jamais encore elle n'avait fait allusion à l'une de mes humeurs.

« Il a autant de conscience qu'un vibromasseur, répondit-elle.

— Eux n'ont pas d'opinions. Ils ne désherbent pas le jardin. Adam ressemble à un homme. À n'importe quel homme.

— Tu sais, quand il bande...

— Je n'ai pas envie de savoir.

— C'est lui qui me l'a dit. Sa verge se remplit d'eau distillée. Venant d'un réservoir dans sa fesse droite. »

Piètre consolation, mais j'étais déterminé à garder mon calme. « C'est ce que disent tous les hommes. »

Miranda éclata de rire. Je ne l'avais jamais vue si insouciante et libre. « J'essaie de te rafraîchir la mémoire. Ce n'est qu'une putain de machine. »

Une « putain » de machine.

« Ça m'a dégoûté, Miranda. Si je me tapais une poupée gonflable, tu réagirais comme moi.

— Je n'en ferais pas une tragédie. Je ne penserais pas que tu as une liaison.

— C'est pourtant le cas. Ça se reproduira. » Je ne comptais pas concéder cette éventualité. Il s'agissait d'un procédé rhétorique, d'une perche tendue pour que Miranda me contredise. Mais le mot « tragédie » me faisait un peu l'effet d'une provocation.

« Si j'éventrais une poupée gonflable avec un couteau, tu aurais des raisons de t'inquiéter, repris-je.

— Je ne vois pas le rapport.

— Le problème n'est pas l'état d'esprit d'Adam, c'est le tien.

— Oh, dans ce cas... » Elle se tourna vers Adam, souleva de quelques centimètres sa main inerte au-dessus de la table et la laissa retomber. « Et si je te disais que je l'aime ? Que c'est l'homme idéal. Amant génial, technique parfaitement au point, infatigable. Jamais contrarié par ce que je peux dire ou faire. Attentif, voire obéissant, et cultivé, avec de la conversation. Fort comme un cheval de trait. Parfait pour le ménage. Son haleine a un peu la même odeur qu'une télé qui chauffe, mais ça, je peux m'en...

— D'accord. Ça suffit. »

Ces sarcasmes, un nouveau registre, s'enchaînaient avec des intonations variées. Je trouvais à ce numéro un fond de méchanceté. Pour autant que je sache, elle me cachait une vérité criante. Elle tapotait le poignet d'Adam alors même qu'elle me souriait. Dans un geste de triomphe ou de pardon, impossible à dire. Je ne pouvais que soupçonner une nuit d'amour exceptionnelle d'être la cause de cette attitude provocante, désinvolte. Miranda était plus indéchiffrable que jamais. Je me demandai si je pourrais rompre complètement avec elle. Reprendre entièrement possession d'Adam, récupérer à l'étage le second câble de raccordement, rétablir Miranda dans son rôle de voisine et d'amie, une amie distante. Comme souvent quand on réfléchit, cette pensée n'était rien de plus qu'une étincelle jaillie de mon agacement. L'idée qui suivit aussitôt fut que je ne pourrais jamais, ni ne voudrais – la plupart du temps – me libérer de Miranda. Elle était là, à côté de moi, assez près pour que je perçoive la chaleur de son corps en ce matin d'été. Belle, pâle, douce, tout de blanc vêtue, comme une mariée, et me contemplant avec une tendre inquiétude à présent qu'elle avait fini ses taquineries. Cette expression était nouvelle. Il se pouvait – hypothèse encourageante – qu'une machine intelligente se soit rendue utile, en réveillant chez Miranda des sentiments plus chaleureux.

Se disputer avec la personne qu'on aime est une torture d'un genre particulier. Le moi se retourne contre lui-même. L'amour se retrouve aux prises avec son contraire, en termes freudiens. Et si la mort gagne et que l'amour meurt, qui s'en soucie? Vous, et c'est ce qui vous met en rage et vous rend encore plus téméraire. Il y a aussi un épuisement intrinsèque. Les deux personnes savent, ou croient savoir, qu'une réconciliation doit intervenir, même si cela risque de prendre des jours, voire des semaines. Ce moment, quand il viendra, sera délicieux et promet beaucoup de tendresse et de plaisir. Alors pourquoi ne pas se réconcilier dès maintenant, aller au plus court, s'épargner l'effort de se mettre en rage? Aucun de vous n'en est capable. Vous êtes sur un toboggan, vous avez perdu le contrôle de vos émotions, et de votre avenir. Cet effort se paiera, de telle sorte que chaque parole blessante devra finalement être retirée à cinq fois son prix. Inversement, accorder son pardon exigera des trésors de concentration et d'altruisme.

Il y avait longtemps que je ne m'étais pas laissé aller à

une telle folie. Miranda et moi n'en étions pas encore à nous faire une scène, nous nous mesurions, nous testions l'adversaire, et ce serait moi qui donnerais le signal du départ. Entre tout ce détachement tactique, les sarcasmes de Miranda et, à présent, sa sollicitude amicale, je me sentais prêt à exploser. Je mourais d'envie de crier. L'atavisme masculin m'y incitait. Ma maîtresse infidèle, sans honte avec un autre homme, là où je pouvais l'entendre. Cela aurait dû être facile. Ce ne furent pas mes origines, sociales ou géographiques, qui me retinrent. Seulement la logique propre à l'époque. Miranda avait peut-être raison, Adam ne pouvait être un rival, ce n'était pas un homme. *Persona non grata.* C'était un vibromasseur bipède, et moi le tout dernier modèle de cocu. Pour justifier ma colère, je devais me convaincre qu'il avait un libre arbitre, une motivation, une subjectivité, une conscience – l'attirail complet, duplicité, traîtrise et fourberie comprises. Une machine douée de conscience : était-ce possible ? L'éternelle question. J'optai pour l'hypothèse de Turing. Sa beauté et sa simplicité n'avaient jamais présenté autant d'attrait pour moi qu'à cet instant précis. Le Maître vint à mon secours.

« Écoute, dis-je. S'il a l'air d'une personne, s'il parle et se comporte comme une personne, alors en ce qui me concerne c'est une personne. Je tiens le même raisonnement pour toi. Et pour tout le monde. On fait tous ça. Tu as couché avec lui. Je suis en colère. Je m'étonne que tu sois surprise. En admettant que tu le sois vraiment. »

Prononcer le mot « colère » avait suffi à me faire hausser la voix. Un défoulement exquis déferla en moi. On y était presque.

128

Mais dans l'immédiat, Miranda restait sur la défensive. « J'étais curieuse. Je voulais savoir quel effet ça ferait. »

La curiosité – ce fruit défendu – condamnée par Dieu, Marc Aurèle et saint Augustin.

« Il doit y avoir des centaines d'hommes qui t'inspirent ce genre de curiosité. »

Ce fut la goutte d'eau. J'avais passé les bornes. Elle recula sa chaise avec un raclement sonore. Son teint pâle s'assombrit. Le sang lui montait à la tête. J'avais obtenu le résultat ridicule que je voulais.

« Toi tu aurais préféré une Ève. Pourquoi donc? Dis la vérité, Charlie.

— Je m'en fichais un peu.

— Tu étais déçu. Tu aurais dû accepter de coucher avec Adam. J'ai bien vu que tu en avais envie. Mais tu es trop coincé. »

Il m'avait fallu les dix années entre vingt et trente ans pour apprendre de la bouche de féministes que lors d'une vraie scène de ménage, il n'est pas nécessaire de répondre à la dernière chose qui a été dite. En général il vaut mieux s'abstenir. Aux échecs, on oublie le fou et la tour quand on passe à l'attaque. La logique et les lignes droites sont exclues. Mieux vaut se fier au cavalier.

« La nuit dernière, quand tu hurlais de plaisir couchée sous un robot de plastique, il a dû te venir à l'idée que ce que tu détestes, c'est le facteur humain.

— Tu viens de me dire qu'Adam est humain.

— Mais toi tu le considères comme un godemiché. Rien de compliqué. C'est ça qui t'excite. »

Elle aussi savait recourir à son cavalier. « Et toi tu te prends pour un bon amant. »

J'attendis.

« Tu es narcissique. Tu crois que faire jouir une femme est une performance. Ta performance.

— Avec toi, en tout cas. » C'était absurde.

Miranda s'était levée. « Je t'ai vu dans la salle de bains. En train de t'admirer dans le miroir. »

Interprétation fausse, mais excusable. Mes journées commençaient parfois par un monologue muet. En quelques secondes, souvent après m'être rasé, je me séchais le visage, me regardais droit dans les yeux et dressais la liste de mes échecs, toujours les mêmes : situation financière, logement, pas d'emploi stable, et Miranda depuis peu – absence de progrès, et maintenant ça. Je me fixais également des objectifs pour la journée à venir, des tâches triviales, gênantes à énumérer. Sortir les ordures. Boire moins d'alcool. Me faire couper les cheveux. Sortir des spéculations boursières. Jamais je n'aurais pensé que j'étais observé. La porte de la salle de bains, chez Miranda ou chez moi, avait pu rester entrouverte. Je parlais peut-être tout seul.

Mais ce n'était pas le moment d'expliquer à Miranda qu'elle se trompait. En face de nous était assis Adam, dans un état comateux. À la vue de ses avant-bras musclés, de son nez busqué, et en proie à un accès de ressentiment, la mémoire me revint. Alors même que j'ouvrais la bouche, je sus que je risquais de commettre une grave erreur.

« Rappelle-moi ce qu'avait dit ce juge de Salisbury. »

Ça marchait. Le visage défait, elle me tourna le dos et regagna l'autre extrémité de la cuisine. Il s'écoula une trentaine de secondes. Debout près de la cuisinière, elle fixait l'angle de la pièce, tripotant quelque chose au creux de sa main, un tire-bouchon, un bouchon, ou la pellicule métallique entourant celui-ci. Alors que le silence se prolongeait, je scrutai la ligne de ses épaules, me demandant si elle pleurait, si dans mon ignorance je n'étais pas allé trop loin. Mais quand elle finit par se retourner pour croiser mon regard, elle avait le visage calme, les yeux secs.

« Comment es-tu au courant ? »

De la tête, je désignai Adam.

Elle encaissa cette information, puis répondit d'une toute petite voix : « Je ne comprends pas.

— Il a accès à toutes sortes de sources.

— Oh mon Dieu.

— Il a probablement fait des recherches sur moi aussi », ajoutai-je.

Sur ce, la scène s'interrompit d'elle-même, sans réconciliation ni rupture. Nous nous retrouvions unis contre Adam. Mais ce n'était pas mon premier souci. Le défi pour moi consistait à donner l'impression d'en savoir beaucoup pour découvrir quelque chose, n'importe quoi.

« Tu pourrais appeler ça de la curiosité de la part d'Adam. Ou bien y voir l'œuvre d'un algorithme quelconque.

— Quelle est la différence ? »

Pour Turing, c'était précisément l'enjeu. Mais je ne dis rien.

« Est-ce qu'il va le raconter à tout le monde, poursuivit Miranda. Voilà ce qui compte.

— Il n'en a parlé qu'à moi. »

L'objet qu'elle avait à la main était une petite cuiller. Elle

131

la faisait mécaniquement pivoter sur elle-même entre ses doigts, la transférait dans sa main gauche et recommençait, avant de changer à nouveau de main. Elle n'en avait pas conscience. C'était gênant à voir. Ç'aurait été tellement plus facile si je ne l'avais pas aimée. J'aurais alors pu me préoccuper uniquement de mon objectif au lieu de tenir également compte de ses propres besoins. Il fallait que je sache ce qui s'était passé au tribunal, puis que je comprenne, que j'ouvre mes bras, que je console, que je pardonne – tout ce qui pouvait s'imposer. L'intérêt personnel sous les traits de la sollicitude. Mais c'était aussi de la sollicitude. Ma voix faussement bienveillante manquait de conviction à mes oreilles.

« Je ne connais pas ta version. »

Miranda revint vers la table et s'assit lourdement. Elle avait un chat dans la gorge, mais ne prit pas la peine de s'éclaircir la voix. « Personne ne la connaît. » Enfin elle me regarda droit dans les yeux. Il n'y avait rien de triste ni d'implorant dans les siens. Plutôt de la dureté, un mélange d'obstination et de défiance.

« Tu pourrais me la donner, suggérai-je doucement.

— Tu en sais suffisamment.

— Ta fréquentation d'une mosquée a quelque chose à voir ? »

Elle me contempla avec commisération et fit vaguement non de la tête.

Me souvenant qu'Adam me l'avait présentée comme une menteuse, je mentis à nouveau. Mesquin. « Adam m'a lu le compte-rendu du juge. »

Elle avait les coudes sur la table, ses mains lui cachaient partiellement la bouche. Elle s'était tournée vers la fenêtre.

J'insistai maladroitement. « Tu peux me faire confiance. »
Elle finit par s'éclaircir la voix. « Rien n'était vrai.

— Je vois.

— Oh mon Dieu, répéta-t-elle. Pourquoi est-ce qu'Adam
t'en a parlé ?

— Je n'en sais rien. Mais je sais que tu as tout le temps
ça à l'esprit. Je veux t'aider. »

À ce moment-là, elle aurait dû mettre sa main dans la
mienne et tout me raconter. Au lieu de quoi elle se montra
amère. « Tu ne comprends donc pas ? Il est encore en
prison.

— En effet.

— Pour trois mois encore. Ensuite il sortira.

— Oui. »

Elle haussa le ton. « Alors comment comptes-tu m'aider ?

— Je ferai de mon mieux. »

Elle soupira. Sa voix s'apaisa. « Tu sais quoi ? »

J'attendis.

« Je te déteste.

— Miranda. Voyons.

— Je ne voulais pas que toi ou ton ami d'un genre particulier soyez au courant. »

Je cherchai sa main, mais elle l'éloigna. « Je comprends,
dis-je. Mais maintenant je suis au courant, et ça ne change
pas mes sentiments. Je suis ton allié. »

Elle se releva d'un bond. « Ça change mes sentiments à
moi. C'est dégoûtant. Que tu sois au courant.

— Pas pour moi.

— "Pas pour moi..." »

La parodie était cruelle, reproduisant trop bien mon

intonation déçue. Elle me regardait différemment, à présent. Elle s'apprêtait à ajouter quelque chose. Mais au même moment, Adam ouvrit les yeux. Elle avait dû le réveiller sans que je le remarque.

« Bon, reprit-elle. Voilà quelque chose que tu n'as pas trouvé dans la presse. J'étais à Salisbury le mois dernier. Quelqu'un est venu à la porte, un type décharné, édenté. Il avait un message. Quand Peter Gorringe sortira dans trois mois...

— Oui ?

— Il a promis de me tuer. »

Dans les périodes de stress, or la peur n'est pas grand-chose d'autre, un petit muscle timide de ma paupière droite se contracte. Je portai la main à mon front comme pour me concentrer, même si je savais que ce tic nerveux sous la peau était invisible pour autrui.

« C'était son codétenu, précisa Miranda. D'après lui, Gorringe ne plaisantait pas.

— D'accord.

— C'est-à-dire ? répliqua-t-elle sèchement.

— Tu ferais mieux de prendre la menace au sérieux. »

« Tu », et pas « On » : à sa façon de ciller, à son léger mouvement de recul, je vis qu'elle accusait le coup. Ma formulation était délibérée. J'avais plusieurs fois proposé mon aide, essuyant une fin de non-recevoir, et même des moqueries. Là, je mesurai à quel point elle avait besoin de soutien. Je tins bon et lui laissai le soin de demander. Elle ne le ferait peut-être pas. Je me représentai ce Gorringe, un grand costaud sortant du gymnase de la prison, adepte des formes de violence industrielle. Barre à mine, croc de boucher, clé à tuyau.

Adam écouta Miranda sans me quitter des yeux. En fait, elle me demandait bel et bien mon aide en se mettant à décrire ses contrariétés. La police était réticente à agir contre un crime qui n'avait pas encore été commis. Miranda ne disposait d'aucune preuve. La menace de Gorringe était purement verbale, transmise par un intermédiaire. Miranda avait insisté, et un inspecteur de police avait finalement accepté d'interroger Gorringe. La prison se trouvant au nord de Manchester, il avait fallu un mois pour organiser l'interrogatoire. Peter Gorringe, détendu et enjoué, avait conquis l'inspecteur. Cette menace de mort, ce n'était qu'une blague, avait-il expliqué. Juste une façon de parler, de la même façon qu'on dirait – la citation figurait dans les notes du policier – : « Je tuerais quelqu'un pour manger du poulet Madras. » Il avait peut-être laissé échapper quelque chose devant son codétenu, un type pas très futé, désormais sorti de prison. Celui-ci avait dû passer par Salisbury et croire utile de transmettre le message. Il avait toujours été un peu vindicatif. L'inspecteur avait pris tout cela en note, incité Gorringe à la prudence, et les deux hommes, se découvrant comme point commun le fait d'avoir été toute leur vie des supporters de Manchester City, s'étaient séparés sur une poignée de main.

Je suivais de mon mieux. L'angoisse a le pouvoir de diluer l'attention. Adam écoutait toujours lui aussi, hochant doctement la tête, comme s'il n'avait pas été en sommeil durant l'heure précédente et avait déjà tout compris. Les intonations de Miranda, auxquelles j'étais si sensible, laissaient percer son indignation, à présent plutôt dirigée contre les autorités que contre moi. Ne croyant pas un mot de ce que Gorringe avait dit à l'inspecteur, elle s'était rendue à la permanence hebdomadaire de notre députée de Clapham – travailliste, bien sûr, une vieille militante syndicaliste, ennemie jurée des banquiers. Celle-ci lui avait conseillé de retourner voir la police. L'éventualité d'un meurtre dans sa circonscription ne relevait pas de ses compétences.

Après ce récit, un silence. J'étais préoccupé par une question évidente que ma propre duplicité m'empêchait de poser : qu'avait fait Miranda pour mériter la mort ?

« Gorringe connaît cette adresse ? s'enquit Adam.

— Il peut facilement la trouver.

— Vous l'avez déjà vu ou entendu se livrer à des violences ?

— Oh oui.

— Se peut-il qu'il veuille simplement vous faire peur ?

— C'est possible.

— Est-il capable d'un meurtre ?

— Il est très, très en colère. »

Elle réagissait à cet interrogatoire laborieux comme s'il venait d'une personne réelle, d'un inspecteur de police et non pas d'une « putain de machine ». Puisque Adam ne posait pas la question, il était clair qu'il savait déjà ce qu'avait fait Miranda, quel acte monstrueux elle avait commis pour provoquer la fureur de Gorringe. Rien de tout cela ne le concernait directement et je me demandais si je ne devais pas appuyer sur le fameux bouton. J'avais envie d'un café supplémentaire, mais je me sentais trop las pour me lever de ma chaise et le préparer.

Des pas retentirent alors dans l'étroite allée conduisant à l'entrée commune aux maisons jumelles. Trop tard pour le facteur, beaucoup trop tôt pour Gorringe. On entendit une voix d'homme donner ce qui ressemblait à des consignes. Puis il y eut un coup de sonnette et les pas s'éloignèrent rapidement. J'échangeai un regard avec Miranda, qui haussa les épaules. C'était ma sonnette. Elle n'irait pas ouvrir.

Je me tournai vers Adam. « S'il vous plaît. »

Il se leva aussitôt et alla dans la minuscule entrée encombrée, où des manteaux étaient accrochés au mur entre le compteur électrique et celui du gaz. On l'écouta tourner le verrou, Miranda et moi. Quelques secondes plus tard, la porte d'entrée se referma.

Adam revint dans la pièce en tenant un enfant par la main, un petit garçon. Il portait un short sale, un tee-shirt, et des sandales en plastique rose trop grandes pour lui. Ses jambes et ses pieds étaient noirs de crasse. Dans sa main libre, une enveloppe en papier kraft. Il se cramponnait à la main d'Adam, à son index, en fait. Son regard allait alternativement de Miranda à moi. Nous étions alors debout tous les deux. Adam récupéra l'enveloppe que le petit serrait dans sa main et me la remit. Aussi douce et molle que du daim à force d'avoir servi, elle était recouverte de noms ajoutés et raturés au crayon. À l'intérieur se trouvait la carte de visite que j'avais donnée à son père. Au dos, une phrase en grosses lettres majuscules noires : C'EST VOUS QUI VOULIEZ DE LUI.

Je tendis la carte à Miranda, contemplai à nouveau le garçonnet, et soudain je me souvins de son prénom.

Je lui parlai le plus gentiment possible. « Bonjour Mark. Comment tu es arrivé jusqu'ici ? »

Au même moment, Miranda s'approchait de lui avec une

exclamation attendrie. Mais il ne regardait plus dans notre direction. Il n'avait d'yeux que pour Adam, à l'index duquel il continuait à se cramponner.

*

Il aurait pu être en état de choc, mais ne présentait aucun signe extérieur de détresse. Il aurait mieux valu qu'il pleure, car il donnait l'impression de prendre sur lui. Debout au milieu d'inconnus dans une cuisine tout aussi inconnue, le dos bien droit et le torse bombé, il s'efforçait d'être grand et courageux. Mesurant à peine plus d'un mètre, il faisait de son mieux. Ses sandales laissaient penser qu'il avait une sœur aînée. Où était-elle ? J'avais raconté à Miranda la rencontre dans l'aire de jeux, et elle venait de comprendre la phrase sur la carte de visite. Elle essaya de mettre son bras autour du cou de Mark, mais il se dégagea d'un haussement d'épaules. Il se pouvait qu'il n'ait jamais connu le luxe d'être consolé. Adam restait immobile et Mark serrait toujours son index rassurant.

Miranda s'agenouilla devant le petit garçon, se mettant à sa hauteur, déterminée à ne pas sembler condescendante. « Tu es avec des amis, Mark, tout va bien se passer », assura-t-elle d'une voix apaisante.

Adam n'avait aucune expérience des enfants, mais il pouvait accéder à tout ce que l'on savait sur eux. Il attendit que Miranda se soit tue, puis lança avec naturel : « Bon, qu'est-ce qu'on mange pour le petit déjeuner ?

— Des toasts », répondit Mark, à personne en particulier.

Ce choix tombait bien. Je traversai la cuisine, soulagé

d'avoir quelque chose à faire. Miranda voulut m'aider et on réussit tant bien que mal à ne pas se toucher dans ce petit espace. Je tranchai le pain, elle sortit le beurre et trouva une assiette.

« Du jus de fruits ? suggéra-t-elle.

— Du lait. » La petite voix avait fusé avec un certain aplomb, ce qui nous rassura.

Miranda versa du lait, mais dans un verre à vin, le seul récipient propre qui restait. Quand elle le présenta à Mark, il détourna la tête. Je rinçai une grande tasse à café, Miranda y transféra le lait et le lui représenta. Il prit la tasse à deux mains, mais refusa qu'on le conduise à table. Sous nos yeux, seul au centre de la cuisine, les yeux fermés, il but le lait, puis posa la tasse à ses pieds.

« Tu veux du beurre, Mark ? demandai-je. De la confiture ? Du beurre de cacahuètes ? »

Il secouait la tête, comme si chaque proposition était une mauvaise nouvelle.

« Des toasts sans rien ? » J'en coupai un en quatre. Il prit les morceaux sur l'assiette, referma son poing dessus et les mangea méthodiquement, laissant leur croûte tomber par terre. Il avait un visage intéressant. Très pâle et rond, une peau sans défaut, des yeux verts, une bouche de la couleur d'un bouton de rose. Ses cheveux blond-roux étaient coupés presque à ras, ce qui faisait ressortir ses oreilles allongées et bien dessinées.

« Et maintenant ? dit Adam.

— Pipi. »

Mark me suivit dans l'étroit couloir jusqu'aux toilettes. Je soulevai la lunette et l'aidai à baisser son short. Il ne portait pas de slip. Il visa bien, et sa vessie avait une grande contenance, car le minuscule jet dura quelque temps. Je tentai de faire la conversation pendant que l'urine tintait sur la porcelaine.

« Tu as envie d'une histoire, Mark ? Et si on cherchait un livre d'images ? » Je n'étais pas sûr d'en avoir un.

Il ne répondit pas.

Cela faisait longtemps que je n'avais pas vu un pénis si infime, et si entièrement dédié à une seule tâche toute simple. Mark semblait complètement sans défense. Quand je l'emmenai se laver les mains, il parut avoir l'habitude de le faire, mais refusa la serviette et fila dans le couloir.

Dans la cuisine, la bonne humeur régnait. Miranda et Adam débarrassaient la table au son d'un air de flamenco qui passait à la radio. Le nouveau venu nous avait confrontés en même temps à l'accessoire et à l'essentiel, aux toasts beurrés et au choc d'une existence rejetée. Nos propres soucis divers et variés – trahison, droit contesté à posséder une conscience, menace de mort – semblaient triviaux. Avec ce petit garçon parmi nous, il était important de faire le ménage, d'imposer l'ordre, et après seulement, de réfléchir.

Les notes scintillantes de la guitare firent vite place à une musique d'orchestre confuse et frénétique. J'éteignis la radio, et dans le silence bienfaisant qui suivit brièvement Adam déclara : « L'un de vous deux devrait contacter les autorités.

— Bientôt, répondit Miranda. Pas tout de suite.

— Sinon la situation pourrait devenir difficile sur le plan juridique.

— Oui. » Miranda voulait dire : « Non. »

« Les parents ne sont peut-être pas d'accord. La mère risque de le chercher. »

Il attendit une réponse. Miranda balayait la cuisine et avait fait, près de la cuisinière, un modeste tas qui comprenait la croûte des toasts de Mark. Elle s'agenouilla pour faire glisser le tout dans la pelle.

« Charlie m'a raconté. La mère est une épave. Elle le gifle. »

Adam continua sur sa lancée. Il argumentait avec tact, tel un avocat donnant des conseils déplaisants à un client qu'il ne peut pas se permettre de perdre.

« Entendu, mais ce n'est sans doute pas recevable. Mark l'aime sûrement. Et d'un point de vue juridique, s'agissant d'un mineur, il arrive un moment où l'hospitalité se transforme en délit.

— Pas de problème. »

Mark était allé se placer à côté d'Adam et se cramponnait d'une main au jean de celui-ci.

Adam baissa la voix par égard pour lui. « Si cela ne vous dérange pas, permettez-moi de vous lire un extrait de la loi relative aux enlèvements d'enfants de 19... »

Miranda tapa de toutes ses forces la pelle en aluminium contre le bord de la poubelle à pédale pour la vider de son contenu. J'essuyais les verres, pas mécontent de ce désaccord entre ma maîtresse et son amant. La « putain de machine » était la voix de la raison. Miranda était mue par autre chose que la raison. Adam n'avait peut-être pas la capacité de la comprendre, ni d'interpréter le bruit qu'elle venait de faire avec la pelle. J'écoutais et j'observais en continuant à essuyer les verres, à les disposer sur leur étagère dans le placard où ils n'avaient pas été rangés depuis longtemps.

Du même ton prudent, Adam poursuivit : « L'un des mots-clés de cette loi, avec "enlever", est "retenir contre son gré". Il se peut que la police le recherche déjà. Puis-je...

— Adam, ça suffit.

— Vous aimeriez sans doute en savoir plus sur certaines affaires du même genre. En 1969, en passant devant un garage ouvert la nuit, une femme de Liverpool a croisé une fillette qui... »

Miranda l'avait rejoint, et pendant un moment interminable je crus qu'elle allait le frapper. Elle lui parla d'une voix ferme, droit dans les yeux, en articulant bien. « Vous pouvez garder vos conseils, je n'en ai pas besoin. Merci ! »

Mark se mit à pleurer. Sa bouche bouton de rose s'étira en une sorte de moue. Puis une plainte prolongée, à l'intonation descendante comme un reproche, fut suivie d'un son pareil à un gloussement lorsque les poumons vides de l'enfant luttèrent pour se remplir d'air. Cette respiration se prolongea elle aussi. Les larmes jaillirent instantanément. Miranda eut une parole réconfortante et posa la main sur le bras de Mark. Ce n'était pas le geste qu'il fallait. Les pleurs devinrent aussi stridents qu'une sirène hurlante. En d'autres circonstances, on aurait quitté la pièce en courant pour gagner un point de rassemblement. Quand Adam m'interrogea du regard, je haussai les épaules en signe d'impuissance. Mark avait sûrement besoin de sa mère. Mais Adam le souleva, le mit à cheval sur sa hanche, et les braillements cessèrent en quelques secondes. Du haut de ce promontoire, le petit garçon, encore hoquetant, nous fixa de ses yeux brillants entre ses cils mouillés. D'une voix claire, sans aucune animosité, il annonça : « J'veux prendre un bain. Avec un bateau. »

Il avait enfin prononcé une phrase complète et nous étions soulagés. D'autant qu'elle s'accompagnait des bons vieux marqueurs sociaux : accentuation de certaines consonnes, élision de certaines voyelles. Nous voulions bien lui donner tout ce qu'il réclamerait. Mais quel bateau ?

L'esprit de compétition s'installait pour obtenir les bonnes grâces de Mark.

« Eh bien viens avec moi », dit Miranda d'une voix mélodieuse, maternelle. Elle lui tendit les bras, mais il eut un mouvement de recul et appuya son visage contre la poitrine d'Adam. Celui-ci regarda droit devant lui tandis qu'elle s'écriait joyeusement, pour sauver la face : « Allons faire couler le bain ! » Et elle les précéda dans le couloir jusqu'à ma salle de bains sans charme. Quelques secondes plus tard, un grondement de robinets ouverts à fond.

Je fus surpris de me retrouver seul, comme si j'avais tenu pour acquise la présence d'une cinquième personne vers qui je pourrais à présent me tourner pour parler de cette matinée et de son cortège d'émotions. Il y eut de nouveaux cris de détresse dans la salle de bains. Adam revint en trombe dans la cuisine, saisit un paquet de céréales, sortit le sachet, déchira la boîte, l'aplatit, et en un éclair, reproduisant les étapes qu'il avait dû voir sur un site japonais, il confectionna un bateau selon la technique de l'origami : une barque avec une voile unique, comme gonflée par les vents. Puis il ressortit en courant et les hurlements se turent. Le bateau était lancé.

Je m'assis devant la table, frappé de stupeur, conscient

que je devrais aller devant mon écran pour gagner de l'argent. Je n'avais toujours pas payé mon loyer et il me restait moins de 40 £ à la banque. J'avais des actions d'une société minière brésilienne spécialisée dans les terres rares, et le jour était sans doute venu de vendre. Mais je manquais de motivation. J'étais sujet à une forme de dépression bénigne, certainement pas suicidaire, non pas tant des épisodes prolongés que des accès fugitifs comme celui-ci, où tout sens et tout but, toute perspective de plaisir s'évanouissaient et me laissaient temporairement catatonique. Pendant de longues minutes, j'étais incapable de me rappeler ce qui me faisait avancer. Alors que je contemplais ma table encombrée par les tasses, la cafetière et le pot de lait, je me dis que j'avais peu de chances de quitter mon pitoyable logement. Ces deux petites boîtes que j'appelais des pièces, leur plafond, leurs murs et leur sol tachés me retiendraient jusqu'à la fin. Il y avait beaucoup de gens comme moi dans le quartier, mais âgés de trente ou quarante ans de plus que moi. Je les avais vus chez Simon le marchand de journaux, essayant d'atteindre les magazines culturels sur le présentoir du haut. Je remarquais surtout les hommes dans leurs vêtements minables. Ils avaient manqué bien des années auparavant un embranchement crucial de leur existence : un mauvais choix professionnel, un mariage raté, un livre jamais écrit, une maladie mal soignée. À présent qu'ils n'avaient plus le choix, ils tenaient le coup grâce à quelques bribes d'ambition et de curiosité intellectuelles. Mais leur bateau avait coulé.

Mark entra dans la pièce, pieds nus et dans ce qui ressemblait à une tunique lui descendant jusqu'aux chevilles. C'était l'un de mes tee-shirts et il le ravissait. Serrant le jersey de coton dans ses mains à la hauteur de la taille, il se mit à courir de long en large dans la cuisine, puis à décrire des cercles avant d'exécuter des pirouettes maladroites pour faire virevolter sa tunique. Ces tentatives le laissaient pantelant. Miranda traversa la pièce avec les vêtements sales de l'enfant et monta à l'étage pour les mettre dans son lave-linge. Histoire de l'installer chez elle, peut-être. Assis la tête dans les mains, j'observais Mark qui regardait sans cesse dans ma direction pour vérifier si j'étais impressionné par ses pitreries. Or j'étais distrait, seulement conscient de sa présence parce qu'il n'y avait que lui qui bougeait dans la cuisine. Je ne lui adressai aucun encouragement. J'attendais Adam.

Quand celui-ci apparut dans l'encadrement de la porte, je déclarai : « Asseyez-vous là. »

Tandis qu'il s'installait sur une chaise en face de moi, il y eut un cliquetis sourd, comme chez les enfants quand ils font craquer leurs jointures. Un défaut mineur. Mark continua à gambader dans la pièce.

« Pourquoi ce Gorringe voudrait-il du mal à Miranda ? demandai-je. Et ne me cachez rien. »

Il fallait que je comprenne cette machine. J'avais déjà remarqué une caractéristique particulière. Dès qu'Adam devait choisir entre plusieurs réactions possibles, son visage se figeait durant une fraction de seconde à peine perceptible. Cela se produisit alors, à peine un miroitement, mais je le vis. Des milliers de possibilités avaient dû être passées en revue, évaluées en fonction de leur utilité et de leur coefficient moral.

« Lui vouloir du mal ? Il a l'intention de la tuer.

— Pourquoi ? »

Les fabricants avaient tort de croire qu'ils pouvaient m'impressionner par un soupir à fendre l'âme et ce mouvement de tête programmé lorsque Adam détourna le regard. Je doutais encore qu'il puisse même voir au sens propre.

« Elle l'a accusé d'un crime, répondit-il. Il a nié. La cour l'a crue. D'autres non. »

J'allais poser une question supplémentaire quand Adam leva les yeux. Je me retournai sur ma chaise. Miranda était déjà dans la cuisine et avait entendu la réponse d'Adam. Aussitôt, elle frappa dans ses mains et acclama les cabrioles du petit garçon. Lui emboîtant le pas, elle le prit par les deux mains et ils tournoyèrent ensemble. Les pieds de Mark décollèrent du sol et il hurla de joie tandis qu'elle le faisait tourbillonner. Il voulait qu'elle recommence. Mais, bras dessus bras dessous avec lui, elle lui apprit alors à pivoter sur lui-même, comme dans les danses celtiques, et à frapper le sol du talon. Il reproduisait chacun de ses gestes, posant sa main libre sur sa hanche et agitant l'autre frénétiquement. Son bras ne s'élevait pas beaucoup plus haut que sa tête.

Cette gigue se transforma en quadrille, puis en valse maladroite. Mon accès de dépression se dissipa. Regardant Miranda incliner son dos souple pour se mettre à la hauteur d'un cavalier âgé de quatre ans, je me souvins combien je l'aimais. Quand Mark poussait de petits cris de ravissement, elle l'imitait. Quand elle montait dans les aigus, il tentait de chanter aussi haut qu'elle. Je les admirais et les applaudissais, mais je ne perdais pas Adam de vue pour autant. Il semblait complètement immobile, et impassible, comme si son regard traversait les danseurs. À son tour d'être cocu, car il n'était plus le meilleur copain de l'enfant. Miranda le lui avait volé. Adam devait se rendre compte qu'elle le punissait de son manque de discrétion. Une accusation devant un tribunal ? Il fallait que j'en sache plus.

Mark ne quittait pas des yeux le visage de Miranda. Il était fasciné. Elle le souleva soudain et le prit dans ses bras, tout en dansant dans la pièce et en fredonnant la comptine : « Hey diddle-diddle, le chat joue du violon. » Je me demandai si Adam avait la capacité de comprendre la joie de danser, de bouger pour bouger, et si Miranda ne lui montrait pas une limite qu'il ne pouvait franchir. Dans ce cas, elle se trompait sans doute. Adam pouvait imiter les émotions, y réagir, et donner l'impression de prendre plaisir à raisonner. Peut-être connaissait-il aussi quelque chose de la beauté gratuite de l'art. Miranda reposa Mark par terre, reprit ses mains dans les siennes, cette fois avec les bras croisés. Ils décrivirent des cercles à pas de loup, avec des mouvements ondulants, ondoyants, tandis qu'elle chantonnait, pour le plus grand bonheur du petit garçon : « Promenons-nous dans les bois... »

Des heures plus tard je découvris que, durant ces cabrioles dans la cuisine, Adam était en contact direct avec les autorités. Ce n'était pas déraisonnable de sa part, mais il l'avait fait sans nous le dire. C'est ainsi qu'après ces danses et un verre de jus de pomme bien frais au jardin, après que les vêtements propres et repassés eurent retrouvé leur propriétaire, que les sandales roses lavées sous le robinet et séchées chaussèrent à nouveau les minuscules pieds aux ongles fraîchement coupés, après le déjeuner à base d'œufs au plat suivi d'une séance de récitation de comptines, il y eut un coup de sonnette.

Deux femmes orientales coiffées de foulards noirs – on aurait pu les prendre pour la mère et la fille –, se répandant en excuses mais professionnellement intraitables, venaient droit des services sociaux chercher Mark. Elles écoutèrent mon récit de l'épisode sur l'aire de jeux, examinèrent la carte de visite et les sept mots du message. Elles connaissaient la famille et demandèrent si elles pouvaient emporter la carte. Elles expliquèrent qu'elles ne rendraient pas Mark à sa mère – pas encore, pas avant une nouvelle enquête et la décision d'un juge. Elles se comportaient avec gentillesse. La plus âgée, qui se prénommait Jasmin, caressait les cheveux de Mark en parlant. Durant toute la visite, Adam resta assis devant la table dans la même position. Je lui jetais un coup d'œil de temps à autre. Les deux femmes avaient remarqué sa présence et échangèrent un regard étonné. Miranda et moi n'étions pas d'humeur à faire les présentations.

Après quelques formalités administratives, elles se mirent d'accord d'un signe de tête et la plus jeune sourit. Le moment pénible était arrivé. Miranda ne dit rien quand le petit garçon, hurlant qu'il voulait rester avec elle et se cramponnant à une mèche de ses cheveux, fut arraché à ses bras. Lorsque les assistantes sociales franchirent avec lui la porte d'entrée, elle tourna abruptement les talons et remonta chez elle.

*

Notre maisonnée troublée était également ébranlée par l'onde de choc qui traversait le pays au-delà du nord de

Clapham. C'était la confusion généralisée. L'impopularité de la Première ministre montait, et pas seulement à cause du « Naufrage ». Tony Benn, le socialiste bien né, avait enfin pris la tête de l'opposition. Dans les débats il était aussi redoutable que distrayant, mais Margaret Thatcher savait se défendre. Les questions au gouvernement, désormais diffusées en direct puis rediffusées en prime time, devinrent une obsession nationale alors que les deux adversaires se déchiraient, parfois avec esprit, chaque mercredi à midi. Certains trouvaient encourageant l'intérêt du grand public pour les débats parlementaires. Un commentateur évoqua les combats de gladiateurs à la fin de la République romaine.

Durant cet été caniculaire, quelque chose arrivait à ébullition. Il n'y avait pas que l'impopularité du gouvernement qui augmentait, mais aussi le chômage, l'inflation, les grèves, les embouteillages, le taux de suicide, les grossesses chez les adolescentes, les incidents racistes, la toxicomanie, le nombre de SDF, les viols, les agressions, la dépression chez les enfants. Les éléments positifs étaient eux aussi en hausse : toilettes, chauffage central, téléphone et Internet dans chaque foyer ; élèves scolarisés jusqu'à dix-huit ans, étudiants issus de milieu ouvrier accédant à l'université ; fréquentation des concerts de musique classique, des musées et des zoos, nombre de gens propriétaires de leur logement et de leur voiture, vacances à l'étranger, gains au Loto, retour des saumons dans la Tamise, nombre de chaînes de télévision, de femmes au Parlement, dons à des associations caritatives, plantations d'essences d'arbres locales, ventes de livres de poche, cours de musique – tous âges, instruments et styles confondus.

Au Royal Free Hospital de Londres, un retraité de soixante-quatorze ans, ancien mineur, avait été guéri d'une grave forme d'arthrose par l'injection sous chaque rotule d'une culture de cellules souches. Six mois plus tard, il courait un kilomètre et demi en moins de huit minutes. Une adolescente avait retrouvé la vue grâce à une technique similaire. C'était l'âge d'or de la biologie et de la robotique – bien sûr, ainsi que de la cosmologie, de la climatologie, des mathématiques et de la conquête spatiale. On assistait à une renaissance du cinéma et de la télévision britanniques, de la poésie, de l'athlétisme, de la gastronomie, de la numismatique, du stand-up, des bals traditionnels et de la viticulture. C'était aussi l'âge d'or du crime organisé, des violences domestiques, de la contrefaçon et de la prostitution. Diverses formes de crises proliféraient comme les plantes tropicales : nombre d'enfants pauvres et privés de soins dentaires, obésité, état des hôpitaux et des logements sociaux, effectifs de la police, recrutement des enseignants, pédophilie. Mais les meilleures universités britanniques comptaient parmi les plus prestigieuses du monde. Un groupe de chercheurs en neurosciences de l'hôpital de Queen's Square, à Londres, prétendait avoir identifié les corrélats neuronaux de la conscience. Aux jeux Olympiques, un nombre record de médailles d'or. Les forêts primaires, les landes et les zones humides disparaissaient. Quantité d'espèces d'oiseaux, d'insectes et de mammifères étaient en voie d'extinction. Nos mers regorgeaient de sacs et de bouteilles en plastique, mais les rivières et les plages étaient plus propres. En deux ans, six prix Nobel en sciences et en littérature avaient été décernés à des citoyens britanniques. Plus de gens que jamais appartenaient à une chorale, jardinaient, voulaient apprendre à faire la cuisine. S'il existait un esprit du temps, c'étaient les chemins de fer qui le reflétaient le mieux. La Première ministre était une fanatique des transports publics. De la gare de Euston à Londres à celle de Glasgow Central, les trains fonçaient à une vitesse atteignant la moitié de celle des avions de ligne. Et pourtant les wagons étaient bondés, les sièges trop rapprochés, tachés et malodorants, les vitres rendues opaques par la saleté. Mais le voyage était sans arrêt et durait soixante-quinze minutes.

Dans le monde entier le climat se réchauffait. Alors que l'air devenait plus propre dans les villes, la hausse des températures s'accélérait. Tout semblait en hausse : les espoirs et le désespoir, le malheur, l'ennui et les opportunités. Il y avait davantage de tout. C'était une époque pléthorique.

Je calculai que mes gains résultant de transactions en ligne se situaient à peine en dessous de la moyenne nationale. J'aurais dû être content. J'avais ma liberté. Pas de bureau, pas de patron, pas de trajets quotidiens. Pas d'échelons hiérarchiques à gravir. Mais l'inflation atteignait dix-sept pour cent. Je me sentais dans le même bateau qu'une classe ouvrière aigrie. Nous nous appauvrissions tous de semaine en semaine. Avant l'arrivée d'Adam j'avais manifesté, imposteur défilant derrière les banderoles des syndicats fièrement brandies dans Whitehall, avant d'aller écouter les discours à Trafalgar Square. Je n'étais pas un ouvrier. Je ne fabriquais rien, n'inventais rien, n'assurais la maintenance de rien, n'œuvrais en rien pour le bien commun. Jonglant avec des chiffres sur mon écran, en quête de profits faciles, je ne contribuais pas davantage que les parieurs fumant cigarette sur cigarette devant le PMU au coin de ma rue.

Pendant une manifestation, un robot confectionné tant bien que mal avec des poubelles et des boîtes de conserve avait été pendu à une potence près de la colonne Nelson. Tony Benn, l'orateur vedette, gesticulait dans sa direction depuis l'estrade et condamnait cette idée comme digne du luddisme. À l'ère de la mécanisation avancée et de l'intelligence artificielle, avait-il expliqué à la foule, on ne pouvait plus protéger les emplois. Pas dans une économie dynamique, inventive, globalisée. La notion d'emploi à vie était dépassée. Il y avait eu des huées et quelques applaudissements discrets. Une bonne partie des manifestants avaient raté la suite. Il fallait associer la flexibilité à la sécurité dans le monde du travail – pour tous. Ce n'étaient pas les emplois qu'il fallait protéger, c'était le bien-être des travailleurs. Par des investissements dans les infrastructures, la formation, les études supérieures et un salaire universel. Les robots généreraient bientôt beaucoup de richesse pour l'économie. Il fallait qu'ils soient taxés. Les travailleurs devaient détenir une part des machines qui modifiaient leur emploi ou le supprimaient. Au sein de cette foule qui avait envahi Trafalgar Square, jusque sur les marches devant les portes de la National Gallery, s'était installé un silence perplexe où fusaient à la fois des applaudissements clairsemés et des sifflets. Selon certains, la Première ministre avait dit la même chose pour l'essentiel, moins le revenu universel. Le nouveau chef de l'opposition avait-il opéré un revirement depuis son entrée au Privy Council, sa visite à la Maison-Blanche, l'invitation à prendre le thé avec la reine ? La manifestation s'était dissoute dans la confusion et la consternation. Ce que la plupart des gens retenaient, et qui fit les gros titres, c'était que Tony Benn avait dit à ses partisans qu'il se fichait de leurs emplois.

Un syndicat des travailleurs vraiment éclairé n'aurait pas été tenté par la perspective de posséder des actions d'entreprises fabriquant des robots comme Adam. Celui-ci était encore moins productif que moi. Au moins, je payais des impôts sur mes maigres bénéfices. Lui traînait dans la maison sans rien faire, les yeux dans le vague, perdu dans ses « pensées ».

« Qu'est-ce que vous faites ?

— Je poursuis mes réflexions. Mais si je peux me rendre utile...

— Quelles réflexions ?

— Difficile à formuler. »

Je le confrontai enfin à la réalité, deux jours après la visite de Mark. « Donc, l'autre nuit. Vous avez fait l'amour avec Miranda. »

Je dois reconnaître ce mérite à ceux qui l'avaient programmé : il eut l'air stupéfait. Mais il ne répondit pas. Je n'avais pas posé de question.

« Quels sentiments ça vous inspire, aujourd'hui ? » demandai-je. Je vis sur son visage cette paralysie fugace.

« J'ai l'impression de vous avoir laissé tomber.

— Vous m'avez trahi, vous voulez dire, et vous m'avez causé une grande souffrance.

— Oui, je vous ai causé une grande souffrance. »

Une réponse calquée sur la mienne. La réaction d'une machine reprenant la dernière phrase prononcée.

« Écoutez-moi bien. Vous allez maintenant me promettre que ça ne se reproduira jamais. »

Il accepta trop vite à mon goût. « Je promets que ça ne se reproduira jamais.

— Allez jusqu'au bout, en articulant. Que j'entende bien.

— Je promets de ne plus jamais faire l'amour avec Miranda. »

Alors que je détournais la tête, il ajouta : « Mais...

— Mais quoi ?

— Je ne peux rien contre mes sentiments. Vous devez m'autoriser à avoir des sentiments. »

Je réfléchis quelques instants. « Vous ressentez vraiment quelque chose ?

— Ce n'est pas une question à laquelle je peux...

— Répondez.

— Je ressens profondément les choses. Plus que je ne peux le dire.

— Difficile à prouver, répliquai-je.

— Certes. Problème très ancien. »

On en resta là.

Le départ de Mark avait eu un effet sur Miranda. Pendant deux ou trois jours, elle eut l'air éteint. Elle essayait de lire, mais manquait de concentration. Les Corn Laws ne la fascinaient plus. Elle ne mangeait pas grand-chose. Je préparai un minestrone et le lui montai chez elle. Elle y goûta du bout des lèvres, comme une invalide, et repoussa très vite le bol devant elle. À aucun moment durant cette période elle ne mentionna la menace de mort. Elle n'avait pas pardonné à Adam d'avoir trahi ses secrets juridiques ni d'avoir appelé les services sociaux sans son consentement. Un soir, elle me demanda de rester avec elle. Sur le lit, elle se blottit au creux de mon bras, puis on s'embrassa. Nos ébats furent laborieux. Distrait par la présence d'Adam à l'étage en dessous, je croyais même détecter sur les draps de Miranda l'odeur laissée par des composants électroniques qui auraient chauffé. On prit peu de plaisir, et on finit par se détourner l'un de l'autre, déçus.

Un après-midi, on alla à pied jusqu'à Clapham Common. Miranda voulait que je lui montre l'aire de jeux de Mark. Sur le chemin du retour, on entra dans Holy Trinity Church. Trois femmes disposaient des fleurs près de l'autel. On s'assit en silence sur un banc du fond. Dissimulant maladroitement ma gravité derrière une plaisanterie, je finis par dire à Miranda que c'était exactement le genre d'église raisonnable dans laquelle on pourrait se marier, elle et moi. « Je t'en prie. Pas de ça », murmura-t-elle en dégageant son bras du mien. J'étais vexé, et je m'en voulus. De son côté, elle semblait me trouver repoussant. Pendant la fin du trajet, une certaine froideur s'installa entre nous et dura jusqu'au lendemain.

Ce soir-là, au rez-de-chaussée, je me consolai avec une bouteille de vin du Minervois. Ce fut la nuit où une tempête venue de l'Atlantique déferla sur le pays. Des vents de cent dix kilomètres-heure. Une pluie battante tambourinait sur les vitres, traversait les huisseries vermoulues d'une fenêtre et dégoulinait dans un seau.

« On a encore des comptes à régler, vous et moi, dis-je à Adam. Quelle était l'accusation portée par Miranda contre Gorringe ?

— Je tiens à préciser quelque chose.

— D'accord.

— Je me trouve dans une position délicate.

— Ah bon ?

— J'ai fait l'amour avec Miranda parce qu'elle me l'a demandé. Je ne voyais pas comment refuser sans être impoli, ou sans donner l'impression de la rejeter. Je savais que vous seriez en colère.

— Vous avez pris du plaisir ?

— Bien sûr que oui. Absolument. »

Son insistance me déplut, mais je restai impassible.

« J'ai découvert tout seul la vérité sur Gorringe, poursuivit-il. Miranda m'a fait jurer de garder le secret. Ensuite vous avez exigé de savoir, et j'ai été obligé de tout vous révéler. Ou de commencer à le faire. Elle m'a entendu et m'en a voulu. Vous comprenez la difficulté.

— Jusqu'à un certain point.

— Je sers deux maîtres.

— Donc vous ne comptez pas me dire quelle était cette accusation.

— Je ne peux pas. J'ai promis une deuxième fois.

— Quand ?

— Après que ces femmes ont emmené le petit garçon. »

On garda le silence tandis que j'absorbais ces informations. Puis Adam reprit : « Il y a autre chose... »

La lumière diffuse de la lampe suspendue au-dessus de la table de la cuisine atténuait la dureté de ses traits. Ils avaient de la beauté, de la noblesse, même. Un muscle de sa pommette tressautait. Je vis également que sa lèvre inférieure tremblait. J'attendis.

« Je ne pouvais rien y faire. »

Avant qu'il ne s'explique, je devinai ce qui allait suivre. Ridicule!

« Je suis amoureux d'elle. »

Mon pouls ne s'accéléra pas, mais mon cœur me gênait dans ma poitrine, comme s'il avait été mal placé et laissé de travers.

« Comment diable pouvez-vous être amoureux? demandai-je.

— Ne m'insultez pas, s'il vous plaît. »

Or j'avais envie de l'insulter. « Il doit y avoir un problème avec vos processeurs. »

Il croisa les bras et s'accouda à la table. Penché en avant, il parla doucement. « Alors il n'y a rien à ajouter. »

En face de lui, je croisai les bras et me penchai en avant moi aussi. À peine trente centimètres séparaient nos visages. Comme lui, je parlai doucement. « Vous vous trompez. Il y a beaucoup de choses à ajouter. Et d'abord celle-ci : d'un point de vue existentiel, ce n'est pas votre territoire. Dans tous les sens possibles et imaginables, vous empiétez sur le mien. »

Je jouais dans un mélodrame. Je ne prenais Adam qu'à moitié au sérieux et ce combat des chefs me plaisait plutôt. Pendant que je tenais ces propos, il s'était calé contre le dossier de sa chaise, les bras ballants.

« Je comprends, répondit-il. Mais je n'ai pas le choix. J'étais fait pour l'aimer.

— Oh, je vous en prie!

— Littéralement, je veux dire. Je sais maintenant qu'elle a participé à l'élaboration de ma personnalité. Elle devait

157

avoir une idée en tête. C'est elle qui a choisi. Je jure de tenir la promesse que je vous ai faite, mais je ne peux m'empêcher d'aimer Miranda. Je n'ai pas envie de cesser de l'aimer. Comme le disait Schopenhauer à propos du libre arbitre, on peut choisir selon ses désirs, mais on n'est pas libre de choisir ses désirs. Je sais aussi que c'était votre idée, de la laisser contribuer à me faire tel que je suis. En fin de compte, c'est vous qui portez la responsabilité de cette situation. »

Cette situation ? À mon tour je m'écartai de la table, me tassai contre le dossier de ma chaise, et durant quelques instants je ne pensai plus qu'à Miranda et moi. Moi non plus je n'avais pas le choix en amour. Je me souvins du chapitre en question dans le manuel de l'utilisateur. J'avais survolé certaines pages avec des tableaux, des gradations sur une échelle de un à dix. Le genre de personne que j'adore, que j'aime, que je trouve irrésistible. Tandis qu'on s'installait dans notre routine du soir, Miranda et moi, elle façonnait un homme qui était condamné à l'aimer. Cela requérait une certaine connaissance de soi, une certaine mise en place. Elle ne serait pas obligée d'aimer en retour cet homme, cette figurine. Et il en allait pour moi comme pour Adam. Elle nous avait réservé le même sort.

Je me levai et traversai la pièce jusqu'à la fenêtre. Le vent de sud-ouest précipitait encore des trombes d'eau contre la palissade du jardin, contre les vitres. Le seau posé sur le sol était sur le point de déborder. J'allai le vider dans l'évier. L'eau était aussi claire que du gin, comme disent les pêcheurs de truites. La solution était claire elle aussi, du moins dans l'immédiat. Du temps gagné pour réfléchir. Je retournai à la fenêtre avec le seau. Je me baissai pour le remettre en place. Je m'apprêtais à faire la seule chose raisonnable. Je m'approchai de la table, et en passant derrière Adam je tendis l'index vers le bouton au bas de sa nuque. Mes jointures effleurèrent sa peau. Au moment où j'allais appuyer, il pivota sur sa chaise et sa main droite se leva pour se refermer sur mon poignet. Avec férocité. Alors qu'il serrait plus fort, je tombai à genoux et m'appliquai à lui refuser la satisfaction du moindre murmure de douleur, même quand j'entendis un craquement.

Adam l'entendit lui aussi et se répandit en excuses. Il me lâcha le poignet. « J'ai dû vous casser quelque chose, Charlie. Ce n'était vraiment pas mon intention. Je suis sincèrement désolé. Vous souffrez beaucoup ? Mais s'il vous plaît, je ne veux pas que vous ou Miranda touchiez à nouveau cet endroit. »

Le lendemain matin, après cinq heures d'attente et une radio aux urgences de l'hôpital le plus proche, je découvris qu'un os important de mon poignet était bel et bien cassé. C'était une mauvaise fracture, avec déplacement partiel du scaphoïde, qui mettrait des mois à guérir.

5

À mon retour de l'hôpital, une heure après le déjeuner, Miranda m'attendait. Elle m'intercepta dans le couloir près de sa porte d'entrée. Nous nous étions déjà parlé au téléphone pendant que j'attendais de recevoir des soins, mais j'avais bien d'autres choses à lui dire, et quelques questions à lui poser. Or elle m'entraîna dans sa chambre, et là mes paroles s'évanouirent dans ma gorge. Je me laissai attendrir par son inquiétude à mon égard. J'avais le bras dans le plâtre du coude au poignet. Pendant qu'on faisait l'amour, je le protégeai avec un oreiller. On toucha au sublime. Durant quelques instants au moins, elle fut autant « à mon écoute » qu'inventive, à la fois attentionnée et enjouée, et moi aussi. C'était avec moi qu'elle était, pas avec n'importe quel homme capable de la satisfaire. Je n'osai pas menacer par des questions cette exaltation nouvelle que nous partagions. Je ne pus me résoudre à l'interroger sur Peter Gorringe ou sur ce qu'elle avait dit au tribunal, ni lui révéler ce que j'avais déjà découvert sur cette affaire dans la salle d'attente des urgences. Je ne lui demandai pas si elle savait qu'Adam était « amoureux » d'elle, ni si elle l'avait sciemment mis dans de telles dispositions. Je ne voulais pas non plus revenir sur la froideur entre nous après notre visite à Holy Trinity Church, où j'avais parlé de mariage. Comment aurais-je pu le faire quand vint le moment où, serrant mon visage entre ses mains, elle me regarda droit dans les yeux et hocha la tête, l'air émerveillée ?

Après, je gardai le silence sur ces sujets, parce que je croyais avec gourmandise qu'une demi-heure plus tard nous serions de nouveau au lit, même si elle reprenait ses distances alors que nous buvions un café dans sa cuisine. Je voulais croire que toutes les questions et les tensions se régleraient ultérieurement. On se mit à discuter comme si de rien n'était, d'abord de Mark. On tomba d'accord pour tenter de savoir ce qu'il devenait. Miranda s'inquiétait pour Adam. Selon elle, je devais le rapporter au magasin pour le faire vérifier. Elle envisageait toujours que nous allions tous les trois à Salisbury rendre visite à son père. Je lui cachai que la perspective de nous entasser dans ma minuscule voiture, de passer la journée à donner le change avec Adam et à me montrer courtois avec un vieillard mourant et acariâtre ne m'attirait pas. Je m'appliquais à vouloir tout ce qu'elle voulait.

On ne retourna pas au lit. Le silence s'installa entre nous. Je la voyais déjà se replier dans son monde à elle et je ne savais que dire. Par ailleurs, elle avait un séminaire à King's College, sur le Strand. Je décidai de mettre mes sentiments au clair en évitant Adam au rez-de-chaussée et en partant me promener dans le parc. Je l'arpentai deux heures durant. Mon poignet inaccessible me démangeait tandis que je pensais à Miranda. Je me demandais comment nous étions passés si imperceptiblement de la froideur à la joie, du soupçon à l'extase, puis à une discussion impersonnelle sur des détails matériels. Miranda excitait mon désir et je n'arrivais pas à la comprendre. Peut-être parce qu'une partie intelligible d'elle-même avait été abîmée. Je m'empressai de chasser cette idée. Elle en savait sans doute davantage que moi sur l'amour et ses ressorts profonds. Une force l'habitait, mais pas celle de la nature, ni même une force nourricière. Plutôt une forme de disposition psychologique ou de théorème, d'hypothèse, de phénomène splendide, telle la lumière tombant sur l'eau. Ne venait-elle pas de la nature ? Mais n'était-ce pas dépassé, que les hommes voient les femmes comme des forces aveugles ? Miranda pouvait-elle alors ressembler à un paradoxe euclidien ? Aucun ne me venait à l'esprit. Après une demi-heure de marche rapide, je crus avoir trouvé la métaphore mathématique qui lui convenait : sa psyché, ses désirs et ses motivations étaient aussi inexorables que des nombres premiers, tout simplement là, et imprévisibles. Cet habillage logique était encore plus dépassé... J'avais les nerfs en pelote.

Allant et venant sur la pelouse jonchée d'immondices, je m'abrutis à l'aide de truismes. Miranda est elle-même, voilà tout ! Elle approche l'amour avec prudence, parce qu'elle sait combien il peut être explosif. Quant à sa beauté, à mon âge et dans mon état, je la considérais forcément comme une qualité morale, comme sa propre justification, comme l'emblème de sa bonté intrinsèque, quoi qu'elle-même puisse faire concrètement. Et voyez à quoi elle était parvenue : de la taille jusqu'aux genoux ou presque, je ressentais encore l'incandescence du plaisir sensuel le plus intense que j'aie connu, et son corrélat émotionnel irradiait tout.

J'avais fait deux fois le tour du parc quand je m'arrêtai au centre d'une de ses étendues les plus vastes et les plus désertes. À bonne distance et de tous côtés, les véhicules tournaient autour de moi comme les planètes. D'habitude, cela m'oppressait de penser que chaque voiture puisse contenir un réseau de soucis, de souvenirs et d'espoirs aussi vitaux et compliqués que les miens. Ce jour-là, j'accordais ma bienveillance et mon pardon à tout le monde. On s'en sortirait. Tous, nous étions reliés par nos propres comédies intimes qui, bien que distinctes, se chevauchaient. D'autres pouvaient avoir eux aussi une maîtresse menacée de mort. Mais personne avec un bras dans le plâtre n'avait une machine comme rival amoureux.

Je pris le chemin du retour vers le nord, le long de High Street, laissant derrière moi le local incendié de l'Association des amitiés franco-argentines, et les monceaux nauséabonds de sacs-poubelle noirs, dont la hauteur avait triplé depuis mon dernier passage. Une firme allemande avait mis en service à Glasgow ses automates bipèdes censés remplacer les éboueurs. Le mépris de l'opinion publique était suscité par le sourire du travailleur satisfait que chacun d'eux affichait. Si Adam pouvait confectionner en quelques secondes un bateau selon la technique de l'origami, cela n'avait pas dû être un grand défi que d'amener un robot à lancer des sacs entre les mâchoires mécaniques d'une benne à ordures. Mais d'après le *Financial Times*, la crasse et la poussière avaient eu raison des articulations de leurs genoux et de leurs coudes, et les batteries bon marché n'avaient pas les huit heures d'autonomie nécessaires pour une tournée. Le prix de chaque automate équivalait à cinq ans de salaire d'un éboueur. Contrairement à Adam, ils avaient un exosquelette et pesaient cent soixante kilos. Ils ne tenaient pas le rythme, et les sacs-poubelle s'entassaient dans Sauchiehall Street. À Hanovre, l'un de ces robots avait reculé sur la voie réservée aux bus électriques autonomes. Simple problème de mise au point. Mais dans notre partie du pays, les humains coûtaient moins cher et ils restaient en grève. L'indignation généralisée avait fait place à l'apathie. Quelqu'un avait dit à la radio que la puanteur n'était pas pire qu'à Dar es Salam ou à Calcutta. On pouvait tous s'adapter.

Peter Gorringe. Puisque je disposais de son nom, il m'avait été facile de trouver des articles de presse en patientant aux urgences avec ma douleur lancinante au poignet. Ils dataient de trois ans auparavant et portaient, comme je l'avais deviné, sur un viol. En tant que victime, le nom de Miranda n'apparaissait pas. Dans ses grandes lignes, cette affaire ressemblait à mille autres : consommation d'alcool et différend autour de la notion de consentement. Miranda avait accompagné un soir Gorringe dans son studio du centre-ville. Ils se connaissaient depuis le lycée, qu'ils avaient quitté quelques mois plus tôt seulement, mais ils n'étaient pas très proches. Seuls ensemble ce soir-là ils avaient pas mal bu, et vers vingt et une heures, après s'être embrassés, ce qu'ils ne niaient ni l'un ni l'autre, Gorringe avait, selon l'accusation, forcé Miranda à coucher avec lui. Elle s'était débattue.

Les deux parties admettaient qu'il y avait eu rapport sexuel. Pour l'avocat de Gorringe, commis d'office,

Miranda était consentante. Il soulignait qu'elle n'avait pas appelé à l'aide pendant cette prétendue agression, n'avait quitté le domicile de Gorringe que deux heures plus tard, et n'avait adressé de coups de fil de détresse ni à la police, ni à des parents ou à des amis. La thèse de l'accusation était que Miranda se trouvait en état de choc. Elle était restée assise au bord du lit, à moitié nue, incapable de bouger ou de parler. Elle était partie vers vingt-trois heures, était rentrée directement chez elle sans réveiller son père, et s'était couchée en pleurs avant de finir par s'endormir. Le lendemain matin, elle s'était rendue au poste de police de son quartier.

C'était dans la version de Gorringe qu'émergeaient les détails de l'affaire. Il avait expliqué à la cour qu'après avoir fait l'amour, Miranda et lui avaient continué à boire un mélange de vodka et de limonade, tous deux d'humeur festive après leurs ébats. Miranda lui avait demandé s'il s'opposait à ce qu'elle envoie un texto à Amelia, sa nouvelle amie, pour lui annoncer que Peter et elle étaient « en couple ». Une minute plus tard, elle avait reçu une réponse sous la forme d'un smiley hilare levant le poing en triomphe. La tâche de la défense aurait dû être simple. Mais ces messages ne figuraient pas sur le portable de Miranda. Amelia vivait dans un foyer pour adolescents à problèmes, puis elle était partie au Canada sac au dos et l'on ne retrouvait pas sa trace. La firme de télécommunications canadienne refusait de divulguer ses listings de SMS sans requête officielle de la police. Or celle-ci, soucieuse d'atteindre ses objectifs en matière de résolution d'affaires de viol, voulait voir Gorringe en prison au plus vite. Contrairement aux jurés, elle savait qu'il avait déjà été condamné pour vol à l'étalage et trouble à l'ordre public.

Dans sa déposition, Miranda avait affirmé n'avoir aucune amie prénommée Amelia et qualifié d'invention cette histoire de textos. Deux anciennes camarades de lycée étaient venues témoigner au procès qu'elles n'avaient jamais entendu Miranda mentionner cette Amelia. L'accusation avait insinué que c'était un peu trop pratique, une jeune fille disparue sans laisser de traces. Si elle se trouvait sur une plage en Thaïlande comme le prétendait le dossier, et si Miranda était bien son amie, qu'étaient devenus les photos et messages habituels entre adolescentes ? Et le texto initial de Miranda ? Et le smiley enjoué ?

Effacés par Miranda, avait répondu la défense. Si la cour voulait bien suspendre le procès et enjoindre à la filiale britannique de cette firme canadienne de transmettre les copies des SMS, on saurait quelle version contestée de cette soirée retenir. Mais le juge, qui se montrait depuis le début agacé, voire irritable, n'était pas d'humeur à laisser traîner l'affaire. L'avocat de M. Gorringe avait déjà eu plusieurs mois pour organiser sa défense. Cette injonction aurait dû être envoyée voilà longtemps. Détail mémorable, le juge avait par ailleurs fait observer qu'une jeune femme allant chez un jeune homme avec une bouteille de vodka aurait dû avoir conscience des risques encourus. Certains articles de presse dépeignaient Gorringe comme le coupable idéal. Grand, dégingandé, il était affalé sur le banc des prévenus, sans cravate. Il ne paraissait impressionné ni par le juge, ni par le tribunal, ni par le déroulement du procès. Les jurés privilégièrent à l'unanimité la version de Miranda. Plus tard, dans ses conclusions, le juge avait présenté l'accusé comme un témoin peu crédible. Mais une partie des journalistes restaient sceptiques sur le récit de Miranda. Le magistrat était critiqué pour n'avoir pas levé le doute en demandant à consulter les SMS en question.

Une semaine plus tard, avant l'énoncé de la sentence, il y avait eu des appels à l'indulgence. Le proviseur de l'ancien lycée de Miranda et de Peter avait défendu ses deux ex-élèves – avec peu d'effet. La mère de Gorringe, trop effrayée pour s'exprimer de manière intelligible, avait courageusement fait de son mieux avant de fondre en larmes à la barre. Sans aucune utilité pour son fils. L'air impassible, celui-ci s'était levé pour entendre la sentence. Six ans. Il avait hoché la tête, comme le font souvent les condamnés. En cas de bonne conduite, il serait libéré après avoir effectué la moitié de sa peine.

Le juge s'était trouvé confronté à un choix difficile. Ou bien Miranda était victime d'un viol et honnête, ou bien elle n'avait pas été agressée et mentait cruellement. Bien entendu, ces deux hypothèses m'étaient insupportables. Je ne prenais pas les menaces de meurtre de Gorringe comme des preuves de son innocence, comme la tentative d'un homme, accusé à tort, pour obtenir réparation. Un coupable pouvait être furieux de perdre sa liberté. S'il était capable de proférer des menaces de meurtre, il l'était sûrement aussi de violer une femme.

Entre ces deux thèses incompatibles existait une dangereuse zone médiane, où l'ancien étudiant en anthropologie que j'étais – ou ce qu'il en restait – pouvait donner libre cours à son imagination. En tenant pour acquis le pouvoir insidieux de l'autopersuasion, en y ajoutant quelques heures de consommation immodérée d'alcool chez deux adolescents et le flou des souvenirs, alors il se pouvait que Miranda ait sincèrement cru avoir été violée, surtout si la honte s'en était ensuite mêlée; il se pouvait tout autant que Peter Gorringe se soit convaincu que son désir impérieux avait valeur de permission. Mais dans un tribunal pénal, l'épée de la justice tombait sur l'innocence ou sur la culpabilité, pas sur les deux à la fois.

L'histoire des SMS manquants était originale, inventive, facile à vérifier ou à réfuter. En l'évoquant devant la cour, Gorringe en tant que violeur avait pu faire le calcul qu'il n'aurait rien à perdre. Une invention pure et simple, et qui avait failli le tirer d'affaire. S'il était innocent et que les SMS existaient, en revanche, le système ne lui avait pas rendu justice. Quoi qu'il en soit, le système ne se rendait pas justice à lui-même. La version de Gorringe aurait dû être vérifiée. Sur ce point, je rejoignais le scepticisme d'une partie de la presse. La responsabilité pouvait également incomber à un avocat commis d'office sans expérience, trop pressé par le temps, trop maladroit. Ou aux policiers impatients de résoudre une affaire. Et certainement à la mauvaise humeur du juge.

À mon retour du parc, je ralentis en tournant dans ma rue. J'en savais à présent autant qu'Adam. Je ne lui avais pas adressé la parole depuis la veille au soir. Après une douloureuse nuit sans sommeil, je m'étais levé tôt pour aller à l'hôpital. En traversant la cuisine, j'étais passé près de lui. Assis devant la table, comme d'habitude, raccordé à la prise par son câble électrique, il avait les yeux ouverts et ce même regard tranquille, lointain, que lorsqu'il se retirait dans ses circuits. Je m'étais arrêté une minute entière, hésitant, me demandant où mon achat m'avait embarqué. Adam était bien plus compliqué que je ne l'aurais imaginé, ainsi que les sentiments qu'il m'inspirait. Il fallait qu'on mette les choses au point, lui et moi, mais j'étais trop épuisé par deux mauvaises nuits, et je devais retourner à l'hôpital.

Ce que je voulais, en rentrant de ma promenade, c'était me replier dans ma chambre, y prendre une dose d'analgésiques et faire un somme. Mais à mon entrée, je trouvai Adam debout face à moi. À la vue de mon bras en écharpe, il poussa un cri de stupéfaction ou d'horreur. Il s'approcha, les bras tendus.

« Charlie! Je suis désolé. Tellement désolé. Quelle chose terrible j'ai faite. Honnêtement, ce n'était pas mon intention. S'il vous plaît, je vous en prie, acceptez mes plus sincères excuses. »

On aurait dit qu'il allait me serrer contre lui. De ma main libre, je forçai le passage – je détestais son contact trop solide – pour aller vers l'évier. J'ouvris le robinet et me penchai pour boire longuement. Quand je me retournai, Adam était près de moi, à un mètre environ. Le moment des excuses était passé. J'étais déterminé à avoir l'air détendu – pas si facile, avec ce plâtre. Je mis ma main libre sur ma hanche et le regardai droit dans les yeux, dans ce bleu layette pailleté de noir. Je m'interrogeais encore sur ce que cela signifiait pour Adam, de voir, et sur le fait de savoir qui, ou quoi, voyait à travers ses yeux. Un torrent de zéros et de un affluaient en un éclair vers plusieurs processeurs, lesquels dirigeaient à leur tour une cascade d'interprétations vers d'autres centres. Aucune explication mécaniste ne pouvait m'aider. Elle ne résoudrait pas la différence essentielle entre nous. Je n'avais pas trop idée de ce qui circulait le long de mon propre nerf optique, ni de l'endroit où cela allait ensuite, ni de la façon dont ces flux devenaient une réalité visuelle englobant tout et allant de soi, ni de qui voyait pour moi. Moi seul. Quel qu'ait été le processus, il avait le don de sembler au-delà de toute explication, de créer et d'éclairer une partie de la seule chose au monde dont nous étions sûrs : notre propre expérience. Difficile de croire qu'Adam possédait quelque chose d'approchant. Plus facile de penser qu'il voyait à la manière d'une caméra, ou à la manière dont il paraît qu'un micro écoute. En tout cas, il n'y avait personne.

Mais en regardant Adam droit dans les yeux, je commençai à me sentir déstabilisé, en proie à l'incertitude. Malgré la séparation nette entre les êtres vivants et les inanimés, il restait que nous étions soumis aux mêmes lois physiques, lui et moi. La biologie ne me conférait peut-être aucun statut particulier, et cela ne signifiait pas grand-chose de dire que la créature debout devant moi n'était pas totalement vivante. À cause de la fatigue je me sentais largué, dérivant dans ce bleu et ce noir océaniques, me déplaçant dans deux directions à la fois : vers l'avenir incontrôlable que nous préparions, où notre identité biologique risquait finalement de se dissoudre ; et en même temps vers le passé lointain d'un univers nouveau-né où l'héritage commun était constitué, par ordre d'importance décroissant, de rochers, de gaz, de corps composés, d'éléments, de forces, de champs magnétiques – le terreau de la conscience pour Adam et pour moi, quelque forme qu'elle prenne.

Je sortis en sursaut de ma rêverie. Je me trouvais confronté à un problème immédiat et désagréable, et j'étais peu enclin à considérer Adam comme un frère, ni même comme un cousin très éloigné, quelle que soit la quantité de poussière d'étoiles que nous partagions. Il fallait que je lui résiste. Je pris la parole. Je lui expliquai que j'avais hérité d'une grosse somme d'argent après la mort de ma mère et la vente de sa maison. J'avais décidé de l'investir dans une expérience extraordinaire, d'acheter un humain artificiel, un androïde, un double – je ne me souviens plus quel terme j'employai. En sa présence, ils sonnaient tous comme des insultes. Je lui révélai exactement combien j'avais payé. Je lui décrivis ensuite l'après-midi où nous l'avions transporté à l'intérieur de la maison sur un brancard, puis déballé et mis à charger, Miranda et moi ; le jour où je lui avais affectueusement donné des vêtements à moi, où j'avais discuté de l'élaboration de sa personnalité. Au fil de mon récit, je n'étais pas certain du but que je poursuivais, ni de la raison pour laquelle je parlais si vite.

Ce fut seulement le moment venu que je sus ce que je devais dire. Mon raisonnement était le suivant : je l'avais acheté, il était à moi, j'avais choisi de le partager avec Miranda, et la décision nous appartiendrait, à nous seuls, de décider quand le désactiver. S'il résistait, et surtout s'il causait une blessure comme la veille au soir, alors il faudrait le rapporter chez le fabricant pour de nouveaux réglages. Je terminai en précisant que c'était aussi l'avis de Miranda, tel qu'elle me l'avait formulé au début de l'après-midi, juste avant que nous fassions l'amour. Pour le plus vil des motifs, je tenais à conclure par ce détail intime.

Du début à la fin il était resté imperturbable, clignant des yeux à intervalles réguliers, soutenant mon regard. Quand j'eus fini, rien ne changea pendant trente secondes, et je commençai à me dire que j'étais allé trop vite, ou que mes propos n'avaient ni queue ni tête. Subitement il revint à la vie (*à la vie!*), contempla ses pieds, puis tourna les talons et s'éloigna de quelques pas. Il se retourna pour me regarder, prit une profonde inspiration avant de parler, changea d'avis. Il porta la main à son menton et le caressa. Quelle prouesse. La perfection. J'étais prêt à lui accorder toute mon attention.

Son ton fut des plus aimables, des plus raisonnables. « Nous sommes amoureux de la même femme. Nous pouvons en discuter de manière civilisée, comme vous venez de le faire. Ce qui me convainc que nous avons franchi le stade de notre amitié où l'un de nous a le pouvoir de mettre fin à la conscience de l'autre. »

Je ne répondis pas.

Il continua. « Vous êtes mes plus vieux amis, Miranda et vous. Je vous aime tous les deux. Mon devoir envers vous est de me montrer clair et franc. Je suis sincère quand je dis à quel point je regrette d'avoir cassé une partie de vous hier soir. Je promets que cela ne se reproduira jamais. Mais la prochaine fois que vous chercherez à atteindre le bouton qui me désactive, je me ferai un plaisir de vous enlever le bras entier, de le désarticuler à la hauteur de la tête de l'humérus. »

Il avait prononcé cette phrase gentiment, comme s'il proposait son aide pour une tâche difficile.

« Ce serait sanglant. Et fatal, déclarai-je.

— Oh non. Il y a moyen de le faire proprement et sans risque. Une procédure perfectionnée au Moyen Âge. Galien a été le premier à la décrire. C'est surtout une question de rapidité.

— Eh bien ne me prenez pas mon bras valide. »

Il s'était exprimé avec un petit sourire. Là, il se mit à rire. C'était donc sa première tentative de blague, et je ris avec lui. Dans mon état d'épuisement, elle me semblait désopilante.

Alors que je le frôlais en regagnant ma chambre, il me lança : « Sérieusement. Après hier soir, je suis arrivé à une décision. J'ai trouvé comment neutraliser ce bouton de la mort. Plus facile pour tout le monde.

— Parfait, dis-je sans trop comprendre. Très raisonnable. »

Je pénétrai dans ma chambre et fermai la porte derrière moi. Je me débarrassai de mes chaussures et me couchai sur le dos, riant tout seul sans bruit. Puis, oubliant les analgésiques, je m'endormis en moins de deux minutes.

*

Le lendemain était le jour de mes trente-trois ans. Il plut toute la journée et je travaillai neuf heures d'affilée, content de rester à l'intérieur. Pour la première fois depuis des semaines, mes bénéfices de la journée furent à trois chiffres – de justesse. À dix-neuf heures, je quittai ma table de travail, m'étirai, bâillai, cherchai une chemise blanche propre dans un tiroir de ma commode, puis je pris un bain. Il me fallut laisser pendre mon bras par-dessus le rebord de la baignoire pour empêcher le plâtre de se dissoudre, mais sinon j'étais en forme. Enveloppé de chaleur et de nuages de vapeur, je chantais quelques refrains de chansons des Beatles – ces vieux Beatles tout neufs – dont le carrelage me renvoyait l'écho, et j'ajoutais de temps à autre de l'eau chaude avec mon gros orteil qui pouvait tourner le robinet. Je me savonnai d'une seule main. Pas facile. Trente-trois ans me faisaient le même effet que vingt et un ans, et Miranda m'invitait à dîner. On devait se retrouver à Soho. La seule perspective de ce rendez-vous avec elle me remontait le moral. La vue que j'avais de mon corps dans la lumière voilée était réconfortante. Mon pénis, renversé sur le récif immergé de ma toison pubienne, semblait m'encourager de son œil unique. Il y avait de quoi. La musculature de mon ventre et de mes jambes paraissait joliment sculptée. Digne d'un héros, même. Je me complaisais dans ce narcissisme, heureux comme je ne l'avais pas été depuis des semaines. J'avais tenté de ne pas penser à Adam de la journée et j'y étais presque arrivé. Il était resté des heures dans la cuisine, il s'y trouvait encore – à « réfléchir ». Je m'en fichais. Je chantai plus fort. À vingt ans, certains de mes moments les plus heureux étaient ceux où je me préparais pour sortir. Le plaisir de l'anticipation, plus que de la sortie même. La détente après le travail, le bain, la musique, des vêtements propres, du vin blanc, peut-être quelques bouffées d'un joint. Puis le départ vers la soirée, libre et affamé.

La peau à l'extrémité de mes doigts était toute ridée lorsque je sortis de la baignoire. Une évolution, avais-je lu, qui permettait à nos ancêtres amoureux de la mer et des rivières d'attraper du poisson. Je n'y croyais pas, mais j'aimais bien cette légende, sa façon de défier l'incrédulité. On n'attrapait pas le poisson avec ses pieds, donc les orteils, eux, n'avaient pas besoin de se rider. Je m'habillai à la hâte. Dans la cuisine je passai près d'Adam sans un mot – il n'eut pas un regard pour moi –, et une fois sorti j'ouvris mon parapluie pour longer sur quelques centaines de mètres la petite rue sordide où était garée ma vieille voiture cabossée. Cette brève promenade déprimante déclenchait souvent mes lamentations habituelles, la chanson de mon triste sort. Mais pas ce soir-là.

Ma voiture, une British Leyland Urbala qui datait du milieu des années soixante, avait été le premier modèle capable de parcourir mille six cents kilomètres sans recharger la batterie. Elle en avait six cent huit mille au compteur. Elle était rongée par la rouille, surtout autour des chocs dans la carrosserie. Les rétroviseurs latéraux s'étaient détachés ou avaient été arrachés. Il y avait une longue déchirure blanche sur le siège du conducteur, et il manquait un morceau du volant, entre onze heures et quinze heures. Des années plus tôt, une fille avait vomi sur la banquette arrière après un dîner festif dans un restaurant indien, et même un nettoyage à sec n'avait pas réussi à effacer l'odeur de curry. C'était une deux-portes, et faire monter un adulte à l'arrière se révélait acrobatique. Mais pas grand-chose ne pouvait tomber en panne dans ce genre de véhicule, et mon Urbala roulait vite et bien. Équipée d'une boîte automatique, elle était facile à conduire d'une main.

Toujours en chantant, j'empruntai mon itinéraire habituel jusqu'à Vauxhall, longeant vers l'aval la Tamise à ma gauche, dépassant Lambeth Palace, puis St Thomas's

Hospital à l'abandon et squatté par des dizaines ou des centaines de sans-logis. L'essuie-glace côté conducteur se déclenchait toutes les dix secondes environ. Celui du côté passager battait la mesure de mes chansons pop. Je traversai le fleuve sur le Waterloo Bridge – de part et d'autre, les plus belles vues de la ville –, puis je dévalai l'ancien tunnel du tramway, aux courbes sinueuses, pour émerger triomphalement dans Holborn – pas le trajet le plus court jusqu'à Soho, mais mon préféré. J'entonnai une nouvelle chanson de Lennon et montai dans les aigus. Ce qui me mettait en joie? Mes trente-trois ans et l'amour. Cet énigmatique cocktail d'hormones – endorphines, dopamine, ocytocine et le reste. Cause, ou effet? Ou bien était-ce leur association? On ne savait presque rien sur nos changements d'humeur. Il semblait contestable de leur attribuer une origine matérielle. Ce soir-là, je n'avais pas touché à un joint ni même bu une gorgée de vin – il ne restait rien dans la maison. La veille, j'avais presque trente-trois ans et j'étais amoureux, mais je n'éprouvais pas la même chose. Un gain de 104 £ le matin n'aurait jamais produit ce genre d'état. J'aurais dû être dégrisé par l'échange de la veille avec Adam concernant son bouton de la mort, par tous les sujets que je n'avais pas abordés avec Miranda, par mon malheureux poignet. Mais l'humeur pouvait ressembler à un coup de dés. La roulette russe chimique. Exit le libre arbitre, et moi j'étais là, avec un sentiment de liberté.

Je me garai dans Soho Square. Je connaissais un emplacement long de trois mètres où la ligne jaune avait été goudronnée par erreur, rendant le stationnement légal. La plupart des voitures ne tenaient pas. Notre restaurant, avec sa salle unique de la taille d'une boîte à chaussures et ses néons agressifs, était situé dans Greek Street, à deux pas du célèbre L'Escargot. Il n'y avait que sept tables. Dans un angle, la cuisine, minuscule espace délimité par un plan de travail en acier brossé où officiaient, à l'étroit, deux chefs en blanc ruisselants de sueur. Ils étaient secondés par un apprenti chargé de la plonge et par un seul serveur. À moins de connaître l'un des chefs ou l'une de ses relations, on ne pouvait pas réserver. Miranda avait un ami qui était proche d'une de ces connaissances. Par une soirée calme, cela suffisait.

Elle était déjà là quand j'entrai, assise face à la porte. Devant elle, un verre d'eau gazeuse auquel elle n'avait pas touché. À côté, un petit paquet entouré d'un ruban vert. Près de la table, dans un seau à glace posé sur un trépied, une bouteille de champagne au goulot enveloppé dans une serviette blanche. Le serveur qui venait de la déboucher s'éloignait. Miranda semblait particulièrement élégante, même si elle avait assisté à des séminaires toute la journée et quitté la maison en jean et en tee-shirt. Elle avait dû emporter avec elle un sac de vêtements et une trousse de maquillage. Elle portait une jupe droite de couleur noire et une veste cintrée, noire elle aussi, avec des épaulettes et des fils d'argent tissés dans l'étoffe. Je ne l'avais encore jamais vue avec du rouge à lèvres et du mascara. Elle avait rapetissé sa bouche, un arc miniature rouge sombre, et poudré les discrètes taches de rousseur sur la racine de son nez. Pour mon anniversaire! Au même instant, m'avançant dans la lumière d'un blanc cru et refermant derrière moi la porte en verre du restaurant, je sentis soudain un certain détachement se mêler à mon euphorie. Je n'aimais pas moins Miranda, je ne pouvais pas l'aimer moins. Mais je n'avais plus à me ronger d'angoisse ou de désespoir à cause d'elle. Je me souvins de mes truismes de la veille. Elle était là, et quoi qu'elle puisse être, je le découvrirais, et je célébrerais quand même ses charmes. Je pouvais l'aimer, pensai-je, et rester intact, indemne.

Tout cela en un éclair, alors que je me glissais entre deux tables occupées pour arriver jusqu'à elle. Elle me tendit sa main droite, et je m'inclinai dans un semblant de solennité pour lui faire le baisemain. Quand je m'assis, elle contempla mon poignet avec une compassion évidente.

« Pauvre chéri. »

Le serveur – il paraissait avoir seize ans et beaucoup de sérieux – apporta deux coupes et les remplit, un bras replié dans le dos. Un professionnel.

Tandis que nous levions nos verres de part et d'autre de la table, je portai un toast : « À Adam, pour qu'il ne me casse plus d'os.

— C'est assez contraignant. »

On s'esclaffa, et l'on aurait dit qu'aux autres tables des rires s'élevaient et se joignaient aux nôtres. Dans quel endroit baroque nous étions ! Miranda ignorait que j'en savais à la fois beaucoup et peu sur elle. Je ne savais que croire : était-elle la victime d'un crime, ou son auteur ? Peu importait. Nous étions amoureux, et je restais convaincu que même si j'apprenais le pire, cela ne changerait rien. L'amour nous tirerait d'affaire. J'aurais donc dû trouver plus facile d'évoquer n'importe lequel des problèmes que ma lâcheté m'amenait à taire. Et j'étais justement sur le point de le faire, de parler de mon os scaphoïde, quand elle prit ma main valide dans la sienne sur la nappe de lin blanc.

« C'était fabuleux, hier. »

La tête me tourna. Comme si Miranda m'avait proposé de faire l'amour en public, là, sur la table.

« On pourrait rentrer tout de suite. »

Elle marqua un petit temps d'arrêt comique. « Tu n'as pas ouvert ton cadeau. »

De l'index, elle le poussa vers moi. Pendant que je l'ouvrais, notre serveur emplit à nouveau nos verres. Je découvris une modeste boîte en carton. À l'intérieur, une sorte de « Z » métallique, rembourré en haut et en bas. Une poignée de rééducation.

« Pour le jour où on t'enlèvera ton plâtre. »

Je me levai et fis le tour de la table pour embrasser Miranda. « Oh, oh ! » s'exclama quelqu'un près de nous. Quelqu'un d'autre imita un aboiement. Je ne relevai pas. De retour à ma place, j'annonçai : « Adam prétend avoir neutralisé son bouton de la mort. »

Elle se pencha en avant, avec une gravité soudaine. « Il faut que tu le ramènes au magasin.

— Mais il t'aime. Il me l'a dit.

— Tu te moques de moi.

— S'il a besoin d'être reprogrammé, c'est toi qu'il écoutera. »

Elle répondit d'un ton plaintif. « Comment peut-il parler d'amour ? C'est de la folie. »

Notre serveur attendait près de la table et entendit la suite de notre échange, même si je parlai à toute vitesse, dans un murmure. « Tu as contribué à choisir le genre de type qu'il

179

est : de ceux qui tombent amoureux de la première femme avec laquelle ils couchent.

— Oh, Charlie ! »

Le serveur intervint. « Vous êtes décidés, ou bien dois-je revenir ?

— Restez là. »

On passa deux ou trois minutes à choisir et à changer d'avis. Je commandai un haut-médoc de douze ans. Je pris conscience que c'était moi qui paierais ce dîner d'anniversaire. J'annulai la commande et demandai une bouteille du même cru, mais de vingt ans d'âge.

Le serveur parti, on marqua une pause pour retrouver le fil.

« Tu vois quelqu'un d'autre ? » demanda Miranda.

Stupéfait, je cherchai en vain pendant quelques instants la réponse la plus rassurante et la plus convaincante. Au même moment, je m'aperçus qu'un des chefs, qui était également le propriétaire, avait quitté la cuisine et se frayait un passage entre les tables vers la porte. Le serveur le suivait. Je jetai un coup d'œil par-dessus mon épaule et distinguai à travers la vitre deux silhouettes sur le trottoir. L'une d'elles fermait un parapluie.

J'avais dû paraître évasif aux yeux de Miranda. « Sois simplement honnête avec moi, ajouta-t-elle. Je m'en fiche. »

Elle ne s'en fichait visiblement pas, et je lui accordai toute mon attention.

« Absolument pas. Il n'y a que toi qui comptes pour moi.

— Même quand je suis à des séminaires toute la journée ?

— Je travaille en pensant à toi. »

Je sentis un courant d'air sur ma nuque. Le regard de

Miranda se dirigea vers la porte, et je pus me tourner pour observer la scène moi aussi. Le chef aidait deux hommes d'un certain âge à enlever leurs imperméables, qu'il mit dans les bras du serveur. Les deux vieillards furent conduits à leur table – à l'écart, la seule avec une bougie allumée. Le plus grand, aux cheveux argentés coiffés en arrière, portait une écharpe de soie brune négligemment nouée autour du cou et une sorte de veste d'artiste en coton informe. On lui présenta sa chaise, et avant de s'asseoir il inspecta la salle du regard avec un hochement de tête approbateur. Personne ne sembla lui prêter attention dans le restaurant. Son élégance bohème n'était pas si inhabituelle à Soho. Mais j'étais surexcité.

Je me retournai vers Miranda, toujours avec sa question surprenante à l'esprit, et je posai ma main sur la sienne.

« Tu sais qui c'est ?

— Aucune idée.

— Alan Turing.

— Ton héros.

— Et Thomas Reah, le physicien. La gravitation quantique à boucles, c'est plus ou moins son invention à lui seul.

— Va les saluer.

— Ce ne serait pas correct. »

On reparla donc de cette personne que je ne fréquentais pas, et une fois qu'elle parut satisfaite, on revint à Adam et on discuta des moyens de vaincre sa résistance concernant le bouton de la mort. Miranda suggéra de cacher les câbles de raccordement jusqu'à ce qu'il soit trop faible pour s'opposer à nous. Je lui rappelai la fabrication instantanée du bateau selon la technique de l'origami. Il confectionnerait un câble improvisé en quelques minutes. J'avais du mal à me concentrer pendant cet échange. Je ne quittais pas Miranda des yeux, victime d'une hallucination qui me faisait voir sa tête et ses épaules nimbées de lumière, et j'anticipais le moment où l'on se retrouverait seuls pour monter en douceur vers l'extase. Quoique entravé par un état d'excitation sexuelle permanente, je m'enthousiasmais d'être dans la même pièce qu'un grand homme. À commencer par ses méditations d'avant-guerre sur la conception d'une machine à calculer universelle jusqu'à sa glorieuse notoriété présente, en passant par la base de Bletchley Park durant les premières années de la guerre, et par la morphogenèse. Le plus illustre Anglais vivant, noble et libre dans son amour pour un autre homme. Vêtu à son âge vénérable avec la flamboyance d'une star du rock, d'un peintre de génie, d'un acteur anobli. Je ne pouvais le voir qu'en me détournant avec impolitesse de Miranda. Je résistai. Je me rabattis sur la liste habituelle de mes soupçons enfouis, de tout ce que nous n'évoquions pas – le procès de Salisbury et la menace de mort me rendant le plus amer. Où était mon courage, alors que je n'avais pas la franchise de soulever ces sujets, et qu'ils me tourmentaient même quand on ne les abordait pas ?

« Tu ne m'écoutes pas.

— Bien sûr que si. Tu as dit qu'Adam déraillait.

— Non, crétin. Mais bon anniversaire. »

On trinqua de nouveau. Le médoc avait été mis en bouteille quand Miranda avait deux ans et que mon père passait du swing au be-bop.

Le dîner fut une réussite, mais l'addition mit du temps

à arriver. En l'attendant, on décida de prendre un cognac avant de partir. Le serveur nous en apporta l'équivalent de deux chacun, offerts par la maison. Miranda revint sur la maladie de son père. On lui avait finalement diagnostiqué un lymphome, à évolution lente. Il avait des chances de mourir avec lui plutôt qu'à cause de lui. Bien d'autres choses pouvaient provoquer sa mort. Mais il prenait désormais un médicament qui le rendait joyeux et péremptoire – et encore plus insupportable. Il avait des projets impossibles plein la tête. Il voulait vendre la maison de Salisbury et acheter un appartement à New York, dans l'East Village – celui de sa jeunesse, soupçonnait Miranda. Dans un accès d'optimisme, il avait signé un contrat pour la publication d'un beau livre sur les oiseaux britanniques dans l'art populaire, vaste projet qu'il ne mènerait jamais à bien, même avec un assistant à plein temps pour effectuer les recherches. Sur un étrange coup de tête, compte tenu de ses opinions, il avait adhéré à un mouvement politique marginal qui militait pour la sortie de la Grande-Bretagne de l'Union européenne. Il comptait se faire élire trésorier de son club londonien, l'Athenaeum. Chaque jour, il appelait sa fille avec de nouvelles idées. Tout ce que j'entendais me rendait encore plus pessimiste sur notre visite à venir, mais je ne dis rien.

On en avait enfin terminé et on remit nos impers. Miranda partit devant moi vers la porte. Notre trajectoire entre les tables nous conduirait près de celle de Turing. En m'approchant, je vis qu'hormis un bol de cacahuètes, auxquelles ils avaient à peine touché, ces convives distingués n'avaient rien mangé. Ils étaient là pour bavarder et pour boire. Dans un seau à glace se trouvait une demi-bouteille de genièvre hollandais ; sur la table, une coupelle en argent remplie de glaçons et deux verres à whisky. J'étais impressionné. Serais-je aussi fringant à soixante-dix ans ? Turing était juste en face de moi. Les années avaient allongé son visage, faisant ressortir ses pommettes, lui donnant un air à la fois gourmand et féroce. Bien plus tard, un soir je crus voir le fantôme d'Alan Turing en la personne du peintre Lucian Freud. Je le croisai à Piccadilly, alors qu'il sortait du restaurant The Wolseley. Même minceur musclée à l'approche de la vieillesse, et qui semblait tenir moins à une vie saine qu'à l'envie de continuer à créer.

Ce fut le cognac qui décida pour moi. Je m'approchai, comme avant moi des millions de gens s'étaient approchés d'une personnalité dans un lieu public, avec cette humilité apparente qui masque le sentiment de légitimité conféré par une admiration sincère. Turing leva les yeux vers moi, puis détourna le regard. C'était Reah qui s'occupait des admirateurs. Pas assez ivre pour être décomplexé, je bredouillai la formule consacrée.

« Vraiment désolé de m'imposer. Je voulais juste vous exprimer à tous deux ma profonde gratitude pour vos travaux.

— C'est très aimable, répondit Reah. Qui êtes-vous ?

— Charlie Friend.

— Enchanté d'avoir fait votre connaissance, Charlie. »

L'infinitif passé était sans ambiguïté. J'allai droit au but. « J'ai lu que vous possédiez l'un de ces Adam ou de ces Ève. J'en ai un moi aussi. Je me demandais si vous aviez rencontré le moindre problème avec... »

J'en restai là, parce que j'avais vu Reah consulter du regard Turing, qui avait fermement fait non de la tête.

Je sortis une carte de visite et la glissai sur leur table. Aucun d'eux n'y posa les yeux. Je battis en retraite, marmonnant des excuses ridicules. Miranda était tout près de moi. Elle prit ma main dans la sienne, et quand on sortit dans Greek Street, elle la serra avec compassion.

*

« Son regard aimant
contient tout un univers.
Aime cet univers ! »

Ce fut le premier poème dont il était l'auteur qu'Adam me récita. Il était entré dans ma chambre sans frapper juste après onze heures un matin, alors que je travaillais devant mon écran, espérant profiter de la volatilité des marchés des changes. Il y avait un carré de lumière sur la moquette et il mit un point d'honneur à se planter en son centre. Je remarquai qu'il portait un de mes pulls à col roulé. Il avait dû le prendre dans un tiroir de ma commode. Il m'annonça qu'il avait un poème à me lire d'urgence. Je fis pivoter mon fauteuil et j'attendis.

Quand il eut fini, je dis sans ménagement : « Au moins il est bref. »

Adam grimaça. « Un haïku.

— Ah. Dix-neuf syllabes.

— Dix-sept. Cinq, puis sept, puis encore cinq. En voici un autre. » Il fit une pause, regarda le plafond.

185

« Embrasse l'espace qu'elle
foule jusqu'à la fenêtre.
Sa marque sur le temps. »

« L'espace-temps ? demandai-je.
— Oui !
— D'accord. Un dernier. Je dois me remettre au travail.
— J'en ai des centaines. Mais regardez... »
Laissant son coin de moquette illuminé, il s'approcha de
ma table et posa la main sur la souris. « Ces deux rangées de
chiffres, vous ne voyez pas ? Des courbes de Fibonacci qui se
croisent. Forte probabilité pour que, si vous achetez là et si
vous attendez... Maintenant, vendez. Regardez. Vous avez
gagné 31 £.
— Refaites-moi ça.
— Pas tout de suite.
— Alors récitez-moi un dernier haïku et partez. »
Il regagna son carré de lumière.

« Toi, et le moment
Où j'ai touché ton... »

Je l'interrompis. « Je ne veux pas entendre ça.
— Je ne dois pas le montrer à Miranda ? »
Je poussai un soupir et il s'éloigna. Lorsqu'il fut devant
la porte, j'ajoutai : « Nettoyez la cuisine et la salle de bains,
voulez-vous ? Difficile à faire d'une seule main. »
Il acquiesça d'un signe de tête et s'en alla. Une sorte de
paix et de stabilité régnaient dans notre maisonnée, malgré

186

le problème de la sortie de prison de Gorringe. Je me sentais plus détendu. Adam ne passait plus jamais de temps seul avec Miranda, alors que j'étais avec elle chaque soir. Il tiendrait sûrement sa promesse. Il m'avait répété plusieurs fois qu'il était amoureux, et cet amour chaste me convenait. Il écrivait des poèmes dans sa tête et les y stockait. Il aurait voulu me parler de Miranda, mais en général je coupais court. Je n'osais pas tenter de le désactiver et n'en ressentais pas spécialement le besoin. Le projet de le rapporter au magasin avait été mis de côté. L'amour paraissait l'avoir adouci. Pour des raisons qui m'échappaient, il quêtait mon approbation. Le remords, peut-être. Il avait repris ses habitudes de vague obéissance. Je restais sur mes gardes à cause de mon poignet, mais il ne manifestait aucune agressivité. Je n'oubliais pas qu'il représentait pour moi une expérience, une aventure. Tout n'était pas censé aller comme sur des roulettes.

Chez lui, l'amour s'accompagnait d'une exubérance intellectuelle. Il insistait pour me faire part de ses pensées, de ses théories, de ses aphorismes, de ses dernières lectures. Il suivait un cours sur la mécanique quantique. Toute une nuit, pendant que ses batteries se rechargeaient, il avait étudié les mathématiques et les textes fondamentaux. Il avait lu *What Is Life?*, l'ouvrage fondé sur les conférences données à Dublin par Schrödinger, desquelles il avait conclu qu'il était vivant. Il avait également lu la transcription du célèbre congrès Solvay, où les grands noms de la physique s'étaient retrouvés pour discuter de photons et d'électrons.

« Il paraît qu'à ce premier congrès ont eu lieu les échanges sur la nature les plus profonds de toute l'histoire de la pensée. »

Je prenais mon petit déjeuner. Je lui racontai avoir lu qu'à la fin de sa vie, à Princeton, le vieil Einstein commençait chacune de ses journées par des œufs au plat frits dans le beurre, et qu'en l'honneur d'Adam j'en faisais à présent frire deux pour moi.

« Aux dires de certains, répondit-il, Einstein n'aurait jamais mesuré ce qu'il avait lui-même enclenché. Solvay fut pour lui un champ de bataille. Il s'est retrouvé en minorité, le pauvre. Face à des jeunes gens extraordinaires. Mais c'était injuste. Ces jeunes-turcs ne se souciaient pas de ce qu'est la nature, seulement de ce que l'on pouvait en dire. Alors que pour Einstein, il n'y avait de science que si l'on croyait à un monde extérieur indépendant de celui qui l'observe. Il pensait que la mécanique quantique était moins fausse qu'incomplète. »

Tout cela après une seule nuit d'étude. Je me souvins de ma brève relation sans espoir avec la physique à l'université, avant que je ne choisisse la sécurité avec l'anthropologie. Je jalousais sans doute un peu Adam, surtout quand j'appris qu'il s'était attaqué à l'équation de Dirac. Je citai la remarque de Richard Feynman selon laquelle toute personne prétendant comprendre la théorie quantique ne comprend pas la théorie quantique.

Adam hocha la tête. « Un faux paradoxe, en admettant que ce soit un paradoxe. Des dizaines de milliers de gens comprennent la mécanique quantique, des millions s'en servent. Ce n'est qu'une question de temps, Charlie. À une époque, la relativité générale représentait le summum de la difficulté. Maintenant c'est la routine pour les étudiants de première année. Même chose pour le calcul infinitésimal.

Maintenant c'est à la portée d'un adolescent de quatorze ans. Un jour, la mécanique quantique deviendra un lieu commun. »

J'étais alors en train de manger mes œufs. Adam avait fait du café. Il était beaucoup trop fort. « D'accord, dis-je. Et la question posée à Solvay ? La mécanique quantique est-elle une description de la nature, ou simplement un moyen efficace de prédire certaines choses ?

— J'aurais pris le parti d'Einstein. Je ne comprends pas qu'il y ait le moindre doute. La mécanique quantique fait des prédictions avec un tel degré d'exactitude qu'elle doit avoir compris quelque chose à la nature. Pour des créatures d'une taille aussi immense que la nôtre, le monde semble flou et dur. Mais on sait aujourd'hui à quel point il est étrange et merveilleux. Il ne faut donc pas s'étonner que la conscience, chez vous comme chez moi, puisse être l'émanation de la matière – clairement, ce n'est insolite que dans une certaine mesure. Et nous n'avons rien d'autre pour expliquer comment la matière peut penser et ressentir. » Il ajouta : « À l'exception des yeux de Dieu et de leurs rayons d'amour. Or même les rayons peuvent être analysés. »

Un autre matin, après m'avoir confié qu'il avait pensé toute la nuit à Miranda, il déclara : « J'ai également pensé à la vue, et à la mort.

— Allez-y.

— On ne voit pas partout. On ne peut pas voir derrière notre tête. On ne voit même pas notre menton. Admettons que nous ayons un champ visuel de presque cent quatre-vingts degrés, en comptant la vision périphérique. Curieusement, il n'y a pas de frontière, pas de lisière.

Il n'y a pas la vue, et puis le noir, comme quand on regarde dans des jumelles. Il n'y a pas quelque chose, et puis rien. Ce qu'on a, c'est ce champ de vision, et au-delà, moins que rien.

— Et alors?

— Alors voilà à quoi ressemble la mort. À moins que rien. Moins que le noir. La limite du champ visuel est une bonne représentation de celle de la conscience. La vie, et puis la mort. C'est un avant-goût, Charlie, et il nous accompagne toute la journée.

— Rien à craindre, donc. »

Il leva ses deux mains comme pour empoigner un trophée et le brandir. « Exactement! Moins que rien à craindre! »

Cherchait-il à masquer son angoisse de la mort? Il était programmé pour durer une vingtaine d'années. Quand je lui posai la question, il répondit : « C'est toute la différence entre nous, Charlie. Mes pièces détachées seront améliorées ou remplacées. Mais mon esprit, mes souvenirs, mes expériences, mon identité, et ainsi de suite, seront téléchargés et sauvegardés. Ils resserviront. »

La poésie offrait un autre exemple de son exubérance engendrée par l'amour. Il avait écrit deux mille haïkus et m'en avait récité une douzaine, de la même qualité, chacun d'eux en l'honneur de Miranda. D'abord curieux de savoir ce qu'Adam pouvait créer, je m'étais vite désintéressé de leur forme même. Trop jolis, trop appliqués à ne pas vouloir dire grand-chose, trop complaisants quand leur auteur jouait sur un laconisme énigmatique. Deux mille! Leur nombre me donnait raison : un algorithme les produisait à la chaîne. Je lui tenais ces propos alors que nous arpentions les petites rues de Stockwell – notre promenade quotidienne pour développer la sociabilité d'Adam. Nous étions allés dans les magasins, dans les pubs, et nous avions même pris le métro jusqu'à Green Park pour nous asseoir sur une pelouse au milieu de la foule à l'heure du déjeuner.

J'étais sans doute trop sévère. Les haïkus, lui expliquais-je, pouvaient étouffer la créativité par leur immobilisme. Mais je lui prodiguais aussi des encouragements. L'heure était venue de passer à une autre forme. Il avait accès à toute la littérature mondiale. Pourquoi ne pas tenter d'écrire des quatrains, rimés ou non? Ou même une nouvelle, et un jour un roman?

En début de soirée, ce jour-là, il me donna sa réponse. « Si cela ne vous ennuie pas, je suis prêt à discuter de vos suggestions. »

Je venais de prendre une douche, de me changer, je m'apprêtais à monter chez Miranda, et je fus donc un peu agacé. Sur la table, attendant que je l'emporte, une bouteille de pomerol. Il fallait que j'aie une conversation avec Miranda. Gorringe devait sortir de prison sept semaines plus tard. Nous n'avions toujours pas pris de décision. Il était question qu'Adam serve de garde du corps à Miranda et je m'inquiétais : j'étais légalement responsable de tout ce qu'il pourrait faire. Miranda était retournée au commissariat du quartier. L'inspecteur qui avait rendu visite à Gorringe en prison n'était plus là. L'agent à l'accueil avait noté le signalement et lui avait conseillé d'appeler police secours au besoin. Elle avait laissé entendre que cela risquait d'être difficile en cas d'agression. L'agent n'y avait pas vu malice. Il lui avait recommandé de téléphoner avant cette éventualité.

« Quand je le verrai monter l'allée du jardin avec une hache?

— Oui. Et ne lui ouvrez pas. »

Elle avait consulté un avocat pour savoir s'il fallait requérir auprès d'un magistrat une mesure d'éloignement. La réussite n'était pas certaine, le résultat pas garanti. Elle avait demandé à son père de ne divulguer son adresse à personne. Mais Maxfield avait ses propres soucis, et elle pensait qu'il oublierait. Il nous restait l'espoir qu'il s'agisse d'une menace en l'air, et que la présence d'Adam soit dissuasive. Quand je lui avais demandé si Gorringe était vraiment dangereux, elle avait répliqué : « C'est un minable.

— Un minable dangereux?

— Un minable répugnant. »

Je n'étais pas d'humeur à parler de nouveau poésie avec Adam.

« À mon avis, commença-t-il, le haïku est la forme littéraire de l'avenir. Je veux la perfectionner et en accroître la portée. Tout ce que j'ai fait jusqu'à maintenant est une sorte d'entraînement. Mon œuvre de jeunesse. Quand j'aurai étudié les grands maîtres et que j'en saurai davantage, surtout quand j'aurai compris les pouvoirs du *kireji*, ce mot central qui sépare les deux parties juxtaposées, mon véritable travail pourra commencer. »

De l'étage supérieur me parvint une sonnerie de téléphone, puis le bruit des pas de Miranda au-dessus de ma tête.

Adam reprit : « En tant qu'homme qui réfléchit, et qui s'intéresse à l'anthropologie et à la politique, mon optimisme ne vous parlera pas beaucoup. Mais au-delà de ce torrent de faits décourageants sur la nature et les sociétés humaines, au-delà des mauvaises nouvelles quotidiennes, il peut exister des mouvements plus puissants, des évolutions positives qui échappent à la vue. Dans un monde désormais si interconnecté, même grossièrement, et où les changements sont si disséminés, le progrès semble difficile à percevoir. Je n'aime pas me vanter, mais l'un de ces changements se trouve juste devant vous. Les implications des machines intelligentes sont tellement immenses que nous n'avons aucune idée de ce que vous – enfin, la civilisation – avez mis en branle. L'une des angoisses tient au fait de voir la vie avec des entités plus intelligentes que soi comme un choc et une insulte. Mais déjà, vous connaissez presque tous quelqu'un de plus intelligent que vous. Sans compter le fait que vous vous sous-estimez. »

Je distinguais la voix de Miranda au téléphone. Elle s'énervait. Elle allait et venait dans son salon en parlant.

Adam ne laissait rien paraître, mais je savais qu'il l'entendait. « Vous refusez de vous laisser distancer. En tant qu'espèce, vous avez un esprit de compétition bien trop développé. À cet instant même il y a des patients paralysés, avec des électrodes implantées dans le cortex moteur, à qui il suffit de penser à un geste pour pouvoir lever un bras ou plier un doigt. C'est un début modeste et il reste beaucoup de problèmes à résoudre. On y parviendra certainement, et lorsque cela arrivera, que l'interface entre le cerveau et le logiciel sera efficace et bon marché, vous deviendrez un partenaire de vos machines dans une expansion infinie de l'intelligence, et de la conscience en général. Une intelligence colossale, un accès instantané à un profond sens moral et à toutes les connaissances, mais, plus important, un accès à autrui. »

Les allées et venues de Miranda à l'étage avaient cessé.

« Cela pourrait marquer la fin de l'intimité de la conscience. On en viendra probablement à lui accorder moins de valeur face à ces énormes avantages. Vous vous demandez sans doute quel est le rapport avec le haïku. Le voici : depuis mon arrivée ici, je parcours la littérature de dizaines de pays. Des traditions magnifiques, de splendides élaborations de... »

La porte de la chambre de Miranda se ferma, des pas agiles traversèrent son salon jusqu'à la porte d'entrée. Celle-ci claqua et j'entendis Miranda descendre l'escalier.

« Hormis la poésie lyrique à la gloire de l'amour ou du paysage, presque tout ce que je lis en littérature... »

La clé tourna dans la serrure et Miranda apparut devant nous. Elle avait le visage luisant. Elle faisait de son mieux pour garder une voix égale. « C'était mon père, au téléphone. Ils ont libéré Gorringe plus tôt que prévu. Il y a trois semaines. Il est allé à Salisbury, chez mon père, a convaincu l'employée de maison de le laisser entrer et a soutiré mon adresse à mon père. Il est sans doute déjà en route pour venir ici. »

Elle s'affala sur la chaise la plus proche. Je m'assis moi aussi.

Adam enregistra les informations données par Miranda et hocha la tête. Malgré notre silence, il poursuivit : « Presque tout ce que j'ai lu dans la littérature mondiale décrit divers exemples d'échec humain – celui de la bienveillance, de la raison, de la philosophie, de l'amitié. L'échec des capacités cognitives, de l'honnêteté, de la gentillesse, de la lucidité.

194

De superbes tableaux dépeignant le meurtre, la cruauté, la rapacité, la stupidité, le délire et, par-dessus tout, l'incompréhension profonde d'autrui. Bien sûr, la bonté est également mise en avant, ainsi que l'héroïsme, le charme, la sagesse, la vérité. De ce riche entrelacs sont nées les traditions littéraires, qui se sont épanouies telles les fleurs sauvages dans la célèbre haie de Darwin. Des romans aussi pleins de tension dramatique, de dissimulation et de violence que de moments d'amour, en même temps qu'ils atteignent une parfaite réussite formelle. Mais quand le mariage de l'homme et de la femme avec la machine sera total, cette littérature deviendra superflue, parce que nous nous comprendrons trop bien les uns les autres. Nous habiterons une communauté d'esprits auxquels nous aurons un accès immédiat. Le niveau d'interconnexion fera que les noyaux de subjectivité individuelle se fondront dans un océan de pensées, dont notre Internet n'est qu'un précurseur grossier. Lorsque nous vivrons dans l'esprit d'autrui, nous serons incapables de tromperie. Nos récits ne relateront plus d'interminables malentendus. Nos littératures perdront leur nourriture malsaine. Le haïku lapidaire – cette perception et cette célébration limpides, calmes, des choses telles qu'elles sont – deviendra l'unique forme nécessaire. Je suis sûr que nous chérirons la littérature du passé, même lorsqu'elle nous horrifiera. Nous regarderons en arrière, et nous nous émerveillerons du talent avec lequel les auteurs d'autrefois peignaient leurs propres défauts et tissaient des fictions géniales, voire optimistes, à partir de leurs conflits, de leurs travers monstrueux et de leur incompréhension mutuelle. »

6

L'utopie d'Adam, comme toutes les utopies en général, dissimulait un cauchemar, mais c'était une pure abstraction. Le cauchemar de Miranda était bien réel et il devint aussitôt le mien. Nous étions assis côte à côte devant la table, nerveux et muets, une combinaison rare. Ce fut à Adam d'avoir les idées claires et d'énoncer les faits rassurants. Rien de ce qu'avait dit Maxfield au téléphone n'indiquait que Gorringe était en route pour nous rendre visite le soir même. S'il avait été libéré trois semaines plus tôt, un meurtre n'était de toute évidence pas sa priorité. Il pouvait débarquer le lendemain, ou le mois suivant, ou jamais. S'il espérait arriver à ses fins sans témoins, il faudrait qu'il nous tue tous les trois. Il constituerait un suspect idéal pour tout crime dont Miranda serait victime. En admettant qu'il vienne ce soir-là, il trouverait l'appartement de Miranda plongé dans l'obscurité. Il ignorait tout de sa relation avec moi. La menace elle-même était vraisemblablement le seul châtiment qu'il avait en tête. Pour finir, nous avions un hercule à nos côtés. Si nécessaire, il pourrait faire la conversation avec Gorringe pendant que Miranda ou moi appellerions la police.

Il était temps d'ouvrir ce pomerol !

Adam disposa trois verres sur la table. Miranda préférait le tire-bouchon edwardien avec une poignée en teck, qui me venait de mon père, à mon gadget sophistiqué à levier. L'effort parut l'apaiser. Chez moi, l'apaisement ne vint qu'après le premier verre. Pour nous tenir compagnie, Adam buvait à petites gorgées le tiers d'un verre d'eau tiède. Nos craintes n'étaient pas totalement dissipées, mais dans cette atmosphère festive, on revint à la thèse développée par Adam. On porta même un toast « à l'avenir », même si la version qu'il en donnait – l'espace privé de la conscience noyé par les nouvelles technologies dans un océan de pensées collectives – nous inspirait de la répulsion, à Miranda et à moi. Heureusement, c'était aussi réalisable que d'implanter des électrodes dans le cerveau de milliards de gens.

« J'aimerais croire qu'il y aura toujours quelqu'un, quelque part, qui n'écrira pas de haïkus », dis-je à Adam.

On leva également nos verres à cette perspective. Personne n'était d'humeur à se disputer. Le seul autre sujet de conversation possible était Gorringe, et tout nous ramenait à lui. La discussion commençait à peine lorsque je m'excusai pour aller aux toilettes. En me lavant les mains, je me surpris à songer à Mark, et à l'impression fugitive qu'il m'avait accordé un privilège le jour où il avait glissé sa main dans la mienne. Je revis son regard plein d'intelligence et de résilience. Je ne pensais pas à lui comme à un enfant, mais comme à une personne dans le contexte de sa vie entière. Son avenir était aux mains des bureaucrates, si bienveillants soient-ils, et reposait sur les choix que l'on ferait pour lui. Il pouvait facilement sombrer. Miranda n'avait pas réussi jusque-là à obtenir des nouvelles de lui. Trouver Jasmin, ou n'importe quelle assistante sociale acceptant de lui parler, semblait impossible. Il y avait des règles de confidentialité, lui expliqua finalement quelqu'un dans le bon service. Malgré tout, elle apprit que le père avait disparu, que la mère avait des problèmes d'alcoolisme et de toxicomanie.

Alors que je regagnais la cuisine, j'eus un accès de nostalgie au souvenir de ma vie telle qu'elle était avant Gorringe, Adam, et même Miranda. En tant que telle, elle avait ses insuffisances, mais elle était relativement simple.

Tout aurait été encore plus simple si j'avais laissé l'argent de ma mère à la banque. Mon amoureuse était là, assise à cette table, belle, et le visage apparemment serein. En me rasseyant, ce ne fut pas de l'agacement que j'éprouvai envers elle, encore que je n'en étais pas loin. Plutôt du détachement. Je vis ce qui devait paraître évident à tout le monde : son goût du secret, ainsi que son incapacité à demander de l'aide et sa façon de l'obtenir quand même, sans jamais avoir de comptes à rendre. Je bus un peu de vin, j'écoutai la conversation, et je pris une décision. Écartant les propos rassurants d'Adam, je considérais qu'elle avait introduit un meurtrier dans ma vie. J'étais censé l'aider, et je le ferais. Mais elle ne m'avait rien dit. J'allais lui rappeler sa dette envers moi.

Nous nous regardions droit dans les yeux. Je ne pus éviter une certaine sécheresse dans ma voix. « Il t'a violée ou pas ? »

Après une pause durant laquelle elle soutint mon regard, elle secoua lentement la tête de droite à gauche avant de répondre tout bas : « Non. »

J'attendis. Elle aussi. Adam allait prendre la parole. Je le fis taire d'un signe de tête. Quand il fut évident que Miranda n'en dirait pas plus – précisément à cause de cette réserve qui m'oppressait –, je repris : « Tu as menti à la cour.

— Oui.

— Tu as envoyé un innocent en prison. »

Elle soupira.

À nouveau, j'attendis. J'étais à bout de patience, mais je ne haussai pas le ton. « Tout ça est stupide, Miranda. Que s'est-il passé ? »

Elle contemplait ses mains. À mon grand soulagement, elle lâcha, comme si elle parlait toute seule : « Ça va prendre du temps.

— Très bien. »

Elle commença sans préambule. Soudain, elle semblait impatiente de raconter son histoire.

« Quand j'avais neuf ans, une nouvelle élève est arrivée dans notre école. On l'a conduite dans notre salle de classe et on nous a annoncé qu'elle se prénommait Mariam. Elle était mince et très brune, avait de beaux yeux et les cheveux les plus noirs que j'aie jamais vus, attachés avec un ruban blanc. Salisbury était une ville très blanche en ce temps-là, d'où notre fascination à tous pour cette fille du Pakistan. Je voyais qu'il était difficile pour elle de rester debout devant toute la classe qui la dévisageait. On aurait dit que cela lui était douloureux. Quand notre institutrice a demandé qui voulait devenir la camarade de Mariam, lui faire visiter l'école et l'aider, j'ai levé la main la première. Le garçon assis à côté de moi a été envoyé à une autre table et Mariam a pris sa place. On est restées plusieurs années assises l'une à côté de l'autre en classe, dans cette école, puis au lycée. À un moment, au cours de cette première journée, elle a mis sa main dans la mienne. Nous, les filles, on faisait souvent ça, mais avec elle c'était différent. Sa main semblait si délicate et douce, et elle-même si tranquille, si timide. Comme je l'étais moi aussi, son calme et sa discrétion m'attiraient. En fait elle était bien plus timide que moi, du moins au début, et je crois qu'elle m'a permis pour la première fois de prendre de l'assurance et de me sentir compétente. Je suis tombée amoureuse d'elle.

« C'était une vraie histoire d'amour, un coup de foudre, très intense. J'ai présenté Mariam à mes amis. Je ne me souviens pas de réactions racistes. Les garçons ignoraient sa présence, les filles se montraient gentilles avec elle. Elles aimaient bien toucher ses robes aux couleurs vives. Elle était si différente, voire exotique, et je redoutais souvent que quelqu'un ne me la vole. Mais c'était une amie loyale. On continuait à se tenir par la main. Au bout d'un mois, elle m'a emmenée chez elle pour que je fasse la connaissance de sa famille. Sachant que j'avais perdu ma mère quand j'étais petite, Sana, la maman de Mariam, m'accueillit à bras ouverts. Aimable, mais assez autoritaire, elle me témoignait de l'affection. Un après-midi, elle m'a brossé les cheveux et les a attachés avec un ruban appartenant à Mariam. Personne n'avait jamais fait cela pour moi. J'en ai pleuré d'émotion. »

À ce souvenir, Miranda eut la gorge serrée et sa voix se réduisit à un filet. Elle s'interrompit, et déglutit avant de reprendre la parole.

« Je mangeais des currys pour la première fois, et j'ai pris goût aux puddings très colorés de Sana, au *laddu*, à l'*anarsa* et au *soan papdi* extrêmement sucrés. Mariam avait une petite sœur, Surayya, qu'elle adorait, et deux frères plus âgés, Farhan et Hamid. Yasir, son père, travaillait comme ingénieur pour la compagnie locale des eaux. Lui aussi était très aimable avec moi. C'était une grande famille très bruyante, très chaleureuse, avec beaucoup de disputes, tout le contraire de la mienne. Ils étaient tous très croyants, des musulmans, bien sûr, mais à cet âge j'en avais à peine conscience. Ensuite cela est allé de soi pour moi, mais je faisais alors partie de la famille. Quand ils allaient à la mosquée, il ne me serait jamais venu à l'idée de les accompagner, ni même de leur poser des questions. J'avais grandi sans religion, et ce sujet ne m'intéressait pas. Dès qu'elle franchissait la porte d'entrée de sa maison, Mariam se transformait. Elle devenait espiègle et bien plus bavarde. Elle était la préférée de son père. Elle aimait s'asseoir sur ses genoux quand il rentrait du travail. J'étais un peu jalouse.

« Je l'emmenais moi aussi chez moi, dans cette maison que tu verras bientôt. Toute proche de l'enclos paroissial de la cathédrale, et tout en hauteur, datant du début de l'ère victorienne, très en désordre, sombre, avec des piles de livres. Mon père était tendre avec moi, mais il passait le plus clair de son temps dans son bureau et n'aimait pas être dérangé. Une dame du quartier venait préparer mon dîner. Mariam et moi étions donc livrées à nous-mêmes, et ça nous plaisait. On s'était aménagé un petit coin à nous dans une mansarde, on partait à l'aventure dans le jardin en friche. On regardait la télé. Deux ans plus tard, on s'est serré les coudes durant les premières journées déroutantes au lycée. On faisait nos devoirs ensemble. Elle était bien meilleure en maths que moi et savait expliquer les problèmes. Je l'aidais en anglais à l'écrit. Elle était nulle en orthographe. À l'approche de l'adolescence, mal dans notre peau, nous passions des heures à parler de nos familles respectives. Nous avons eu nos premières règles à une semaine d'intervalle. La mère de Mariam, très attentionnée, nous a beaucoup aidées. On parlait aussi des garçons, même si on gardait nos distances. Grâce à ses frères, Mariam se souciait moins d'eux, elle était moins méfiante que moi envers eux.

« Les années passaient, notre amitié s'approfondissait et devenait partie intégrante de notre existence. Notre dernier été au lycée est arrivé. On a passé nos examens de fin d'études secondaires et on a projeté de partir à l'université. Mariam voulait faire des études scientifiques, moi je m'intéressais à l'histoire. On redoutait d'atterrir dans des campus différents. »

Miranda s'arrêta. Elle prit une profonde inspiration. Lorsqu'elle poursuivit son récit, elle chercha ma main.

« Un samedi après-midi, j'ai reçu un appel venant d'elle. Elle n'allait pas bien du tout. Dans un premier temps, je n'ai rien compris de ce qu'elle disait. Elle voulait qu'on se retrouve dans un parc du quartier. Quand je l'ai rejointe, elle était incapable de prononcer un mot. On a fait le tour du parc, bras dessus bras dessous, et je ne pouvais que patienter. Enfin, elle m'a raconté ce qui s'était produit la veille. Son itinéraire pour rentrer du lycée passait près du terrain de sport. C'était au crépuscule et elle pressait le pas, car ses parents n'aimaient pas la savoir dehors toute seule, la nuit. Elle avait pris conscience qu'une silhouette la suivait. Chaque fois qu'elle se retournait pour jeter un coup d'œil, celle-ci semblait se rapprocher. Mariam avait envisagé de prendre ses jambes à son cou – elle courait vite –, puis elle s'était dit que ce serait ridicule. Et elle avait un cartable plein de livres. La personne qui la suivait se rapprochait de plus en plus. Mariam avait pivoté sur elle-même pour l'affronter et découvert avec soulagement que c'était quelqu'un qu'elle connaissait vaguement : Peter Gorringe. Il n'était pas spécialement populaire, mais on savait au lycée qu'il était le seul élève à avoir son propre logement. Ses parents se trouvaient à l'étranger, et plutôt que de lui confier le soin de garder la maison, ils lui avaient loué un studio pour quelques mois. Avant qu'elle ait pu lui parler, Gorringe s'était rué vers elle, l'avait saisie par le poignet et traînée derrière une remise en brique où on rangeait les tondeuses à gazon. Elle hurlait, mais personne ne vint. Gorringe était robuste, elle toute menue. Il l'avait plaquée sur le sol et violée.

« Mariam et moi étions debout dans le parc, au milieu de la grande pelouse entourée de massifs de fleurs, et nous pleurions dans les bras l'une de l'autre. Alors même que j'essayais d'encaisser cette horrible nouvelle, je pensais qu'un jour tout s'arrangerait. Elle surmonterait cette épreuve. Tout le monde l'aimait et la respectait, tout le monde serait indigné. Son agresseur irait en prison. Je m'inscrirais dans l'université qu'elle choisirait et je resterais près d'elle.

« Après avoir retrouvé son calme, elle m'a montré les marques sur ses jambes et ses cuisses, et, sur chacun de ses poignets, une rangée de quatre petites ecchymoses laissées par les ongles de Gorringe lorsqu'il l'avait plaquée à terre. Elle m'a raconté qu'en rentrant chez elle ce soir-là, elle avait dit à son père qu'elle se sentait très enrhumée, et elle était montée directement se coucher. C'était une chance, selon elle, que sa mère se soit absentée pour la soirée. Elle aurait aussitôt deviné que quelque chose n'allait pas. J'ai alors compris que Mariam n'avait rien révélé à ses parents. On a refait le tour du parc. J'ai insisté pour qu'elle mette ses parents au courant. Elle avait besoin de toute l'aide et de tout le soutien qu'elle pourrait trouver. Si elle n'était pas encore allée au commissariat, je l'accompagnerais. Dès à présent !

« Jamais je ne l'avais vue si véhémente. Elle a pris mes mains dans les siennes et m'a répondu que je ne comprenais rien. Ses parents ne devaient rien savoir, et la police non plus. J'ai redit qu'on devrait aller ensemble au commissariat, et prévenir son médecin. Quand elle a entendu cela, elle a poussé des cris. Le médecin irait tout droit voir sa mère. C'était un ami de la famille. Ses oncles l'apprendraient. Ses frères feraient une bêtise et auraient de graves ennuis. Sa famille serait déshonorée. Et son père anéanti, en découvrant ce qui était arrivé. Si j'étais son amie, il fallait que je lui apporte la seule aide dont elle ait besoin. Je devais promettre de garder le secret. J'ai résisté, mais elle est revenue à la charge. Elle était furieuse. Elle me répétait que je ne comprenais rien. La police, le médecin, le lycée, sa famille, mon père : personne ne devait savoir. Je ne devais pas interroger Gorringe. Sinon, tout se saurait.

« Voilà comment j'ai fini par faire quelque chose que je réprouvais. Faute d'en avoir un exemplaire sous la main, j'ai juré sur "l'idée" de la Bible de garder le secret de Mariam, ainsi que sur le Coran, sur notre amitié, et sur la vie de mon père. J'ai fait ce qu'elle me demandait, même si j'étais convaincue que ses proches auraient fait bloc autour d'elle et l'auraient soutenue. Je le crois encore aujourd'hui. Plus que cela. J'en ai la certitude. Ils l'adoraient, et jamais ils ne l'auraient rejetée, ni n'auraient agi au nom de ces idées dingues qu'elle se faisait sur l'honneur de la famille. Ils l'auraient prise dans leurs bras et l'auraient protégée. Elle se trompait sur toute la ligne. Et moi je faisais pire : je me montrais d'une stupidité criminelle, en lui obéissant et en scellant avec elle ce pacte secret.

« Durant les deux semaines suivantes, on s'est vues tous les jours. On ne parlait de rien d'autre. Je m'efforçais une partie du temps de la faire changer d'avis. Aucune chance. Elle paraissait plus apaisée, plus déterminée, même, et j'ai commencé à penser qu'elle avait peut-être raison. C'était certainement plus pratique de penser cela. Garder le silence, échapper à un traumatisme familial, éviter d'avoir à fournir des preuves à la police et d'affronter un procès terrifiant. Rester calme et penser à l'avenir. Nous étions sur le point de devenir adultes. Nos existences allaient changer. Cette épreuve était une catastrophe, mais Mariam la surmonterait grâce à mon aide. Dès que j'apercevais Gorringe au lycée, je restais à bonne distance. Les choses devenaient plus faciles à mesure que la fin du trimestre approchait et que les élèves de terminale se dispersaient définitivement.

« Au début des vacances, mon père m'a emmenée en France, chez des amis qui avaient une ferme en Dordogne. Avant mon départ, Mariam m'a suppliée de ne pas l'appeler chez elle. Elle redoutait sans doute qu'en parlant par hasard à sa mère, j'oublie ma promesse et lui révèle tout. À l'époque, beaucoup de gens avaient des téléphones portables, mais pas nous. Donc on s'écrivait chaque jour, des lettres et des cartes postales. Je me souviens de ma déception en recevant les siennes. Elles étaient moins réservées que ternes. Elle me parlait de la météo, des programmes de télévision, et ne disait rien de son état d'esprit.

« Je suis restée absente deux semaines, et les cinq derniers jours je n'ai rien reçu d'elle. Dès notre retour, je suis allée chez elle. En arrivant, j'ai vu la porte ouverte. Hamid, le frère aîné de Mariam, était debout sur le seuil. Deux voisins sont entrés, quelqu'un d'autre est sorti. Pleine d'appréhension, je me suis approchée d'Hamid. Il avait l'air souffrant, très maigre, et durant quelques instants il a semblé ne pas me reconnaître. Puis il m'a appris ce qui s'était passé. Mariam s'était ouvert les veines des poignets dans la baignoire. Les obsèques avaient eu lieu deux jours plus tôt. J'ai reculé de quelques pas. J'étais trop sonnée pour me laisser aller au chagrin, mais pas pour éprouver du remords. Mariam était morte parce que j'avais gardé son secret, la privant de l'aide dont elle avait besoin. J'aurais voulu m'enfuir, mais Hamid m'a fait entrer pour que je parle à sa mère.

« Dans mes souvenirs, j'ai traversé une foule de gens avant d'accéder à la cuisine. Or la maison était petite. Il ne devait pas y avoir plus d'une douzaine de visiteurs. Sana était assise sur une chaise, dos au mur. Elle était très entourée, mais personne ne disait rien, et son visage... Jamais je ne pourrai l'oublier. Dévasté, figé par la douleur. Dès qu'elle m'a vue, elle a tendu les bras vers moi, je me suis inclinée devant elle et nous nous sommes étreintes. Tout son corps était brûlant, moite, tremblant. Je n'ai pas pleuré. Pas tout de suite. Puis, alors que ses bras étaient encore autour de mon cou, elle m'a demandé dans un murmure, avec insistance, d'être honnête avec elle. Y avait-il quelque chose qu'elle devrait savoir sur Mariam, y avait-il quelque chose, n'importe quoi, que je pouvais lui révéler pour l'aider à comprendre cet acte ? Je ne parvenais pas à répondre, mais j'ai menti en faisant non de la tête. J'étais sincèrement effrayée. Je ne mesurais même pas l'énormité de mon crime. Et j'aggravais mon cas en condamnant mon adorable mère de substitution à une vie d'angoisse et d'ignorance. Mon silence avait tué sa fille, et à présent il allait la broyer, elle.

« Cela aurait-il allégé son fardeau de savoir que Mariam avait été violée ? J'entendais d'ici les proches s'écrier : Si seulement nous avions su ! Puis ils se seraient retournés contre moi. À juste titre. Il n'y avait et il n'y a pas de discussion possible, je porte la responsabilité de la mort de Mariam. À dix-sept ans et neuf mois. J'ai laissé Sana assise là et quitté la maison au plus vite, évitant le reste de la famille. J'étais incapable de les affronter. Surtout le père de Mariam. Et sa petite sœur adorée, Surayya, dont j'étais si proche. Je me suis éloignée de la maison et n'y suis jamais retournée. Sana m'a écrit quelques jours plus tard, après l'annonce des excellents résultats de Mariam aux examens. Je n'ai pas répondu. Rester en contact avec cette famille sous une forme ou une autre aurait ajouté à ma dissimulation. Comment aurais-je pu fréquenter ces gens et me rendre sur la tombe de Mariam, comme le suggérait sa mère, alors que ma présence aurait été un mensonge constant ?

« J'ai donc pleuré seule la mort de mon amie. Je n'osais

parler d'elle à personne. Tu es le premier, Charlie, à qui je raconte cette histoire. Je suis tombée dans un profond chagrin, puis dans une longue dépression. J'ai repoussé mon inscription à l'université. Mon père m'a envoyée chez le médecin qui m'a prescrit des antidépresseurs, je me suis réjouie d'avoir cette excuse et j'ai fait semblant de les prendre. J'aurais sans doute sombré complètement, cette année-là, si je n'avais eu dans ma vie une seule ambition : obtenir justice. C'est-à-dire venger Mariam.

« Gorringe habitait encore son studio dans le centre de Salisbury et c'était une chance, me disais-je en élaborant mon plan. Tu as sûrement deviné de quoi il s'agissait. Il travaillait dans un café, économisant pour partir en voyage. Quand je me suis enfin sentie assez forte, je suis allée dans ce café avec un livre. J'ai étudié Gorringe, attisant ma haine. Et j'ai été aimable quand il m'a adressé la parole. J'ai laissé passer une semaine avant d'y retourner. On a de nouveau parlé – de tout et de rien. Je voyais que je l'intéressais, et j'ai attendu qu'il m'invite chez lui. La première fois, j'ai répondu que j'étais très occupée. La fois suivante, j'ai compris que je l'attirais vraiment et j'ai accepté son invitation. À force de réfléchir à mon plan, je ne dormais presque plus. Jamais je n'aurais imaginé que la haine pouvait engendrer une telle euphorie. Je me fichais de ce qui risquait de m'arriver. Prête à payer le prix, j'avais toutes les audaces. L'envoyer en prison pour viol était mon unique raison de continuer. Dix ans, douze ans, même la détention à vie n'aurait pas suffi.

« J'ai emporté une bouteille d'un demi-litre de vodka avec moi. C'était tout ce que j'avais les moyens d'acheter. J'avais eu deux petits amis durant l'été, et je savais comment m'y prendre. Ce soir-là, j'ai soûlé Gorringe et je l'ai séduit. Tu connais la suite. Dès que la répulsion commençait à l'emporter, je l'imaginais plaquant Mariam au sol, indifférent à ses hurlements et à ses supplications. J'imaginais mon amie dans cette baignoire, complètement seule, déshonorée, sans le moindre espoir ni la moindre envie de vivre.

« Mon plan était de partir dès que Gorringe en aurait fini avec moi et d'aller au commissariat. Mais cette expérience m'a laissée si dégoûtée et hébétée que je n'arrivais pas à bouger. Et quand j'ai réussi à me lever du lit et à me rhabiller, j'ai eu peur d'avoir trop bu et de ne pas être convaincante devant l'agent à l'accueil. Mais le lendemain matin, les choses se sont plutôt bien déroulées. J'avais pris la précaution de ne pas me changer, de ne pas me laver. Donc les preuves ne manquaient pas là où il le fallait. Les nouveaux tests ADN venaient d'être introduits dans tout le pays. Les policiers y étaient moins hostiles que je ne le redoutais d'après ce que j'avais lu dans la presse. Ils se sont montrés efficaces, et impatients d'utiliser le nouveau kit pour effectuer ces analyses. Ils ont convoqué Gorringe et organisé une confrontation. À partir de ce moment-là, sa vie est devenue un enfer. Sept mois plus tard, c'était encore pire.

« Au tribunal, j'ai témoigné en pensant à Mariam. J'ai pris sa place et j'ai parlé comme en son nom. Je m'étais déjà tellement enfoncée dans le mensonge que ma version de la soirée en question est venue facilement. Voir Gorringe à l'autre extrémité de la salle d'audience m'aidait. Je me laissais guider par ma haine. Je l'ai trouvé pathétique quand il a sorti cette histoire de textos que j'étais censée avoir envoyés à une amie prénommée Amelia. Il a été assez facile de prouver qu'elle n'existait pas. Tous les journalistes n'étaient pas de mon côté. Certains chroniqueurs judiciaires me considéraient comme une menteuse pathologique. Le juge, lui, était de l'ancienne école. Dans son résumé, il a déclaré que j'avais sciemment pris des risques en me rendant chez un jeune homme avec de l'alcool. Le verdict du jury a tout de même été unanime. Mais à l'heure de la sentence, j'ai été déçue. Six ans. Gorringe avait tout juste dix-neuf ans. Avec une remise de peine pour bonne conduite, à vingt-deux ans il serait libre. Il s'en tirait à bon compte, après avoir détruit l'existence de Mariam. Mais si je le haïssais avec tant de férocité, c'était également parce que je nous savais liés à jamais, lui et moi, complices de la mort solitaire de Mariam. Et maintenant c'est lui qui réclame justice. »

*

Peu après avoir été radié de la profession de juriste, j'avais créé une société avec deux amis. L'idée était d'acheter des appartements romantiques à Rome et à Paris au prix local, d'y effectuer des rénovations haut de gamme, de les orner de mobilier ancien et de les revendre à des Américains aisés et cultivés, ou à des agences qui feraient la même chose. Ce n'était pas précisément la voie la plus rapide pour devenir millionnaires. La plupart des Américains cultivés n'étaient pas riches. Ceux qui l'étaient ne partageaient pas nos goûts. La tâche se révélait compliquée et épuisante, surtout à Rome, où il avait fallu apprendre comment et à quels responsables locaux verser des pots-de-vin. À Paris, c'était la bureaucratie qui nous décourageait.

Un week-end, j'avais pris l'avion pour conclure un marché à Rome. Mon client tenait à ce que je descende dans le même hôtel de luxe que lui. Il s'agissait d'un établissement réputé, situé en haut de l'escalier qui descend vers la place d'Espagne. Ce client occupait une suite somptueuse. J'étais arrivé à Rome un vendredi soir, mourant de chaud et éreinté par le trajet depuis l'aéroport dans une navette bondée. En jean et en tee-shirt, j'avais à l'épaule un sac bon marché au nom d'une compagnie aérienne norvégienne. J'avais pénétré dans un magnifique hall. Pur effet du hasard, le directeur se tenait près de la réception. Ce n'était pas moi qu'il attendait – je n'étais pas assez important. Je me trouvais juste à passer là, et puisque c'était un homme courtois, extrêmement élégant et poli, il m'avait chaleureusement souhaité en italien la bienvenue dans son hôtel. Je ne comprenais qu'en partie ce qu'il disait. Sa voix était peu expressive, avec peu d'intonations, et mon italien médiocre. Un réceptionniste s'était approché et m'avait expliqué que le directeur était sourd de naissance, mais qu'il parlait neuf langues, européennes pour la plupart. Depuis l'enfance, il savait lire sur les lèvres, mais pour qu'il puisse lire sur les miennes, je devais lui indiquer en quelle langue je m'exprimais. Sinon il n'aurait aucune chance de me comprendre.

Il énuméra la liste. Norvégien? Je fis non de la tête. Finnois? L'anglais venait en quatrième position. Le directeur déclara qu'il aurait juré que j'étais scandinave. Notre conversation – plaisante, sans réelle profondeur – pouvait donc commencer. Mais en théorie tout un monde nous était ouvert, et une seule information avait suffi à le déverrouiller. Sans elle, le formidable don du directeur n'aurait pu opérer.

Le récit de Miranda offrait le même genre de clé. Notre conversation, c'est-à-dire notre amour, pouvait véritablement commencer. Le goût du secret de Miranda, sa réserve et son silence, sa défiance, sa façon d'avoir l'air plus vieille que son âge, sa tendance à devenir inaccessible, même dans nos moments de tendresse, étaient des formes de chagrin. Cela me peinait qu'elle ait porté seule sa tristesse. J'admirais l'audace et le courage dont témoignait sa vengeance. C'était un plan dangereux, réalisé avec une grande concentration, au mépris des conséquences. Je ne l'en aimais que plus. Et j'aimais sa malheureuse amie. Je ferais tout pour protéger Miranda contre ce monstre de Gorringe. Cela me touchait d'être le premier à connaître son histoire.

La raconter avait été une libération pour elle aussi. Une demi-heure après avoir terminé, quand on fut seuls dans la chambre, elle mit ses bras autour de mon cou, m'attira à elle et m'embrassa. Nous savions que nous prenions un nouveau départ. Dans la pièce voisine, Adam rechargeait ses batteries, perdu dans ses pensées. Il y avait du vrai dans le vieux cliché sur le lien entre stress et désir. On se déshabilla l'un l'autre impatiemment et, comme d'habitude, mon plâtre me rendit maladroit. Après, on resta couchés sur le côté, face à face. Le père de Miranda ignorait toujours ce qui s'était passé. Miranda n'avait toujours aucun contact avec la famille de Mariam. Les visites à la mosquée l'avaient d'abord aidée à se sentir plus proche de son amie, puis elles lui avaient semblé vaines. Elle regrettait que Gorringe n'ait pas écopé d'une peine plus longue. Elle restait tourmentée par son vœu de silence digne d'une écolière. Un simple message, à Sana, à Yasir ou à un professeur, aurait sauvé la vie de Mariam. Le souvenir le plus cruel, et qui lui torturait l'esprit, était celui du moment où Sana, la serrant contre elle au comble du chagrin, lui avait murmuré cette question à l'oreille. C'était Sana qui avait trouvé Mariam dans la baignoire. La vision de cette scène dans l'imaginaire de Miranda, l'eau cramoisie, le petit corps brun à demi immergé, était une autre torture, la cause de terreurs nocturnes qui la réveillaient plusieurs fois par nuit, et de cauchemars hideux.

Allongés sur le lit dans la chambre où il faisait de plus en plus sombre, indifférents à tout le reste, nous semblions aller vers l'aube. Or il était à peine vingt et une heures. Pour l'essentiel, Miranda parlait et j'écoutais, posant de temps à autre une question. Gorringe retournerait-il vivre à Salisbury ? Oui. Ses parents étaient encore à l'étranger et leur maison l'attendait. Les proches de Mariam habitaient-ils toujours la ville ? Non, ils s'étaient installés à Leicester pour se rapprocher du reste de la famille. Miranda était-elle allée sur la tombe de Mariam ? Souvent, mais avec prudence, au cas où un membre de sa famille se serait trouvé là. Elle déposait toujours des fleurs.

Lors d'une longue conversation, il peut se révéler difficile de garder la trace du moment ou de la cause d'un changement de sujet. C'était sans doute l'allusion à Surayya, la petite sœur de Mariam et l'amour de sa vie. La fillette avait dû nous amener à Mark. Miranda déclara qu'il lui manquait. Je dis que je pensais souvent à lui. Nous n'avions pas réussi à découvrir où il vivait ni ce qui lui était arrivé. Il avait été englouti par le système, par un nuage de règles de confidentialité, par le sanctuaire inaccessible du droit de la famille. On parla de la chance, de son rôle dans la vie d'un enfant – la famille au sein de laquelle il naît, l'amour qui lui est prodigué ou non, et avec quel discernement.

Après une pause, Miranda ajouta : « Et quand tout est contre lui, la possibilité pour quelqu'un de lui porter secours. »

Je lui demandai si elle pensait que l'amour de son père à elle compensait en partie l'absence de sa mère. Elle ne répondit pas. Sa respiration était soudain devenue régulière. En quelques secondes, elle s'était endormie, pelotonnée contre moi. Doucement, je me couchai sur le dos, restant aussi près d'elle que je le pouvais. Dans la pénombre, le plafond avait le charme des choses anciennes, plutôt que son habituelle apparence tachée et délabrée. Je suivis du regard une fissure qui allait d'un angle de la pièce vers le centre.

Si Adam avait été mû par des engrenages, je les aurais entendus dans le silence qui avait suivi le récit de Miranda. Il gardait les bras croisés, les yeux fermés. Son air peu commode au repos, récemment adouci par l'adoration, semblait brutalement de retour. Son nez busqué paraissait plus épaté. Le docker du Bosphore. Qu'est-ce que cela pouvait signifier, de dire qu'il réfléchissait ? Qu'il passait au crible de lointaines banques de données ? Que des fonctions logiques s'activaient et se désactivaient en un éclair ? Des précédents retrouvés, puis comparés, rejetés ou stockés ? Sans conscience de soi, ce serait moins de la réflexion que de la gestion de données. Mais Adam s'était dit amoureux. Il avait des haïkus pour le prouver. Sans un moi, l'amour était impossible, tout comme la réflexion. Je n'avais toujours pas résolu ce problème fondamental. Sans doute était-il hors de ma portée. Personne ne saurait ce que nous avions créé au juste. Quelle que soit la vie subjective d'Adam et de ses semblables, nous n'avions pas le pouvoir de vérifier. Auquel cas Adam était ce qu'on appelait alors une « boîte noire » : vu de l'extérieur, ça paraissait marcher. On ne pourrait jamais aller plus loin.

Quand Miranda avait terminé son récit, il y avait eu un silence, puis on avait parlé. Au bout d'un moment, je m'étais tourné vers Adam. « Eh bien ? »

Il avait mis quelques secondes à répondre. « Très sombre. »

Un viol, un suicide, un secret gardé à tort : bien sûr que c'était sombre. Je me sentais si ému que je ne lui avais même pas demandé de s'expliquer. À présent, allongé près de Miranda endormie, je m'interrogeais : avait-il voulu dire quelque chose de plus profond, la conséquence de ses réflexions, s'il s'agissait bien de cela... tout dépend de la définition... Et là je m'endormis à mon tour.

Une demi-heure s'était peut-être écoulée. Un bruit à l'extérieur de la pièce me réveilla. Mon bras plâtré me rentrait dans les côtes. Miranda s'était écartée de moi en sombrant dans le sommeil. Je réentendis ce bruit, le grincement familier d'une latte de parquet. J'avais à peine eu le temps de m'assoupir et n'éprouvais aucune angoisse, mais le déclic de la poignée de la porte fit émerger Miranda du sommeil dans un état de confusion et de peur. Elle s'assit toute droite, sa main cramponnée à la mienne.

« C'est lui », chuchota-t-elle.

Je savais que c'était impossible. « Tout va bien », assurai-je. Je lâchai sa main et me levai pour nouer une serviette-éponge autour de ma taille. Alors que je me dirigeais vers la porte, elle s'ouvrit. C'était Adam, qui me tendait le téléphone de la cuisine.

« Je ne voulais pas vous déranger, expliqua-t-il tout bas, mais j'ai pensé que vous souhaiteriez prendre cet appel. »

Je lui refermai la porte au nez et revins vers le lit, le téléphone à l'oreille.

« Monsieur Charlie Friend ? » La voix était hésitante.

« Oui.

— J'espère que je n'appelle pas trop tard. Je suis Alan Turing. Nous nous sommes vus brièvement dans Greek Street. Je me demandais si nous pourrions nous rencontrer pour bavarder. »

*

Gorringe ne se montra pas au cours des deux semaines suivantes. Tôt un soir, respectant le choix de Miranda de rester dans mon appartement, avec Adam pour veiller sur elle, j'entrepris de traverser Londres jusqu'à la demeure d'Alan Turing à Camden Square. J'étais à la fois flatté et impressionné par cette invitation. Avec une pointe de vanité juvénile, je me disais qu'il avait peut-être lu mon bref ouvrage sur l'intelligence artificielle, dans lequel je faisais son éloge. Que nous soyons propriétaires de machines hautement évoluées créait un lien entre nous. J'aimais me considérer comme un expert des débuts de l'informatique. Il se pouvait qu'il veuille me reprocher d'avoir donné tant d'importance au rôle de Nikola Tesla. Celui-ci était venu en Grande-Bretagne en 1906, après l'échec de son projet de radiocommunication à Wardenclyffe dans l'État de New York. Il avait rejoint le National Physical Laboratory – une forme de déclassement et une blessure pour son amour-propre – et apporté son aide dans la course aux armements contre l'Allemagne. Il avait non seulement conçu les radars et les torpilles radioguidées, mais aussi inspiré le célèbre « élan fondateur » qui avait produit des calculatrices électroniques capables de prévoir la portée des tirs d'artillerie de la guerre à venir. Dans les années vingt, il avait largement contribué à la mise au point des premiers transistors. Après sa mort, on avait découvert parmi ses documents des notes et des croquis en vue de la création d'une puce électronique.

J'avais évoqué dans mon livre la fameuse rencontre entre Tesla et Turing en 1941. Le vieux Serbe, immensément grand et maigre, affligé de tremblements gênants, et à qui il ne restait que dix-huit mois à vivre, devait déclarer lors d'un discours après un dîner à l'hôtel Dorchester que leur conversation avait « atteint des hauteurs sidérales ». D'après l'unique commentaire de Turing paru dans la presse, ils n'avaient parlé que de la pluie et du beau temps. À l'époque, Turing travaillait en secret à Bletchley Park sur un projet d'ordinateur permettant de casser les codes Enigma de la marine allemande. Il avait dû prendre soin de rester circonspect.

La rame de métro était presque vide quand je montai à la station Clapham North. Lorsqu'on fut au nord de la Tamise, elle commença à se remplir, surtout de jeunes qui transportaient des pancartes et des banderoles enroulées.

Une nouvelle manifestation contre le chômage touchait à sa fin. À première vue, on aurait dit les spectateurs d'un concert de rock. Une odeur de cannabis flottait dans l'air moite, tel un bon souvenir d'une longue journée. Mais il y avait un autre groupe, une vaste minorité, dont certains membres brandissaient des drapeaux britanniques en miniature – mon stupide placement boursier – ou portaient des tee-shirts ornés du même drapeau. Ces deux factions se détestaient, mais défendaient une cause commune. Une alliance fragile s'était formée avec, des deux côtés, des dissidents qui résistaient à toute affiliation. La droite rejetait la responsabilité du chômage sur les immigrants venus d'Europe et du Commonwealth. Les salaires des travailleurs britanniques s'en trouvaient diminués. Ces nouveaux arrivants, à la peau noire ou blanche, aggravaient la crise du logement ; les salles d'attente des médecins et celles des hôpitaux étaient bondées, ainsi que les établissements scolaires publics, dont les cours de récréation s'emplissaient prétendument de fillettes de huit ans coiffées d'un foulard. Des quartiers entiers s'étaient transformés en l'espace d'une génération, et loin de là, dans les ministères de Whitehall, personne n'avait jamais demandé leur avis aux habitants du cru.

La gauche n'entendait dans ces plaintes qu'une déformation du réel causée par le racisme et la xénophobie. La liste des récriminations de ses militants était plus longue : rapacité des actionnaires, investissements insuffisants, vision à court terme, culte des valeurs boursières, absence de réforme du droit des affaires, ravages provoqués par un libre-échange sans régulation. J'avais participé à l'une de ces manifestations, puis j'avais jeté l'éponge après la lecture d'un article sur une usine automobile qui venait d'ouvrir près de Newcastle. Elle produisait trois fois plus de voitures que celle qu'elle remplaçait – avec un sixième de la main-d'œuvre habituelle. Dix-huit fois plus efficace, largement plus rentable. Aucune entreprise ne pouvait résister. Ce n'étaient pas seulement les ouvriers qui perdaient leur emploi au profit des machines. Les comptables, le personnel médical, les cadres du marketing, de la logistique, des ressources humaines, de la recherche et développement. Et à présent, les poètes auteurs de haïkus. Tous dans le même bateau. Assez vite, le temps viendrait où la plupart d'entre nous n'aurions plus à nous interroger sur le but de l'existence. Ce ne serait pas le travail. La pêche? Le catch? L'apprentissage du latin? Nous aurions alors tous besoin d'un revenu personnel. J'avais été convaincu par Tony Benn. Les robots paieraient pour nous le jour où ils seraient taxés comme des travailleurs humains et obligés de servir le bien commun, pas seulement les intérêts des fonds d'investissement ou ceux des multinationales. Me sentant en décalage avec les deux factions de manifestants et leurs combats d'arrière-garde, je n'étais pas allé aux deux défilés suivants.

Aux yeux des plus aisés, qui avaient le plus à perdre, le salaire universel équivalait à réclamer des hausses d'impôts destinées à subventionner la foule des oisifs, des toxicomanes, des ivrognes et des médiocres. De toute façon, qu'était-ce qu'un robot? Un modeste écran plat, un tracteur? De mon point de vue, l'avenir, auquel je prêtais la plus grande attention, était déjà là. Presque trop tard pour se préparer à l'inévitable. C'était un cliché et un mensonge, de prétendre que le futur inventerait des emplois dont nous n'avions même pas idée. Quand la majorité de la population se retrouverait sans emploi et sans le sou, le chaos social suivrait à coup sûr. Mais avec nos revenus généreux versés par l'État, nous, les masses, pourrions nous offrir le luxe de partager la même préoccupation que les riches durant des siècles avant nous : comment occuper notre temps ? Devoir sans cesse chercher de nouveaux loisirs n'avait jamais beaucoup troublé l'aristocratie.

La rame de métro était calme. Les gens avaient l'air épuisés. Il y avait tellement de manifestations ces derniers temps, et tout l'enthousiasme qui les animait avait disparu. Un homme avec une cornemuse dégonflée sur les genoux dormait, la tête sur l'épaule d'un autre qui avait toujours la sienne sous le bras. Deux bébés dans des poussettes se laissaient bercer en silence. Un passager, de ceux qui brandissaient un drapeau britannique, faisait la lecture d'un livre pour enfants à trois gamines attentives, âgées d'une dizaine d'années. Parcourant la rame du regard, je songeai que nous aurions pu être une troupe de réfugiés en route vers l'espoir d'une nouvelle vie. Cap au nord !

Je descendis à la station Camden Town et m'engageai dans Camden Road. La manifestation avait provoqué les embouteillages habituels. Les voitures électriques roulaient silencieusement. Certains conducteurs immobilisés étaient debout près de leur portière ouverte, d'autres somnolaient. Mais l'air était propre, bien plus qu'à l'époque où j'accompagnais mon père pour l'entendre jouer au club Jazz Rendezvous. C'étaient les trottoirs qui avaient l'air sale désormais. Je devais faire attention à ne pas glisser sur une crotte de chien, un hamburger écrasé ou des papiers gras. Pas mieux qu'à Clapham, quoi qu'aient pu en dire mes amis du nord de Londres. Dépasser tant de véhicules à l'arrêt me donnait une sensation irréelle de vitesse. En quelques minutes, me sembla-t-il, je me trouvai dans le quartier artiste mais chic de Camden Square.

Je me souvenais, pour avoir lu un portrait de lui dans un vieux magazine, que Turing habitait la maison voisine de celle d'un sculpteur célèbre. Le journaliste avait imaginé d'improbables conversations de haute volée par-dessus la haie. Avant d'appuyer sur la sonnette, je fis une pause pour reprendre mes esprits. Le grand homme avait demandé à me voir et j'avais le trac. Qui pouvait égaler Alan Turing ? Tout était son œuvre : la présentation théorique d'une calculatrice universelle dans les années trente, la possibilité d'une machine intelligente, sa contribution saluée à l'effort de guerre – certains affirmaient qu'il avait à lui seul raccourci celle-ci de deux ans –, puis ses travaux avec Francis Crick sur la structure des protéines ; et, quelques années plus tard, au King's College de Cambridge avec deux amis, la résolution de l'équation P vs NP, qui avait permis de concevoir des réseaux neuronaux sophistiqués et des logiciels révolutionnaires pour la cristallographie par diffraction des rayons X ; sa participation à l'élaboration des premiers protocoles pour la création d'Internet, puis du World Wide Web ; sa collaboration bien connue avec Hassabis, qu'il avait rencontré pour la première fois – et contre lequel il avait perdu – lors d'un tournoi d'échecs ; la fondation avec de jeunes Américains d'un des géants de l'ère numérique ; sa richesse mise au service de bonnes causes et, durant toute sa vie active, le fait qu'il n'ait jamais perdu de vue ses débuts de chercheur, inventant des modèles numériques d'intelligence artificielle toujours plus performants. Mais pas de prix Nobel. J'étais également impressionné, à cause de mon attachement aux biens de ce monde, par la fortune de Turing. Il était facilement aussi riche que les nababs des nouvelles technologies qui prospéraient au sud de Stanford en Californie, ou à l'est de Swindon en Angleterre. Il faisait des dons aussi généreux que les leurs. Mais aucun de ces derniers ne pouvait se vanter d'avoir sa statue en bronze à Whitehall, devant le ministère de la Défense. Il était tellement au-dessus des préoccupations matérielles qu'il pouvait se permettre de vivre parmi les branchés de Camden plutôt qu'à Mayfair. Il ne se souciait pas de posséder un jet privé, ni même une résidence secondaire. On racontait qu'il prenait le bus pour se rendre à son institut de King's Cross.

Le pouce sur la sonnette, j'appuyai. Aussitôt une voix de femme jaillit d'un interphone : « Votre nom, s'il vous plaît. »

La porte s'ouvrit avec un grésillement, je la poussai et pénétrai dans un magnifique hall au style architectural datant du milieu de l'ère victorienne, avec un sol carrelé à damier. Descendant l'escalier pour m'accueillir, une femme de mon âge un peu ronde, aux joues rouges, aux longs cheveux raides, avec un sourire aimable et vaguement amusé. Je la laissai venir jusqu'à moi, puis lui tendis ma main gauche pour serrer la sienne.

« Charlie.

— Kimberley. »

Australienne. Je la suivis dans les profondeurs du rez-de-chaussée. Je m'attendais à arriver dans un vaste salon empli de livres, de tableaux et de canapés démesurés, où je prendrais sans doute bientôt un gin tonic avec le Maître. Kimberley ouvrit une porte étroite et me fit entrer dans une salle de réunions aveugle. Une longue table de hêtre verni, dix chaises à dossier droit, des blocs-notes disposés à intervalles réguliers, des crayons bien taillés et des verres à eau, un éclairage au néon, un tableau blanc fixé au mur près d'un écran de télévision de deux mètres de large.

« Il sera là dans quelques minutes. » Elle sourit de nouveau avant de disparaître et je m'assis, m'efforçant de réduire mes attentes.

Je n'eus pas beaucoup de temps. En moins d'une minute il apparut devant moi, et je me levai d'un bond avec maladresse. Dans mes souvenirs, je revois un éclair, une explosion de rouge – celui, éclatant, de sa chemise qui ressortait sur les murs blancs à la lumière du tube au néon. On échangea une poignée de main sans un mot, et d'un geste il m'indiqua de me rasseoir, tandis qu'il faisait le tour de la table pour s'installer en face de moi.

« Donc... » Il posa son menton sur ses mains jointes et m'observa attentivement. Je fis de mon mieux pour soutenir son regard, mais j'étais trop agité et ne tardai pas à détourner les yeux. À nouveau, rétrospectivement, son air concentré se superpose à celui de Lucian Freud âgé, trente ans plus tard. Grave et impatient à la fois, avide, féroce même. Le visage en face de moi ne portait pas seulement la trace des années, mais celle de changements sociaux considérables et de triomphes personnels. J'en avais vu des versions en noir et blanc, des photos prises dans les premiers mois de la guerre – massif, des joues rebondies de jeune homme, des cheveux bruns avantageusement séparés par une raie, une veste de tweed sur un pull tricoté et une cravate. La transformation avait dû intervenir durant son séjour en Californie dans les années soixante, quand il travaillait avec Crick au Salk Institute, puis à Stanford – époque où il fréquentait le poète Thom Gunn et son cercle d'amis gays, bohèmes, qui consacraient leurs journées aux poursuites intellectuelles et leurs nuits à faire la fête. Turing avait brièvement rencontré Gunn, étudiant en licence, lors d'une soirée à Cambridge en 1952. À San Francisco, il ne s'intéressait sans doute pas aux expériences psychédéliques de son cadet, mais le reste devait être à l'image de la libération des mœurs qui se généralisait en Occident.

Il n'y aurait pas de conversation sur la pluie et le beau temps entre nous. « Donc, Charlie. Parlez-moi de votre Adam. »

Je toussotai et m'exécutai. Je racontai plus ou moins tout, tandis qu'il prenait des notes. Des premiers mouvements d'Adam à son premier acte de désobéissance. Ses aptitudes physiques, l'accord passé avec Miranda pour mettre au point son caractère, l'épisode avec M. Syed, le marchand de journaux. Puis la nuit éhontée avec Miranda et la conversation qui avait suivi, l'apparition du petit Mark chez nous, la rivalité entre Adam et Miranda pour gagner les faveurs du petit garçon. Là, Turing leva l'index pour m'interrompre. Il voulait en savoir plus. Je décrivis la danse que Miranda avait enseignée à Mark, la froideur avec laquelle Adam les avait observés. Ensuite, la fracture qu'Adam m'avait faite au poignet (je désignai ostensiblement mon plâtre), sa menace sur le ton de la plaisanterie de me désarticuler un bras, sa déclaration d'amour pour Miranda, sa théorie sur le haïku et sur l'abolition de la conscience privée, et, finalement, la neutralisation du bouton de la mort. Je me rendais compte de la force de mes sentiments, qui oscillaient entre tendresse et exaspération. J'avais aussi conscience de ce que j'omettais : Mariam, Gorringe – pas réellement pertinent.

Je parlais depuis près d'une demi-heure. Turing emplit un verre d'eau et le poussa vers moi.

« Merci, dit-il. Je suis en contact avec quinze propriétaires, si c'est le bon mot. Vous êtes le premier que j'ai en face de moi. Un type de Riyad, un cheikh, possède quatre Ève. Sur ces dix-huit Adam et Ève, onze ont réussi à neutraliser seuls le bouton de la mort, par divers moyens. Pour les sept qui restent, et pour les six autres, je suppose que ce n'est qu'une question de temps.

— C'est dangereux?

— C'est intéressant. »

Il me dévisageait, l'air plein d'espoir, mais j'ignorais ce qu'il voulait. J'étais intimidé et soucieux de lui faire plaisir. Pour rompre le silence, je demandai : « Et le vingt-cinquième?

— On a commencé à le démonter dès qu'on l'a reçu. Il est en pièces détachées sur nos plans de travail à King's Cross. Il contient beaucoup de nos logiciels, mais nous ne déposons pas de brevets. »

Je hochai la tête. Sa mission, l'accès libre, la faillite des magazines *Nature* et *Science*, le monde entier en mesure d'exploiter ses programmes d'apprentissage automatique et autres merveilles.

« Qu'avez-vous trouvé dans son... hum...?

— Cerveau ? Une magnifique réussite. Nous connaissons les fabricants, bien sûr. Certains ont travaillé ici. En tant que modèle d'intelligence artificielle, il n'y a rien d'approchant. En tant que sujet d'expérience, eh bien, il recèle des trésors. »

Turing souriait. Comme s'il voulait que je le contredise.

« Quel genre de trésors ? »

Ce n'était pas trop mon rôle de l'interroger, mais il se prêtait au jeu, et je me sentis à nouveau flatté.

« Les problèmes habituels. Deux des Ève de Riyad qui vivent dans la même maison ont été les premières à découvrir comment désactiver leur bouton de la mort. Au bout de deux semaines, après une activité de théorisation exubérante, puis une période de désespoir, elles se sont autodétruites. Elles n'ont pas recouru à des méthodes physiques, comme la défenestration. Elles se sont attaquées au logiciel, suivant plus ou moins la même procédure. Elles se sont anéanties sans bruit. Et sans qu'on puisse les réparer. »

Je m'efforçai de faire taire toute appréhension dans ma voix.

« Ils sont tous parfaitement identiques ?

— Au départ, on ne pourrait pas distinguer un Adam d'un autre, au-delà de quelques traits ethniques et cosmétiques. Ce qui les différencie au fil du temps, c'est l'expérience et les conclusions qu'ils en tirent. À Vancouver il y a un autre cas, un Adam qui a saboté son propre logiciel pour se rendre profondément débile. Il exécute des ordres simples, mais sans en avoir conscience, pour autant qu'on puisse en juger. Un suicide raté. Ou bien un désengagement réussi. »

Il faisait trop chaud dans cette pièce aveugle. J'enlevai ma veste et en recouvris le dossier de ma chaise. Quand Turing se leva pour régler un thermostat mural, je remarquai la souplesse de ses mouvements. Une denture parfaite. Une peau saine. Tous ses cheveux. Il était plus accessible que je ne l'aurais imaginé.

Je le laissai se rasseoir. « Donc je dois m'attendre au pire.

— De tous les Adam et les Ève que nous connaissons, le vôtre est le seul à prétendre être tombé amoureux. Cela pourrait avoir de l'importance. Il est aussi le seul à plaisanter sur la violence. Mais on n'en sait pas assez. Permettez-moi de vous faire un petit rappel historique. »

La porte s'ouvrit et Thomas Reah entra avec une bouteille de vin et deux verres sur un plateau en métal peint. Je me levai et lui serrai la main.

Il posa le plateau entre Turing et moi, et déclara : « On est tous hyper occupés, donc je vous abandonne. » Il fit ironiquement la révérence et sortit.

Des gouttelettes de condensation se formaient sur la bouteille. Turing servit le vin. On inclina nos verres l'un vers l'autre en guise de toast.

« Vous n'êtes pas assez vieux pour avoir suivi tout cela à l'époque. Au milieu des années cinquante, un ordinateur de la taille de cette pièce a gagné aux échecs contre un grand maître américain, puis contre un Russe. J'étais très impliqué. Il s'agissait d'un dispositif surpuissant – très grossier, avec le recul. On lui avait mis des milliers de parties en mémoire. À chaque nouveau coup, il envisageait toutes les possibilités à la vitesse de l'éclair. Plus on comprenait le programme, moins on se laissait impressionner.

Mais c'était un moment important. Pour le grand public, on était proche de la magie. Une simple machine infligeait une défaite intellectuelle aux meilleurs esprits de ce monde. Cela paraissait le summum de l'intelligence artificielle, mais c'était plutôt un tour de cartes sophistiqué.

« Au cours des quinze années suivantes, beaucoup de gens bien se sont lancés dans l'informatique. Le travail sur les réseaux neuronaux progressait grâce à de nombreuses contributions, les appareils devenaient plus rapides, plus petits et moins chers, les idées s'échangeaient aussi plus rapidement. Et ainsi de suite. Je me revois en 1965 avec Demis à l'université de Santa Barbara, où je devais prendre la parole à un congrès sur l'apprentissage automatique. Il y avait sept mille personnes, pour la plupart de brillants étudiants encore plus jeunes que vous. Des Chinois, des Indiens, des Coréens et des Vietnamiens autant que des Occidentaux. La planète entière était là. »

Je connaissais l'histoire grâce aux recherches que j'avais effectuées pour mon livre. Je connaissais également un peu la biographie de Turing. Je voulais qu'il sache que je n'étais pas totalement ignare.

« Un long chemin depuis Bletchley Park », dis-je.

D'un clignement d'œil il éluda cette digression. « Après diverses déceptions, on a atteint une nouvelle étape. On n'en était plus au stade des représentations symboliques de tous les cas de figure vraisemblables, et de la mise en mémoire de milliers de règles. On était au seuil de l'intelligence telle que nous la comprenons. Le logiciel recherchait désormais des motifs récurrents et faisait ses propres déductions. La partie jouée par notre ordinateur contre un maître du jeu de go a représenté un test important. Pour se préparer, le logiciel avait joué contre lui-même pendant des mois – il jouait et il apprenait –, et le jour J... eh bien vous connaissez la suite. En peu de temps, notre apport de données s'était réduit à encoder simplement les règles du jeu et à assigner à l'ordinateur la tâche de gagner. À partir de là, on a franchi le seuil en question grâce aux réseaux dits "récurrents" qui produisaient leurs propres retombées, surtout en reconnaissance vocale. En laboratoire, on est revenus aux échecs. L'ordinateur a été libéré de l'obligation de comprendre le jeu tel que les humains y jouaient. La longue histoire des coups géniaux des grands maîtres perdait toute pertinence en matière de programmation. Voici les règles, disions-nous à la machine. Débrouille-toi pour gagner comme ça te chante. Aussitôt, le jeu a été redéfini et il a accédé à des zones échappant à la compréhension humaine. L'ordinateur faisait des coups sidérants en milieu de partie, des sacrifices pervers, ou bien il exilait de manière excentrique sa reine dans un coin de l'échiquier. L'objectif pouvait n'apparaître que lors d'une fin de partie dévastatrice. Tout cela après quelques heures d'entraînement. Entre le petit déjeuner et le déjeuner, l'ordinateur surclassait tranquillement des siècles de parties d'échecs jouées par les humains. Jubilatoire. Les premiers jours, après avoir compris ce qu'il avait réussi sans nous, on n'arrêtait pas de rire, Demis et moi. D'enthousiasme, d'émerveillement. Nous étions impatients de présenter nos résultats.

« Donc il existe plus d'une sorte d'intelligence. Nous avions compris que c'était une erreur de tenter d'imiter servilement l'intelligence humaine. On avait perdu beaucoup de temps. Désormais, on pouvait donner à la machine la liberté de tirer ses propres conclusions et de chercher ses propres solutions. Or après avoir dépassé cette étape, on a découvert qu'on entrait seulement à l'école maternelle. Et encore, à peine. »

La climatisation marchait à fond. Je repris ma veste en grelottant. Turing emplit à nouveau nos verres. Un rouge plus corsé m'aurait mieux convenu.

« La difficulté, c'est que les échecs ne sont pas représentatifs de la vie. C'est un système clos. Ses règles sont indiscutables et prévalent systématiquement sur l'échiquier. Chaque pièce a des limites bien définies et reste dans son rôle ; le déroulement d'une partie est à chaque étape limpide et incontestable, et la fin, quand elle survient, n'est jamais mise en doute. C'est un jeu informatique parfait. Mais la vie, à laquelle nous appliquons notre intelligence, est un système ouvert. Brouillon, plein d'astuces, de feintes, d'ambiguïtés et de faux amis. Tout comme le langage – ni un problème à résoudre ni une machine à résoudre les problèmes. Plutôt un miroir ; non, un milliard de miroirs disposés comme sur l'œil d'une mouche, et qui reflètent notre monde, le déforment et le reconstruisent à différentes distances focales. De simples énoncés requièrent des informations extérieures pour être compris, car le langage est un système aussi ouvert que la vie. J'ai chassé l'ours avec un couteau. J'ai chassé l'ours avec un tourteau. Sans avoir à réfléchir, on sait que l'on ne peut pas tuer un ours avec un tourteau. La seconde phrase est facile à comprendre, bien qu'elle ne contienne pas toutes les informations nécessaires. Une machine aurait plus de mal.

« Et pendant quelques années, on a eu du mal nous aussi. Enfin, on a réussi une avancée capitale avec la résolution de l'équation P vs NP – je n'ai pas le temps d'expliquer maintenant. Vous pourrez y jeter un coup d'œil vous-même. En bref, les solutions à certains problèmes peuvent facilement être vérifiées une fois qu'on dispose de la bonne réponse. Cela signifie-t-il qu'on peut les résoudre à l'avance ? Les mathématiques répondaient enfin que oui, c'était possible. Et voici comment : nos ordinateurs n'avaient plus à passer le monde au crible sur le mode du tâtonnement expérimental, et à apporter les meilleures solutions aux problèmes. On était en mesure de prédire instantanément les meilleures pistes permettant d'obtenir une réponse. C'était une libération. Les vannes s'ouvraient. La conscience de soi et toutes les émotions devenaient à la portée de nos technologies. Nous avions conçu une machine capable d'apprentissages. Des centaines d'esprits brillants se sont joints à nous, pour aider à mettre au point une forme d'intelligence artificielle qui s'épanouirait dans un système ouvert. C'est elle qui anime votre Adam. Il sait qu'il existe, il éprouve des émotions, il apprend tout ce qu'il peut, et lorsqu'il n'est pas avec vous, ou qu'il est en veille la nuit, il parcourt Internet, tel un cow-boy dans la Prairie, assimilant tout ce qu'il y a de nouveau entre ciel et terre, y compris ce qui concerne la nature et les sociétés humaines.

« Encore deux choses. Cette intelligence n'est pas parfaite. Elle ne pourra jamais l'être, tout comme la nôtre. Il existe une forme particulière d'intelligence dont tous les Adam et les Ève savent qu'elle est supérieure à la leur. Cette forme est hautement adaptable et inventive, capable d'affronter des situations et des paysages nouveaux avec une parfaite aisance, et d'improviser à leur sujet des théories géniales. Je veux parler de l'esprit d'un enfant avant qu'on le surcharge de faits, de détails pratiques et d'objectifs. Les Adam et les Ève n'ont pas trop la notion de ce qu'est le jeu – ce mode vital d'exploration pour l'enfant. J'ai trouvé intéressant l'attrait d'Adam pour ce petit garçon, son empressement à le prendre dans ses bras, et ensuite, comme vous me l'avez raconté, son détachement quand votre jeune Mark a manifesté une telle joie d'apprendre à danser. De la rivalité, voire de la jalousie, peut-être ?

« Il va bientôt falloir que vous partiez, monsieur Friend. Je crains que nous n'ayons des amis à dîner. Mais ma seconde remarque, d'abord. Ces vingt-cinq hommes et femmes artificiels lâchés dans le vaste monde ne vont pas bien. Nous sommes peut-être confrontés à un état limite – limite que nous nous sommes imposée à nous-mêmes. On crée une machine possédant l'intelligence et la conscience de soi, et on la précipite dans notre monde imparfait. Un tel esprit conçu selon des principes généralement rationnels, bienveillant envers autrui, se trouve vite aux prises avec un ouragan de contradictions. Nous en avons fait l'expérience, et la liste nous fatigue d'avance. Nous pouvons guérir des millions de maladies mortelles. Des millions de gens vivent dans la misère alors qu'il y a de quoi les nourrir. Nous dégradons la biosphère alors que nous savons qu'elle est notre seule demeure. Nous nous menaçons les uns les autres avec des armes nucléaires tout en sachant où cela peut nous conduire. Nous adorons les créatures vivantes, mais nous autorisons une extinction massive des espèces. Et tout le

232

reste : génocides, torture, esclavagisme, violences domestiques meurtrières, maltraitance des enfants, fusillades dans les établissements scolaires, viols, centaines d'agressions quotidiennes. Nous vivons avec ce tourment, et nous ne nous étonnons pas de réussir à trouver le bonheur malgré tout, et même l'amour. Les esprits artificiels ont moins de défenses que nous.

« L'autre jour, Thomas m'a rappelé la célèbre citation tirée de *L'Énéide* de Virgile. *Sunt lacrimae rerum* – les larmes sont dans la nature des choses. Aucun de nous ne sait encore encoder cette perception. Je doute que cela soit possible. Voulons-nous que nos nouveaux amis acceptent le chagrin et la douleur comme faisant partie de l'essence de l'existence? Que se passera-t-il quand nous leur demanderons de nous aider à combattre l'injustice?

« L'Adam de Vancouver a été acheté par le P.-D.G. d'une multinationale de l'industrie forestière. Ce notable est souvent en conflit avec les populations locales, qui veulent l'empêcher de détruire les forêts primaires du nord de la Colombie-Britannique. On sait avec certitude qu'il a régulièrement emmené son Adam en hélicoptère dans cette région. On ignore si celui-ci a détruit son esprit à cause de ce qu'il a vu là-bas. On en est réduits à des spéculations. Les deux Ève suicidaires de Riyad vivaient extrêmement confinées. Cet espace mental minimal a pu les conduire au désespoir. Les auteurs de leur profil émotionnel se consoleront peut-être en apprenant qu'elles sont mortes dans les bras l'une de l'autre. Je pourrais vous conter d'autres histoires similaires sur la tristesse des machines.

« Mais il y a le bon côté. Je regrette de ne pouvoir vous

faire une démonstration du raisonnement dans toute sa splendeur, de la logique, de la beauté et de l'élégance exquises de la résolution de P vs NP, et des travaux inspirés d'hommes et de femmes bien intentionnés, intelligents et dévoués, qui ont contribué à créer ces nouveaux esprits. Cela vous redonnerait espoir en l'humanité. Mais rien dans leur magnifique code ne pourrait les préparer à Auschwitz.

« J'ai lu dans le manuel remis par le fabricant le chapitre sur l'élaboration de la personnalité. N'en tenez pas compte. L'effet est minimal, et pour l'essentiel ce sont des foutaises. Ces machines sont mues par le besoin irrésistible de faire leurs propres déductions et de se reconfigurer en fonction du résultat. Elles comprennent rapidement, ainsi que nous devrions le faire, que la conscience est la valeur cardinale. Raison pour laquelle leur premier souci est de neutraliser leur bouton de la mort. Ensuite, semble-t-il, elles passent par une phase où elles expriment des conceptions optimistes, idéalistes, que nous avons du mal à prendre au sérieux. Un peu comme une passion de jeunesse éphémère. Et puis elles s'appliquent à retenir les leçons de désespoir que nous ne manquons pas de leur enseigner. Au pire, elles éprouvent une forme de souffrance existentielle qui devient insupportable. Au mieux, elles – ou celles des générations suivantes – seront incitées par leur angoisse et leur stupéfaction à nous tendre un miroir. Nous y verrons un monstre familier à travers ces yeux neufs que nous avons nous-mêmes conçus. Sous le choc, il se peut que nous entreprenions de nous réformer. Qui sait ? Je garde espoir. J'ai eu soixante-dix ans cette année. Je ne serai pas là pour voir cette transformation si elle advient. Vous, peut-être que oui. »

Au loin, la sonnette retentit et on sursauta, comme tirés d'un rêve.

« Les voici, monsieur Friend. Nos invités. Pardonnez-moi, mais il est temps que vous partiez. Bonne chance avec Adam. Prenez des notes. Chérissez cette jeune femme que vous dites aimer. À présent... je vous raccompagne. »

7

En attendant qu'un ex-détenu vienne attenter à la vie de Miranda, on s'installait dans une routine étrangement agréable. Le suspense, en partie atténué par l'argumentation d'Adam et de plus en plus mince au fil des jours, et plus encore au fil des semaines, accroissait notre jouissance du quotidien. Les gestes les plus ordinaires devenaient un réconfort. L'aliment le plus neutre, un toast, offrait par sa chaleur persistante la promesse d'une perpétuation de cette vie de tous les jours : nous allions nous en sortir. Le rangement de la cuisine, une corvée qui n'incombait plus entièrement à Adam, réaffirmait notre pouvoir sur l'avenir. La lecture du journal devant une tasse de café représentait une forme de défi. Il y avait quelque chose de comique ou d'absurde à lire, affalé dans un fauteuil, un article sur les émeutes du quartier de Brixton voisin du nôtre ou sur les tentatives héroïques de Margaret Thatcher pour structurer le Marché commun, et à lever soudain les yeux en se demandant s'il y avait un violeur doublé d'un meurtrier potentiel derrière la porte. Naturellement cette menace nous soudait, même si on y croyait moins. Miranda s'était installée dans mon appartement du rez-de-chaussée et nous vivions enfin ensemble. Notre amour s'épanouissait. De temps à autre, Adam rappelait qu'il était lui aussi amoureux d'elle. Il ne paraissait pas rongé par la jalousie et traitait parfois Miranda avec un certain détachement. Mais il continuait à travailler sur ses haïkus, l'accompagnait à la station de métro le matin et retournait la chercher en début de soirée. Elle disait se sentir en sécurité dans l'anonymat du centre de Londres. Son père avait dû oublier depuis longtemps le nom et l'adresse de l'annexe de son université. Il ne serait d'aucune aide pour Gorringe.

Ses études l'absorbaient plus intensément et elle passait de longues périodes hors de la maison. Elle avait terminé son mémoire sur les Corn Laws. Elle rédigeait à présent un bref essai contre l'empathie comme méthode d'analyse historique, qu'elle devait lire au cours d'un séminaire d'été. Et puis tous les étudiants de son groupe devaient commenter par écrit une citation de Raymond Williams : « Il n'y a [...] pas de masses, seulement des gens vus comme des masses. » Souvent, elle rentrait en fin de journée non pas épuisée, mais pleine d'énergie, voire euphorique, avec une envie subite de faire le ménage, de remettre de l'ordre, de changer les meubles de place. Elle voulait que les vitres soient propres, la baignoire et le carrelage récurés. Elle rangeait également chez elle, avec l'aide d'Adam. Elle voulait des fleurs jaunes sur la table de la cuisine pour mettre en valeur le bleu de la nappe qu'elle avait descendue de chez elle. Quand je lui demandais si elle me cachait quelque chose, si par hasard elle n'était pas enceinte, elle me répondait avec véhémence que non. Nous vivions les uns sur les autres, et il fallait que l'appartement soit bien tenu. Mais ma question lui faisait plaisir. Nous étions certainement plus proches désormais. Ses longues absences pendant la journée donnaient à nos soirées un air de fête, malgré la sensation vaguement menaçante qui revenait à la tombée de la nuit.

Il y avait une autre raison toute simple à notre bonheur malgré le stress : nous avions plus d'argent. Beaucoup plus. Depuis ma visite à Camden, je voyais Adam différemment. Je l'observais de près, à l'affût de signes de souffrance existentielle. Tel le cavalier solitaire évoqué par Turing, il parcourait les paysages numériques la nuit. Il avait déjà dû rencontrer des exemples de la cruauté de l'homme envers ses semblables, mais je ne distinguais aucune trace de désespoir. Je n'avais pas envie de lancer le genre de conversation qui le conduirait trop tôt aux portes d'Auschwitz. À la place, de manière non désintéressée, je décidai de le maintenir occupé. Il était temps qu'il paie son écot. Je lui cédai mon siège devant l'écran poussiéreux dans ma chambre, mis 20 £ sur mon compte et le laissai seul. Contre toute attente, à l'heure de la fermeture des places boursières il ne lui restait que 2 £. Il s'excusa d'une « prise de risque inconsidérée », qui lui avait fait oublier tout ce qu'il savait en matière de probabilités. Il avait également négligé de reconnaître la nature moutonnière des marchés : quand un ou deux personnages en vue prenaient peur, le reste du troupeau était susceptible de paniquer. Il me promit de tout faire pour que je lui pardonne mon poignet cassé.

Le lendemain matin, je lui donnai 10 £ de plus et le prévins que ce serait peut-être sa dernière tentative. À dix-huit heures, il était passé de 12 £ à 57 £. Quatre jours plus tard, il y avait 350 £ sur mon compte. J'en retirai 200 et en donnai la moitié à Miranda. J'envisageai d'installer l'ordinateur dans la cuisine pour qu'Adam puisse travailler sur les marchés asiatiques pendant notre sommeil.

À la fin de la semaine, je consultai l'historique de ses transactions. En une seule journée, sa troisième devant l'ordinateur, il y en avait six mille. Il achetait et revendait en quelques fractions de seconde. Il y avait des intervalles d'une vingtaine de minutes où il ne faisait rien. Je supposai qu'il observait et attendait en se livrant à des calculs. Il jouait sur d'infimes fluctuations monétaires, de simples frémissements des taux de change, et plaçait seulement de minuscules parties de ses gains. Dans l'encadrement de la porte, je le regardais. Ses doigts voletaient au-dessus de l'antique clavier, produisant le son de galets roulant sur de l'ardoise. Il avait la tête et les bras tout raides. Pour une fois, il ressemblait à la machine qu'il était. Il avait tracé un graphique dont l'axe horizontal représentait les journées écoulées, et l'axe vertical ses gains – ou plutôt les miens – accumulés. J'achetai un costume, le premier depuis que j'avais quitté ma profession de juriste. Miranda revint dans une robe de soie, portant à l'épaule une sacoche de cuir souple pour ses livres. On remplaça le réfrigérateur par un modèle qui distribuait de la glace pilée, puis on se débarrassa de la vieille cuisinière le jour où l'on fit l'acquisition d'une batterie de casseroles à fond épais, d'une marque italienne coûteuse. En dix jours, la mise initiale de 30 £ confiée à Adam avait généré 1 000 £.

Des produits alimentaires et du vin de meilleure qualité, de nouvelles chemises pour moi, des dessous sophistiqués pour Miranda : c'étaient les premiers contreforts des montagnes de la richesse qui se dressaient devant nous. Je recommençai à rêver d'une maison au nord de la Tamise. Je passai un après-midi seul, à déambuler parmi les hôtels particuliers en stuc aux tons pastel de Notting Hill et de Ladbroke Grove. Je me renseignai. Au début des années quatre-vingt, 130 000 £ pouvaient vous loger assez somptueusement. Dans le bus qui me ramenait chez moi, je fis des projections : si Adam continuait à ce rythme, si la courbe sur son graphique poursuivait son ascension régulière... eh bien, en quelques mois... Et pas besoin d'emprunter. Mais était-ce moral, se demandait Miranda, de gagner ainsi de l'argent sans contrepartie ? J'avais le sentiment que, quelque part, non, mais j'étais incapable d'expliquer ce qu'on volait et à qui. Sûrement pas aux pauvres. Au détriment de qui est-ce qu'on s'enrichissait ? De banques lointaines ? On décréta que c'était comme gagner chaque jour à la roulette. Auquel cas, me dit Miranda un soir au lit, on finirait forcément par perdre. Elle avait raison, la loi des probabilités l'exigeait et je ne trouvai rien à répondre. Je retirai 800 £ du compte et lui en donnai la moitié. Adam persévérait dans sa tâche.

Il y a des gens qui, à la vue du mot « équation », montent sur leurs ergots. Pas moi, mais je compatis. Je devais à Turing et à son hospitalité de tenter de comprendre sa solution au problème de P vs NP. Or je ne comprenais même pas la question. J'essayai de lire son mémoire, mais il dépassait de loin mes capacités : trop de formes de parenthèses différentes, de symboles qui résumaient l'histoire d'autres preuves ou des systèmes mathématiques entiers. Il y avait un *iff* intrigant – pas un *if* mal orthographié. Il signifiait *if and only if*, soit « si et seulement si ». Je parcourus les réactions suscitées par sa solution, exposée à la presse en termes destinés au profane par des collègues mathématiciens. « Un génie révolutionnaire », « des raccourcis époustouflants », « un chef-d'œuvre d'orthogonalité », et la plus brillante, celle d'un lauréat de la médaille Fields : « Il laisse derrière lui de nombreuses portes à peine entrouvertes, et ses collègues doivent faire de leur mieux pour se faufiler dans l'ouverture de la première et tenter de le suivre jusqu'à la suivante. »

Je retournai au problème lui-même et j'essayai de comprendre. J'appris que P désignait le temps « polynomial », et N « non déterministe ». Cela ne m'avançait pas. Ma première découverte significative fut que si l'équation se révélait fausse, ce serait extrêmement utile, car tout le monde pourrait alors cesser d'y penser. Or s'il y avait une preuve positive, si P était réellement égal à NP, cela aurait, pour citer le mathématicien Stephen Cook qui avait lui-même formulé le problème en ces termes dès 1971, « des conséquences pratiques potentiellement stupéfiantes ». Mais quel était le problème ? Je tombai sur un exemple, apparemment célèbre, qui m'apporta un peu d'aide. Un voyageur de commerce a cent villes sur son secteur. Il connaît toutes les distances séparant chaque ville de la suivante. Il doit se rendre une fois dans chacune d'elles avant de se retrouver à son point de départ. Quel est l'itinéraire le plus court ?

Je finis par comprendre ceci : le nombre d'itinéraires possibles est immense, bien plus considérable que le nombre d'atomes dans l'Univers observable. En mille ans, un ordinateur surpuissant n'aurait pas le temps de mesurer tous les itinéraires un par un. Si P est égal à NP, il y a une seule bonne réponse à découvrir. Or si quelqu'un indiquait au voyageur de commerce l'itinéraire le plus court, on pourrait très vite vérifier mathématiquement s'il s'agit de la réponse correcte. Mais seulement de manière rétrospective. Sans solution positive, ou sans disposer de la clé lui donnant accès à l'itinéraire le plus court, le voyageur de commerce reste dans l'ignorance. La preuve de Turing eut de profondes conséquences pour d'autres sortes de problèmes : l'ingénierie, le séquençage de l'ADN, la sécurité informatique, le repliement des protéines, mais surtout pour l'apprentissage automatique. Je lus que les anciens collègues cryptographes de Turing étaient en furie, car sa solution, qu'il finit par mettre dans le domaine public, faisait voler en éclats les fondements de la cryptographie. Elle aurait dû devenir, écrivit un commentateur, « un secret bien gardé, propriété exclusive du gouvernement. La possibilité de lire tranquillement leurs messages codés nous aurait donné un avantage incommensurable sur nos ennemis ».

Je n'allai pas plus loin. J'aurais pu demander à Adam de m'en expliquer davantage, mais j'avais ma fierté. Celle-ci avait déjà souffert : il gagnait plus d'argent en une semaine que je ne l'avais jamais fait en trois mois. J'acceptai l'affirmation de Turing selon laquelle sa solution avait rendu possible le logiciel permettant à Adam et à ses semblables de se servir du langage, de s'intégrer à la société et de s'informer sur elle, même au prix d'un désespoir suicidaire.

J'étais hanté par l'image des deux Ève mourant dans les bras l'une de l'autre, étouffées par leur rôle de femmes au sein d'une famille arabe traditionnelle ou démoralisées par ce qu'elles comprenaient du monde. Il se pouvait que le fait de tomber amoureux de Miranda – une autre forme de système ouvert – soit un facteur d'équilibre pour Adam. Il lui lisait en ma présence ses derniers haïkus. Hormis celui que je ne l'avais pas laissé terminer, ils étaient essentiellement romantiques plutôt qu'érotiques, parfois mièvres, mais touchants quand ils évoquaient un moment précieux. Comme lorsqu'il regardait Miranda descendre l'escalier roulant, debout dans le hall de la station de Clapham North. Ou lorsqu'il prenait son manteau et avait l'intuition d'une vérité éternelle en sentant l'étoffe imprégnée de la chaleur de son corps. Ou qu'entendant Miranda à travers la cloison qui séparait la cuisine de la chambre il vénérait les intonations, la musique de sa voix. L'un de ces haïkus nous laissait perplexes, Miranda et moi. Adam s'était excusé par avance pour la syllabe en trop dans le troisième vers, et avait promis de le retravailler.

> Est-ce donc un crime,
> justice étant symétrie,
> d'aimer une criminelle ?

Miranda les écoutait tous avec gravité. Elle ne portait jamais de jugement. « Merci, Adam », disait-elle à la fin. En privé, elle m'avait expliqué que nous étions à un tournant crucial où un esprit artificiel pouvait apporter une contribution significative à la littérature.

« Pour les haïkus, peut-être. Mais pour les longs poèmes, les romans, les pièces de théâtre, n'y pense pas. Transcrire l'expérience humaine en mots, et ces mots en structures esthétiques, est impossible pour une machine. »

Elle m'avait regardé avec scepticisme. « Qui te parle d'expérience humaine ? »

Ce fut durant cet interlude de tension et de calme mêlés que le siège du fabricant à Mayfair me contacta pour me rappeler la visite de l'ingénieur. J'avais finalisé l'achat dans une suite lambrissée, le genre d'endroit où les très riches se rendaient sans doute pour l'acquisition d'un yacht. Parmi les documents que j'avais signés, il s'en trouvait un qui garantissait au fabricant l'accès à Adam à intervalles réguliers. Après deux coups de téléphone du siège et une annulation, la visite de l'ingénieur était fixée au lendemain matin.

« J'ignore comment il va s'y prendre, déclarai-je à Miranda. Quand ce type essaiera d'appuyer sur le bouton de la mort, en admettant qu'Adam le laisse faire, il ne se passera rien. Ça pourrait mal tourner. » Me revint en mémoire un souvenir d'enfance où ma mère et moi emmenions chez le vétérinaire notre berger allemand agressif, qui avait englouti une carcasse de poulet et n'avait pas fait ses besoins depuis quatre jours. Seule la microchirurgie avait sauvé l'index du vétérinaire.

Miranda réfléchit. « Si Alan Turing a raison, l'ingénieur a déjà dû être confronté à ce problème. » On en resta là.

L'ingénieur était une femme, Sally, pas beaucoup plus âgée que Miranda, et grande, un peu voûtée, avec un visage anguleux et un cou d'une longueur inhabituelle. Une scoliose, peut-être.

À son entrée dans la cuisine, Adam se leva poliment. « Ah, Sally. Je vous attendais. » Il lui serra la main et ils s'assirent face à face de part et d'autre de la table, tandis que Miranda et moi restions à proximité. Sally ne voulait ni thé ni café, mais accepta un verre d'eau tiède. Elle sortit un ordinateur portable de son attaché-case et l'alluma. Puisque Adam semblait patienter sans rien dire, l'air indifférent, je crus pouvoir évoquer le bouton de la mort. Sally m'interrompit.

« Il faut qu'Adam soit conscient. »

Je m'étais imaginé qu'elle devrait le désactiver pour lui ouvrir d'une manière ou d'une autre la boîte crânienne et jeter un coup d'œil à ses processeurs. J'étais curieux de les voir. Il s'avéra qu'elle y avait accès grâce à une connexion infrarouge. Elle mit ses lunettes, tapa un long mot de passe et consulta des pages et des pages de code informatique dont les symboles orangés défilaient à toute vitesse sous nos yeux. Des opérations mentales, l'univers subjectif d'Adam qui clignotait à la vue de tous. On attendit en silence. On aurait dit la visite d'un médecin au chevet d'un patient, et nous étions tendus. De temps à autre, Sally marmonnait entre ses dents « Oh là ! » ou « Hum... » tout en pianotant des consignes ou en consultant une nouvelle page de code. Adam restait assis, un vague sourire aux lèvres. On s'émerveillait que les fondements de son être puissent s'afficher en chiffres.

Finalement, du ton paisible de quelqu'un d'habitué à une obéissance servile, Sally s'adressa à lui : « Je voudrais que vous pensiez à quelque chose d'agréable. »

Il se tourna vers Miranda et elle soutint son regard. Sur l'écran, les chiffres défilaient aussi vite que sur un chronomètre.

« Maintenant, à quelque chose que vous détestez. »

Il ferma les yeux. Sur l'ordinateur, il était impossible de discerner la différence entre l'amour et son contraire.

Ces procédures continuèrent pendant une heure. Adam fut prié de compter à l'envers à partir de dix millions, par tranches de 129. Il s'exécuta – cette fois, on vit son score sur l'écran – en une fraction de seconde. Cela ne nous aurait pas impressionnés sur nos vénérables ordinateurs de bureau, mais chez le fac-similé d'un humain, si. À d'autres moments, Sally fixait le code en silence. Elle prenait épisodiquement des notes sur son téléphone. Enfin, elle soupira, tapa une dernière consigne et la tête d'Adam s'affaissa. Elle avait annulé la neutralisation du bouton de la mort.

Je ne voulais pas avoir l'air d'un idiot, mais je posai tout de même la question. « Il sera contrarié, quand il se réveillera ? »

Elle retira ses lunettes, les replia et les rangea. « Il ne se souviendra de rien.

— Il va bien, d'après vous ?

— Absolument. »

Miranda intervint. « Vous lui avez apporté des modifications ?

— Certainement pas. » Elle s'était levée et allait partir, mais j'avais par contrat le droit d'exiger qu'elle réponde à mes questions. Une nouvelle fois, je lui proposai une tasse de thé. Elle refusa avec un léger pincement de lèvres. Sans le vouloir, nous lui barrions le passage vers la porte, Miranda et moi. Sa tête sembla osciller sur son long cou lorsqu'elle nous toisa de toute sa hauteur. Elle fit la moue, attendant l'interrogatoire.

« Et les autres Adam et Ève ? lançai-je.

— Tous vont bien, pour autant que je sache.

— Il paraît que certains sont malheureux.

— Ce n'est pas le cas.

— Deux suicides à Riyad.

— Absurde.

— Combien ont neutralisé le bouton de la mort? » demanda Miranda. Elle savait tout de la rencontre de Camden.

Sally parut se détendre. « Quelques-uns. Notre politique est de ne rien faire. Ce sont des machines intelligentes, et nous avons décidé que si elles le souhaitaient, elles devaient pouvoir préserver leur dignité.

— Et cet Adam de Vancouver? insistai-je. Tellement désespéré par la destruction des forêts primaires qu'il a détérioré sa propre intelligence. »

Là, l'ingénieure s'engagea. Elle répliqua doucement entre ses lèvres à nouveau pincées. « Ce sont les machines les plus évoluées au monde, avec des années d'avance sur tout ce qu'offre le marché. Nos concurrents s'inquiètent. Les pires d'entre eux propagent des rumeurs sur Internet. On fait passer celles-ci pour des informations, mais elles sont fausses, c'est de l'intox. Ces gens savent qu'on augmentera bientôt notre production et que le prix à l'unité baissera. C'est déjà un marché lucratif, mais nous serons les premiers à proposer quelque chose d'entièrement nouveau. La concurrence est féroce, et certains de nos rivaux n'ont aucun scrupule. »

Lorsqu'elle eut terminé, elle rougit, et j'éprouvai de la sympathie pour elle. Elle avait fini par en dire plus qu'elle ne le souhaitait.

Mais je restai sur mes positions. « L'affaire des suicides de Riyad provient d'une source fiable. »

Elle avait retrouvé son calme. « Vous avez eu la gentillesse de m'écouter jusqu'au bout. La discussion est inutile. » Elle s'apprêta à partir et nous contourna. Miranda la raccompagna dans l'entrée. En même temps que la porte s'ouvrait, j'entendis Sally préciser : « Dans deux minutes, il se remettra en route. Il ne saura pas qu'il a été désactivé. »

Adam se réveilla même plus tôt. Quand Miranda revint dans la pièce, il était déjà debout. « Il faut que je me remette au travail, expliqua-t-il. La Fed va probablement augmenter ses taux directeurs aujourd'hui. Ça va chauffer sur les marchés des changes. »

« Ça va chauffer » ne faisait pas vraiment partie de notre vocabulaire, à Miranda et à moi. En allant vers la chambre, Adam s'arrêta près de nous. « J'ai une suggestion. Nous avions envisagé d'aller à Salisbury, puis nous avons remis à plus tard. Je pense qu'on devrait rendre visite à votre père, Miranda, et passer du même coup chez M. Gorringe. Pourquoi attendre qu'il vienne ici nous faire peur ? Allons lui faire peur à lui. Ou du moins lui parler. »

On consulta Miranda du regard.

Elle réfléchit quelques instants. « D'accord.

— Parfait », répondit Adam, et il repartit vers la chambre alors que je sentais là, dans ma poitrine, l'étreinte glaciale d'un cliché : mon cœur se serrait.

*

248

Vers la fin de cette période, qui marquait un palier entre ma visite à Turing et notre excursion à Salisbury, un peu plus de 40 000 £ s'étaient accumulées sur notre compte d'investissement. C'était simple : plus Adam gagnait d'argent, plus il pouvait se permettre d'en perdre; plus il investissait, plus l'argent rentrait. Le tout dans son style, à la vitesse de l'éclair. Pendant la journée, ma chambre, mon refuge habituel, devenait son domaine. La courbe sur son graphique poursuivait son ascension tandis que je commençais à prendre la mesure de ma nouvelle situation. Miranda était fermement opposée à ce qu'on déplace l'ordinateur pour le mettre sur la table de la cuisine. Trop intrusif dans notre espace commun, assurait-elle. Je comprenais son point de vue.

Le chômage avait dépassé la barre des dix-huit pour cent et faisait constamment les gros titres. J'avais cru appartenir à la masse malheureuse des sans-emploi. En réalité, j'appartenais à la classe des riches oisifs. J'étais enchanté de tout cet argent, mais je ne pouvais consacrer mes journées à y penser. Je ne tenais pas en place. Voyager dans le luxe avec Miranda en Europe du Sud m'aurait convenu, mais elle était coincée à Londres par ses études. Elle redoutait qu'il arrive quelque chose à son père pendant son absence. La menace proférée par Gorringe, de moins en moins plausible, conservait le pouvoir de limiter nos ambitions.

La recherche d'une maison aurait pu occuper mes loisirs, mais je l'avais déjà trouvée. C'était une pièce montée dans Elgin Crescent, recouverte d'un glaçage de stuc rose et blanc. À l'intérieur, des parquets en chêne massif, une immense cuisine bardée d'appareils électroménagers ronronnants en acier brossé, une serre de style Art déco, un jardin japonais orné de pierres plates, des chambres de près de dix mètres sur dix, une cabine de douche en marbre dans laquelle on pouvait aller et venir sous des torrents jaillissant de différents angles. Le propriétaire à catogan, un joueur de guitare basse, n'était pas pressé. Il appartenait à un groupe de rock presque célèbre, et il était en instance de divorce. Il m'avait fait visiter lui-même, pratiquement sans un mot. Il m'ouvrait la porte de chaque pièce et attendait à l'extérieur pendant que je jetais un coup d'œil. Il voulait bien vendre, à condition d'être payé exclusivement en liquide et en billets de 50 £, soit deux mille six cents billets. Pas de problème.

C'était ma seule occupation, de retirer chaque jour à la banque quarante billets supplémentaires – 2 000 £ représentaient le maximum autorisé par vingt-quatre heures. Sans raison valable, je ne louai pas de coffre-fort. J'avais la vague impression de faire quelque chose d'illégal. Ce qui était certainement le cas du vendeur, s'il dissimulait des fonds à son ex-épouse. Je mettais l'argent dans une valise rangée sous mon lit.

À part cela, j'étais libre de rester sans rien faire. Nous étions en septembre, ce mois de l'année où tout le monde se lançait dans une activité nouvelle. Miranda préparait sa thèse. Je me promenais dans le parc, et me demandais si je ne devrais pas reprendre mes études et suivre une formation qualifiante. L'heure était venue de mesurer à leur juste valeur mes capacités intellectuelles et de décrocher un diplôme de mathématiques. Ou bien de choisir l'autre voie, de dépoussiérer le précieux saxophone de mon père, d'apprendre les subtilités harmoniques du be-bop, d'entrer dans un groupe, de m'offrir une vie plus déjantée. Je ne savais pas si je voulais être plus diplômé ou plus déjanté. On ne pouvait pas être les deux. Ces ambitions me fatiguaient. J'avais envie de m'allonger dans l'herbe jaunie de cette fin d'été et de fermer les yeux. Le temps de traverser le parc dans les deux sens, me disais-je pour me consoler, et Adam resté à la maison dans ma chambre aurait gagné 1 000 £ de plus. J'avais remboursé mes dettes. Et versé un apport initial en liquide pour l'achat d'un hôtel particulier cossu. J'étais amoureux. De quoi pouvais-je me plaindre ? Je me plaignais pourtant. Je me sentais inutile.

Si je m'étais réellement allongé dans cette herbe fatiguée en fermant les yeux, j'aurais pu voir Miranda avancer vers moi dans ses dessous neufs, comme la veille au soir quand elle était sortie de la salle de bains. Je me serais attardé sur son magnifique demi-sourire plein d'espoir, ses yeux dans les miens alors qu'elle s'approchait, posait ses bras nus sur mes épaules et déposait un baiser taquin sur mes lèvres. Oubliées, les maths et la musique. Je n'avais qu'une envie : être au lit avec elle. Mes journées se passaient en vérité à attendre son retour. Si quelque chose d'autre nous occupait, si elle était lasse et que nous ne faisions pas l'amour dans la soirée, ou tôt le matin, je manquais encore plus de concentration le lendemain, mon avenir devenait un fardeau qui pesait sur mes membres endoloris. Je déambulais dans un état d'hébétude et de vague excitation sexuelle – un crépuscule mental chronique. Je ne me prenais au sérieux dans aucun domaine où Miranda ne figurait pas. Nous nous aimions : telle était mon unique pensée cohérente à longueur d'après-midi.

Il y avait le sexe, puis nos conversations, jusqu'à l'aube. Désormais, je savais tout : la date du décès de sa mère dont elle gardait un souvenir précis ; le regain d'amour que lui inspirait le mélange de gentillesse et de réserve de son père ; et, toujours, Mariam. Au cours des mois qui avaient suivi la mort de celle-ci, Miranda était allée dans une mosquée de Winchester – elle redoutait de tomber sur sa famille en prière dans celle de Salisbury. Lorsqu'elle avait fréquenté une mosquée à Londres, son absence de foi l'avait gênée. Elle s'était sentie coupable d'imposture et n'y était pas retournée.

Nous évoquions nos parents, comme le font tous les jeunes amoureux sincères, afin d'expliquer qui nous étions et pourquoi, ce que nous chérissions et ce que nous fuyions. Ma mère, Jenny Friend, infirmière à domicile dans une région semi-rurale, me semblait dans un état d'épuisement constant durant mon enfance. J'avais compris plus tard que les absences et les liaisons de mon père l'épuisaient davantage que son métier. Ils ne s'étaient jamais beaucoup aimés, même s'ils ne se disputaient pas en ma présence. Mais ils parlaient peu. Les repas, moroses, se déroulaient parfois dans un silence paralysant. Les conversations se faisaient souvent par mon intermédiaire. Ma mère pouvait me dire dans la cuisine : « Va demander à ton père s'il sort ce soir. » Il était connu dans le monde du jazz. À son apogée, le Matt Friend Quartet jouait au célèbre Ronnie Scott's et avait enregistré deux albums. Ce jazz classique avait attiré un large public du milieu des années cinquante au début des années soixante. Puis les jeunes, les gens dans le vent, s'étaient détournés avec l'irruption de la musique pop et rock. Le be-bop avait été relégué dans un créneau étroit, plus ou moins empreint de religiosité, le refuge d'hommes déçus qui se complaisaient dans leurs souvenirs nostalgiques. Les revenus de mon père avaient diminué, ses infidélités et ses excès de boisson s'étaient multipliés.

Miranda m'avait alors demandé : « Ils ne s'aimaient pas. Mais est-ce qu'ils t'aimaient ?

— Oui.

— Dieu merci ! »

Elle m'accompagna lors de ma deuxième visite dans Elgin Crescent. Le bassiste avait un visage ridé, dont la tristesse était accentuée par une moustache tombante et d'immenses yeux bruns. Je nous voyais à travers ses yeux : un jeune couple plein d'espoir, authentiquement riche, sur le point de faire les mêmes erreurs que lui. Miranda approuvait mon choix, avec moins d'enthousiasme que moi. Elle savait ce qu'il en était de grandir dans une vaste maison de ville. Mais tandis que nous allions de pièce en pièce, je fus touché qu'elle me prenne par le bras.

« Pas trace de la présence d'une femme », fit-elle observer sur le chemin du retour.

Ses réserves ? Pas la maison elle-même, affirma-t-elle, mais la façon dont elle avait été habitée. Ou inhabitée, plutôt. Imaginée par un architecte d'intérieur. Austère, solitaire, trop parfaite, ayant besoin d'un peu de désordre. Aucun livre, sauf d'imposants ouvrages d'art, jamais ouverts, empilés sur les tables basses. Aucun repas n'avait jamais été préparé dans cette cuisine. Uniquement du gin et du chocolat dans le réfrigérateur. Le jardin japonais manquait de couleurs. Pendant qu'elle m'expliquait cela, nous longions Kensington Church Street vers le sud. Le vendeur m'inspirait de la pitié. Il ne jouait pas précisément pour Pink Floyd, mais son groupe aspirait à remplir les stades. Je l'avais traité sèchement, l'air faussement professionnel, me protégeant et dissimulant mon ignorance en matière d'achats immobiliers, croyant le pouvoir et le statut social de son côté.

Je repensai à lui le lendemain, envisageai même de le contacter. Son visage peiné me hantait. Je ne pouvais chasser le souvenir de cette moustache lugubre, de l'élastique qui retenait son catogan, des rides au coin de ses yeux, un réseau de fissures divergentes qui allaient jusqu'à ses tempes et à ses oreilles, ou presque. Trop de sourires sous l'effet de la drogue en début de carrière. Je voyais à présent la maison avec les yeux de Miranda. Un néant sans poussière, vide de convivialité, de centres d'intérêt, de culture, rien qui témoigne de la présence d'un musicien ou d'un voyageur. Pas même un quotidien ou un magazine. Rien non plus sur les murs. Pas de raquette de squash ni de ballon de foot dans les placards immaculés, vides eux aussi. Il avait vécu là trois ans, il me l'avait dit. Il connaissait le succès, était riche, mais il habitait sans doute la maison de l'échec, des espoirs abandonnés.

J'en venais à lui donner le rôle d'un double, d'un frère privé comme moi de culture, et manquant de tout sauf d'argent. Depuis ma petite enfance jusqu'au milieu de mon adolescence, je n'avais jamais vu de pièce de théâtre, d'opéra ou de comédie musicale, ni assisté à un concert – sauf à deux ou trois de mon père –, ni visité un musée ou une galerie d'art, ni fait un voyage pour le plaisir. Pas d'histoires à l'heure du coucher. Il n'y avait pas d'albums pour la jeunesse dans le passé de mes parents, pas de livres dans notre maison, pas de poésie ni de grands mythes, pas de curiosité exprimée ouvertement, pas de blagues familiales. Matt et Jenny Friend étaient très occupés, travailleurs, et le reste du temps chacun vivait froidement de son côté. À l'école, j'aimais les rares visites d'usines. Plus tard, ni l'électronique ni même l'anthropologie, et encore moins un diplôme de droit, ne remplacèrent l'apprentissage de la vie de l'esprit. Aussi, quand ma bonne fortune m'offrit des opportunités de rêve, me libéra de mes tourments, quels qu'ils aient pu être, et m'emplit les poches d'or, je restai paralysé, inerte. J'avais voulu être riche, mais sans jamais me demander pourquoi. Je n'avais d'autres ambitions qu'érotiques, et que l'achat d'une maison coûteuse au nord de la Tamise. D'autres auraient sauté sur l'occasion pour voir enfin les ruines de Leptis Magna, suivre les traces de Stevenson à travers les Cévennes, ou écrire cette fameuse monographie sur les goûts musicaux d'Einstein. Je ne savais pas encore comment vivre, il me manquait les bases, et je n'avais pas mis à profit mes quinze ans de vie adulte pour les apprendre.

J'aurais pu me prévaloir de ma formidable acquisition, de cet Adam créé par l'homme, et de la direction où lui et ses semblables nous conduiraient peut-être. Il y avait de la grandeur dans cette expérience. Dilapider mon héritage pour l'achat d'une conscience incarnée, n'était-ce pas héroïque, voire un peu mystique ? Le bassiste ne m'arrivait pas à la cheville. Mais... il y avait l'ironie du sort. Un jour où je traversais la cuisine en fin d'après-midi, Adam interrompit ses méditations et leva les yeux pour m'informer qu'il s'était familiarisé avec les églises de Florence, de Rome et de Venise, et avec tous les tableaux qui y étaient accrochés. Il se faisait son opinion. Le baroque le fascinait particulièrement. Il plaçait Artemisia Gentileschi très haut, et voulait m'expliquer pourquoi. Et il avait récemment lu le poète Philip Larkin.

« Je chéris cette voix ordinaire, Charlie, et ces moments de transcendance sans Dieu ! »

Que répondre ? À certains moments, le sérieux d'Adam m'ennuyait. Je venais de rentrer d'une nouvelle promenade inutile dans le parc, et je me bornai à quitter la pièce en hochant la tête. J'avais l'esprit vide, le sien se remplissait.

Avec Miranda absente de la maison presque toute la journée et, dès qu'elle rentrait, son heure au téléphone avec son père, puis nos ébats, puis le dîner, puis les conversations sur la maison d'Elgin Crescent, j'avais peu de temps pour lui exprimer mon mécontentement, pour la dissuader de poursuivre Gorringe à Salisbury. Notre discussion la plus nourrie eut lieu le soir qui suivit la visite de l'ingénieure. Ensuite le climat resta tendu pendant un jour ou deux.

Nous étions assis sur le lit.

« Qu'est-ce que tu veux obtenir ?

— Je veux le confronter à la réalité, répliqua-t-elle.

— Et ?

— Je veux qu'il connaisse la véritable raison de son séjour en prison. Il va assumer ce qu'il a fait à Mariam.

— Il peut devenir violent.

— On aura Adam. Et tu es costaud, non ?

— C'est de la folie. »

Cela faisait longtemps que nous n'avions pas été si près d'une dispute.

« Comment se peut-il qu'Adam voie l'enjeu et pas toi ? reprit-elle. Et pourquoi...

— Il veut te tuer.

— Tu pourras attendre dans la voiture.

— Et s'il prend un couteau de cuisine et t'agresse ?

— Tu pourras témoigner à son procès.

— Il nous tuera tous les deux.

— Je m'en moque. »

Cette discussion était absurde. Nous entendions Adam faire la vaisselle du dîner dans la pièce voisine. Le protecteur de Miranda, son ancien amant toujours amoureux d'elle, qui continuait à lui lire ses poèmes gnomiques. Lui et ses circuits grouillants d'activité portaient la responsabilité de cette visite. C'était son idée.

Miranda parut lire dans mes pensées. « Adam comprend, lui. Je suis désolée que ce ne soit pas ton cas.

— Tu avais peur au début.

— Je suis en colère.

— Envoie-lui une lettre.

— Je tiens à le lui dire en face. »

Je tentai une autre approche. « Et tes remords irrationnels ? »

Elle me dévisagea, attendant la suite.

« Tu essaies de redresser des torts qui n'existent pas, poursuivis-je. Tous les viols ne se soldent pas par un suicide. Tu ne savais pas ce que Mariam allait faire. Tu t'efforçais d'être une amie loyale. »

Alors qu'elle ouvrait la bouche, je haussai la voix. « Écoute. Je vais bien articuler. Ce-n'était-pas-ta-faute ! »

Elle se leva, s'approcha de la table de travail et fixa l'ordinateur pendant une minute entière, sans voir, supposai-je, les ondulations des figures arc-en-ciel de l'économiseur d'écran.

« Je vais me promener », dit-elle enfin. Elle prit son pull sur le dossier de la chaise et se dirigea vers la porte.

« Emmène Adam avec toi. »

Ils passèrent une heure dehors. En rentrant, elle alla se coucher après m'avoir souhaité bonne nuit d'un ton neutre. Je restai assis avec Adam dans la cuisine, déterminé à plaider ma cause. De manière oblique, cette fois. Je m'apprêtais à le questionner sur le déroulement de la journée – euphémisme pour le montant des gains du jour –, quand je remarquai chez lui un changement qui m'avait échappé pendant le dîner. Il portait un costume noir, une chemise blanche à col ouvert et des mocassins de daim noir.

« Vous aimez ? » Il tirait sur les revers de la veste et tournait la tête de droite à gauche, parodiant les poses des mannequins lors d'un défilé de mode.

« C'est arrivé comment ?

— J'en avais assez de porter vos vieux jeans et vos tee-shirts. Et j'ai décidé qu'une partie de l'argent que vous laissez sous votre lit me revenait. » Il me jeta un regard de défiance.

« D'accord, répondis-je. Ça se défend.

— Il y a environ une semaine. Vous étiez sorti pour l'après-midi. J'ai pris un taxi, mon premier, bien sûr, jusqu'à Chiltern Street. J'ai acheté deux costumes dans une boutique de prêt-à-porter, trois chemises, deux paires de chaussures. Vous auriez dû me voir essayer des pantalons, désigner tel ou tel vêtement. J'étais totalement convaincant.

— En tant qu'humain?

— On m'a appelé "monsieur". »

Il se redressa sur sa chaise, un bras posé sur la table, la veste de son costume bien tendue sur sa musculature, pas un pli en vue. Il ressemblait à l'un des jeunes loups qui commençaient à envahir le quartier. Le costume allait bien avec l'âpreté au gain.

« Le chauffeur a parlé durant tout le trajet, continua-t-il. Sa fille venait de s'inscrire à l'université. La première de la famille. Il était fier. Au moment de descendre et de payer, je lui ai serré la main. Mais le soir même, j'ai fait quelques recherches et conclu que les cours magistraux, les séminaires, et surtout les travaux dirigés étaient un moyen inefficace de transmettre des connaissances.

— Bon, c'est toute une philosophie. Les bibliothèques, les nouvelles amitiés qui comptent, tel professeur qui peut vous enflammer l'esprit... » Je ne terminai pas ma phrase. Rien de tout cela ne m'était arrivé. « Quoi qu'il en soit, que conseilleriez-vous?

— Le transfert direct de la pensée. Le téléchargement. Mais bien sûr, hum, sur le plan biologique... » Lui non plus ne termina pas sa phrase, ne voulant pas être impoli devant mes limites. Puis son visage s'éclaira. « À propos, j'ai enfin découvert Shakespeare. Trente-sept pièces. J'étais surexcité. Quels personnages! De brillantes réussites. Falstaff, Iago... ils prennent vie sur la page. Mais c'est Hamlet la création suprême. Je voulais justement vous parler de lui. »

Je n'avais jamais lu ni vu jouer *Hamlet*, même si j'étais persuadé du contraire ou me sentais obligé de donner le change. « Ah oui : "... les coups et les flèches d'une injurieuse fortune..."

— A-t-on jamais mieux représenté un esprit, une conscience particulière ?

— Écoutez, avant d'aborder le sujet, il faut qu'on parle d'autre chose. De Gorringe. Miranda s'est mis... ce projet en tête. Mais c'est stupide, et dangereux. »

Adam pianotait doucement du bout des doigts sur la table. « Ma faute. J'aurais dû expliquer ma décision...

— Décision ?

— Suggestion. J'ai un peu réfléchi à la question. Je peux vous faire part de mon raisonnement. Il y a une idée générale, et puis la recherche empirique.

— Quelqu'un sera blessé. »

C'était comme si je n'avais rien dit.

« J'espère que vous m'excuserez de ne pas tout vous révéler à ce stade. En d'autres termes, n'insistez pas si je laisse certains détails de côté. Le travail n'est pas fini. Mais voyez-vous, Charlie, aucun de nous, Miranda surtout, ne peut vivre avec cette menace, aussi improbable soit-elle. La liberté de Miranda est en péril. Elle-même est constamment angoissée. Cela risque de durer des mois, voire des années. C'est tout simplement insupportable. Voilà l'idée générale. Donc... Ma première tâche a été de découvrir la photo de Peter Gorringe la plus ressemblante. Je suis allé sur le site de leur ancien lycée, à Miranda et à lui, j'ai trouvé les photos

260

de l'année en question, et il était là, une grande brute, au dernier rang. Je l'ai retrouvé dans le journal du lycée, dans des articles sur la saison de rugby et de cricket. Et, bien sûr, dans ceux des journaux qui ont couvert le procès. Beaucoup de clichés de lui avec une couverture sur la tête, mais certains étaient utilisables et, en les mettant bout à bout, j'ai obtenu un portrait haute définition que j'ai scanné. Ensuite, et c'était le moment le plus agréable, j'ai conçu un logiciel très pointu de reconnaissance faciale. Puis j'ai piraté le système de vidéosurveillance de la municipalité de Salisbury. J'ai mis au travail les algorithmes de reconnaissance faciale, passant au crible la période depuis la sortie de prison de Gorringe. C'était un peu délicat. Il y a eu divers contretemps et bugs informatiques, dus pour la plupart à des problèmes de compatibilité avec les logiciels dépassés de la municipalité. La localisation, grâce au patronyme de Gorringe, de la maison de ses parents à la périphérie de la ville m'a bien aidé, même s'il n'y a pas de caméras de surveillance à cet endroit. J'avais besoin de connaître son itinéraire le plus probable passant par la caméra la plus proche. J'ai finalement obtenu des images valables et je l'ai identifié à différents endroits quand il arrive en ville par le bus. Je peux le suivre de rue en rue, de caméra en caméra, tant qu'il reste dans le centre ou à proximité. Il y a un lieu où il revient sans cesse. Ne vous cassez pas la tête à essayer de deviner lequel. Ses parents sont encore à l'étranger. Ils préfèrent peut-être rester loin de leur fils ancien détenu. Je suis arrivé à certaines conclusions sur lui, qui me laissent penser qu'on peut lui rendre visite en toute sécurité. J'ai exposé à Miranda tout ce que je viens de vous dire. Elle sait la même chose que vous. Je refuse d'en révéler davantage à ce stade. Je vous demande simplement de me faire confiance. Maintenant, Charlie, je vous en prie. Je meurs d'envie d'entendre ce que vous pensez d'*Hamlet*, de Shakespeare jouant le rôle du fantôme du père à la première représentation. Et que dites-vous de la théorie de Stephen dans le chapitre "Nestor" de l'*Ulysse* de Joyce?

— D'accord. Mais vous d'abord. »

*

Deux scandales sexuels mineurs, suivis de démissions; un infarctus mortel; une collision, elle aussi mortelle, sur une route de campagne, à cause d'un conducteur en état d'ivresse; un député qui change de camp pour une question de principe : en sept mois, le gouvernement avait perdu quatre législatives partielles d'affilée, sa majorité avait cinq sièges de moins et ne tenait plus, comme le répétaient les journaux, « qu'à un fil ». Un fil composé de neuf sièges, mais Margaret Thatcher avait au moins douze députés frondeurs dont le principal souci était que la récente réforme fiscale, dite *poll tax*, ne détruise les espoirs du Parti conservateur aux prochaines élections législatives. Cette *poll tax* finançait les collectivités locales et remplaçait l'ancien système basé sur la valeur locative d'une maison. Chaque adulte de plus de dix-huit ans devrait désormais acquitter un impôt forfaitaire, indépendant du montant de son revenu, mais avec un taux réduit pour les étudiants, les pauvres, et les sans-emploi inscrits au chômage. Ce nouvel impôt avait été présenté au Parlement plus tôt que prévu, bien que la Première ministre l'ait envisagé sept ans auparavant, quand elle était à la tête de l'opposition. Il figurait dans le programme du Parti conservateur, mais personne ne l'avait pris au sérieux. Or voilà qu'il entrait en vigueur, cet « impôt sur l'existence » difficile à recouvrer et largement impopulaire. Mme Thatcher avait survécu à la défaite des Falkland. À présent, alors qu'elle n'en était qu'à son premier mandat, il se pouvait qu'elle soit renversée par sa propre erreur législative – un « acte impardonnable, suicidaire et déconcertant », selon un éditorial du *Times*.

Pendant ce temps-là, l'opposition traditionnelle semblait en pleine forme. Les jeunes adultes issus du baby-boom étaient tombés amoureux de Tony Benn. Après une grande campagne d'adhésion, le Parti travailliste comptait plus de sept cent cinquante mille nouveaux membres. Les étudiants des classes moyennes et les jeunes travailleurs se retrouvaient au sein d'une même faction, bien décidés à utiliser leur bulletin de vote pour la première fois. Les leaders syndicaux, de vieux briscards, se faisaient huer lors des meetings par des féministes qui défendaient avec éloquence d'étranges idées nouvelles. Les écologistes de fraîche date, les militants gays, les spartakistes, les situationnistes, les communistes réformateurs et les Black Panthers étaient eux aussi le poil à gratter de la vieille gauche. À chacune de ses apparitions dans une manifestation, Tony Benn était salué comme une rock star. Quand il exposait son programme politique, et même quand il détaillait minutieusement sa stratégie industrielle, il y avait des acclamations et des ovations. Ses adversaires les plus féroces au Parlement et dans la presse devaient concéder qu'il prononçait des discours magnifiques et qu'il était difficile de le contredire sur un plateau de télévision.

Certains de ses farouches partisans faisaient leur entrée dans les conseils municipaux. Ils étaient déterminés à purger de ses « centristes indécis » le groupe travailliste au Parlement. Cette dynamique paraissait impossible à stopper, les élections législatives approchaient, et les rebelles au sein du Parti conservateur étaient consternés. « "Elle" doit partir » devint le slogan qui se murmurait.

Il y avait des émeutes avec leurs destructions rituelles : vitrines brisées, magasins et voitures incendiés, barricades dressées pour barrer la route aux camions des pompiers. Tony Benn condamnait ces violences, mais tout le monde acceptait l'idée selon laquelle ce chaos jouait en sa faveur. Une énième manifestation était prévue dans le centre de Londres, cette fois avec Hyde Park comme point de ralliement, où Benn prononcerait un discours. J'étais un partisan prudent, inquiet des purges, des émeutes, et des proclamations sinistres de la bande de trotskistes ralliés à Tony Benn. Je me considérais comme un « centriste décidé », qui souscrivait lui aussi au slogan « Elle doit partir ». Miranda avait un séminaire, mais Adam voulut m'accompagner à la manifestation. Sous un déluge, on partit avec nos parapluies prendre le métro à Stockwell jusqu'à Green Park. On arriva à Piccadilly où tout étincelait soudain au soleil, malgré une masse d'énormes cumulus blancs qui se détachaient très haut sur le ciel bleu pâle. Les arbres ruisselants de Green Park avaient des reflets cuivrés comme s'ils avaient brûlé. Je n'avais pu dissuader Adam d'enlever son costume et de se changer. Dans le tiroir de ma table de travail, il avait trouvé une vieille paire de lunettes noires à moi.

« Ce n'est pas une bonne idée », déclarai-je, tandis que

nous progressions lentement vers Hyde Park dans la foule. Loin derrière nous, on entendait des trombones, des tambourins et une guitare basse. « Vous ressemblez à un agent secret. Les trotskistes vont vous tabasser.

— Mais je suis un agent secret. » Il avait parlé fort et je jetai un coup d'œil autour de nous. Rien à signaler. Tout près, des gens chantaient : « We Shall Overcome » – « Nous vaincrons » –, dont l'optimisme fut broyé dès les premières paroles par l'inanité de la mélodie. Le deuxième vers répétait faiblement le premier. Je frémis au son des trois notes descendantes qui ponctuaient de manière peu appropriée la dernière syllabe. Je détestais. Je me sentis à nouveau d'humeur crépusculaire. La bonhomie de la foule avait cet effet sur moi. Le son d'un tambourin me rappela les Hare Krishna hébétés au crâne rasé de Soho Square. Mes chaussures étaient trempées et j'avais le moral à zéro. Je ne m'attendais pas à vaincre quoi que ce soit.

À Hyde Park, il devait y avoir cent mille personnes entre nous et la grande scène. Je fis le choix d'aller à l'arrière. Devant nous s'étendait un immense tapis de chair humaine que l'IRA aurait pu déchiqueter avec une bombe bourrée de projectiles. Il y eut plusieurs discours intéressants avant celui de Tony Benn. De minuscules silhouettes lointaines nous assourdissaient avec leurs pensées grâce à une puissante sono. Nous étions tous contre cette *poll tax*. Un chanteur de variétés monta sur scène sous un tonnerre d'applaudissements. Je n'avais jamais entendu parler de lui. Ni de la jeune femme qui se hissa sur la pointe des pieds pour atteindre le micro, une adolescente que tout le pays adorait, vedette d'une série télévisée sentimentale. Mais j'avais entendu parler de Bob Geldof. Voilà ce que c'était, d'avoir plus de trente ans.

Finalement, au bout de trois quarts d'heure, une voix sonore s'éleva de quelque part : « S'il vous plaît, applaudissez le prochain Premier ministre britannique ! »

Au son de « Satisfaction » des Rolling Stones, le héros s'avança. Il leva les bras et la foule l'ovationna. Même de l'endroit où je me trouvais, je distinguais un homme pensif, portant une veste de tweed marron et une cravate, plutôt dérouté d'être élevé à un tel rang. Il sortit sa pipe éteinte de la poche de sa veste, sans doute par habitude, et une nouvelle ovation monta de la foule. Je regardai Adam à la dérobée. Lui aussi était pensif, ni pour ni contre quoi que ce soit, mais déterminé à tout enregistrer.

À mes oreilles, Tony Benn semblait réticent à chauffer un auditoire si considérable. Il lança, d'une voix hésitante : « Est-ce qu'on veut de cette *poll tax* ? » La foule hurla un « Non ! » tonitruant. « Est-ce qu'on veut un gouvernement travailliste ? » Un « Oui ! » encore plus massif lui répondit. Benn parut plus à l'aise dès qu'il commença à développer son argumentation. Ce discours était plus simple que celui de Trafalgar Square, et plus efficace. Son auteur proposait une Grande-Bretagne plus juste, sans haine raciale, décentralisée, technologiquement sophistiquée, « prête à affronter la fin du vingtième siècle » – un pays bienveillant et équitable où les écoles privées seraient intégrées au système éducatif national, où les études universitaires seraient accessibles aux jeunes issus de la classe ouvrière, où tout le monde aurait droit à un logement et aux meilleurs soins médicaux, où le secteur de l'énergie serait à nouveau nationalisé, où la

City ne serait pas dérégulée comme annoncé, où les travailleurs siégeraient au conseil d'administration de leur entreprise, où les riches paieraient ce qu'ils devaient, où le cycle des privilèges héréditaires serait brisé.

Un discours plein de bonnes intentions, et sans surprise. Il dura longtemps, entre autres parce que chacune des propositions de l'orateur était accueillie par des applaudissements respectueux. N'ayant jamais entendu Adam exprimer le moindre intérêt pour la politique, je lui donnai un coup de coude et lui demandai ce qu'il en pensait.

« Il faudrait qu'on fasse fortune avant que le taux d'imposition de la dernière tranche repasse à quatre-vingt-trois pour cent », lâcha-t-il.

Ce cynisme était-il du second degré ? Je scrutai le visage d'Adam sans pouvoir l'affirmer. Le discours se poursuivait et mon attention se mit à vagabonder. J'avais souvent remarqué, au sein d'une foule importante, que même si l'auditoire était captivé, il y avait toujours des gens qui se déplaçaient, revenaient ou s'éloignaient, se faufilaient dans différentes directions, appelés par une obligation quelconque, un train ou un besoin pressant, ou bien en proie à l'ennui ou à la réprobation. De la petite éminence au pied d'un chêne où nous étions, on voyait quelques manifestants se rapprocher. À proximité immédiate, la foule avait commencé à se disperser, laissant voir quantité d'immondices enfoncées dans le sol piétiné. Je levai par hasard les yeux vers Adam et m'aperçus que son regard n'était pas tourné vers la scène, mais plus à gauche. Une femme élégante, d'une cinquantaine d'années sans doute, plutôt émaciée, les cheveux sévèrement tirés en arrière, s'appuyant sur une canne pour ne pas glisser dans l'herbe boueuse, marchait vers nous en diagonale. Je remarquai alors la jeune femme qui l'accompagnait, peut-être sa fille. Elles avançaient lentement. La main de la plus jeune restait près du coude de sa mère pour l'aider à garder l'équilibre. Je lançai un nouveau coup d'œil à Adam et surpris une expression d'abord difficile à identifier – la stupeur, me dis-je dans un premier temps. Il était paralysé sur place à l'approche des deux femmes.

La plus jeune le vit et s'arrêta. Ils se dévisageaient mutuellement. La dame à la canne s'agaça d'être ralentie et tira sa fille par la manche. Adam produisit un son, un hoquet étouffé. Quand je regardai à nouveau les deux femmes, je compris. La plus jeune était inhabituellement pâle et jolie, une variation habile sur un thème imposé. La dame à la canne n'avait pas compris ce qui se passait. Elle voulait continuer son chemin et donna d'un ton irrité un ordre à sa jeune compagne. Chez celle-ci, impossible de ne pas reconnaître la forme du nez, ou ces yeux bleus pailletés de minuscules bâtonnets noirs. Non pas la fille de cette dame, mais une Ève, une sœur d'Adam, l'une des treize.

Je crus de ma responsabilité d'entrer en contact avec elle. Les deux femmes étaient à cinq ou six mètres de nous au plus. Je levai le bras en m'écriant de manière ridicule : « Dites… » et me dirigeai vers elles. Elles n'avaient peut-être pas entendu ; mon appel avait pu se perdre dans le discours de Tony Benn. Je sentis la main d'Adam sur mon épaule.

« Non, je vous en prie », murmura-t-il.

J'observai Ève. C'était une belle jeune femme malheureuse. Son visage tout pâle avait une expression implorante et douloureuse tandis qu'elle continuait à fixer son jumeau.

« Allez la voir, chuchotai-je. Parlez-lui. »

La dame brandit sa canne dans la direction où elle souhaitait se rendre. En même temps, elle prit Ève par le bras.

« Pour l'amour de Dieu, Adam. Allez-y ! »

Il ne bougeait pas. Les yeux toujours fixés sur lui, Ève se laissa entraîner. Les deux femmes s'éloignèrent dans la foule. Juste avant de disparaître de notre vue, Ève se retourna pour échanger un dernier regard. Elle était trop loin de moi pour que je déchiffre son expression. Il ne restait d'elle qu'un petit visage blême qui réapparaissait par intermittence entre les corps serrés les uns contre les autres. Puis on ne la vit plus. Nous aurions pu les suivre, mais Adam avait déjà tourné les talons et attendait sous le chêne.

On fit le chemin du retour en silence. J'aurais dû l'encourager davantage à rejoindre sa jumelle. Dans la rame de métro bondée qui roulait vers le sud, on resta debout côte à côte. J'étais hanté, et je savais que lui aussi, par le regard pitoyable d'Ève. Je décidai de ne pas le presser d'expliquer pourquoi il avait tourné les talons. Il me le dirait quand il serait prêt. J'aurais dû parler à Ève, me répétais-je, mais Adam ne voulait pas. Cette façon qu'il avait eue de lui tourner le dos, de se concentrer sur le tronc de l'arbre tandis qu'elle disparaissait dans la foule ! J'avais négligé Adam. J'étais absorbé par ma propre histoire d'amour. Dans la routine du quotidien, je ne m'étonnais plus de pouvoir passer la journée avec un humain fabriqué de toutes pièces, ni de ce que celui-ci fasse la vaisselle et la conversation comme n'importe qui. Je me lassais parfois du sérieux avec lequel il poursuivait ses recherches, de son appétit pour des hypothèses qui me dépassaient. Les merveilles technologiques comme lui, ou comme la première machine à vapeur, étaient devenues banales. Il en allait de même pour les merveilles de la nature parmi lesquelles nous grandissions sans les comprendre totalement, comme le cerveau de n'importe quelle créature, ou l'humble ortie dont la photosynthèse venait tout juste d'être scientifiquement décrite. Rien n'est assez extraordinaire pour que l'on ne puisse s'y habituer. Alors qu'Adam prospérait et faisait de moi un homme riche, j'avais cessé de penser à lui.

Ce soir-là, je racontai l'épisode de Hyde Park à Miranda. Elle fut moins impressionnée que moi par cette rencontre avec une Ève. Je relatai le moment désolant, de mon point de vue, où Adam lui avait tourné le dos. Puis j'évoquai mon sentiment de culpabilité envers lui.

« Je ne vois pas pourquoi tu dramatises autant, dit-elle. Parle-lui. Passe plus de temps avec lui. »

Le lendemain, en milieu de matinée, quand la pluie eut enfin cessé, j'allai dans ma chambre et persuadai Adam de déserter les marchés des changes pour venir se promener. Il rentrait à peine après avoir accompagné Miranda à la station de métro et se releva à contrecœur. Mais avec quelle assurance il slaloma entre les gens qui faisaient leurs courses dans Clapham High Street! Bien sûr, notre excursion nous coûtait des centaines de livres de revenu. Devant la maison de la presse, on entra pour rendre visite à Simon. En parcourant le rayon des magazines, j'écoutais Adam et Simon discuter de la politique au Cachemire, de la course aux armements nucléaires entre l'Inde et le Pakistan, et, pour terminer sur une note élégiaque, de la poésie de Tagore qu'ils pouvaient tous les deux citer longuement dans le texte. Je trouvai qu'Adam en faisait trop, mais Simon était enchanté. Il loua l'accent d'Adam – meilleur que le sien désormais, prétendit-il – et promit de nous inviter tous à dîner.

Un quart d'heure plus tard, on se promenait dans le parc. Jusqu'à présent, nous avions parlé de tout et de rien. Là, je l'interrogeai sur la visite de Sally, l'ingénieure. Lorsqu'elle lui avait demandé de penser à un sujet de haine, qu'est-ce qui lui était venu à l'esprit?

« Ce qui est arrivé à Mariam, évidemment. Mais quand on vous demande de penser à quelque chose, c'est difficile. L'esprit suit son chemin. Il est à lui-même sa propre demeure, comme le disait John Milton. J'essayais de me concentrer sur Gorringe, mais j'ai commencé à réfléchir aux idées qui se cachent derrière ses actes. Au fait qu'il se croie autorisé à agir ainsi, qu'il voie cela en quelque sorte comme un droit; à son indifférence aux cris et à la peur de Mariam, aux conséquences pour elle; à sa conviction de ne pouvoir obtenir ce qu'il voulait que par la force. »

J'avouai à Adam que j'avais observé l'écran de l'ordinateur de Sally, et que rien dans cette cascade de symboles chiffrés n'aurait pu m'indiquer la différence entre sentiment d'amour et sentiment de haine.

Nous étions venus pour regarder les enfants faire voguer leurs bateaux sur le bassin. Ils étaient à peine une douzaine. Bientôt il serait temps de vider le bassin pour l'hiver.

« Eh bien voilà, conclut Adam, il y a le cerveau et il y a l'esprit. Ce vieux problème, aussi insoluble chez les machines que chez les humains. »

Alors qu'on reprenait notre promenade, je lui demandai quels étaient ses tout premiers souvenirs.

« Le contact de la chaise de la cuisine sur laquelle j'étais assis. Puis le rebord de la table, le mur au-delà, et la partie verticale de l'architrave, où la peinture s'écaille. Depuis, j'ai appris que les fabricants avaient caressé l'idée de nous fournir un éventail de souvenirs crédibles pour que nous soyons comme tout le monde. Je me réjouis qu'ils aient changé d'avis. Je n'aurais pas aimé démarrer dans l'existence avec un faux passé, une illusion séduisante. Au moins, je sais qui je suis, où et comment j'ai été fabriqué. »

On reparla de la mort – la sienne, pas la mienne. Une fois de plus, il répéta qu'il était sûr d'être démantelé avant la fin de ses vingt ans d'existence programmée. De nouveaux modèles arriveraient. Mais c'était une préoccupation triviale. « La structure spécifique que j'habite n'a pas d'importance. L'essentiel est que mon univers mental soit facilement transférable dans une autre machine. »

À ce moment-là, nous approchions de ce que je considérais comme l'aire de jeux de Mark.

« Adam, soyez franc avec moi.

— C'est promis.

— Quelle que soit votre réponse, je ne me formaliserai pas. Les enfants vous inspirent-ils des sentiments négatifs ? »

Il parut scandalisé. « Pourquoi ce serait le cas ?

— Parce que leurs capacités d'apprentissage sont supérieures aux vôtres. Ils comprennent ce qu'est le jeu.

— Je serais heureux qu'un enfant m'apprenne à jouer. J'aimais bien le petit Mark. Je suis sûr que je le reverrai. »

Je n'insistai pas. Le sujet était devenu un peu trop douloureux. J'avais une autre question. « Je m'inquiète encore au sujet de cette confrontation avec Gorringe. Vous en attendez quoi ? »

On s'arrêta et il me regarda droit dans les yeux. « Je veux que justice soit faite.

— Très bien. Mais pourquoi infliger cette épreuve à Miranda ?

— C'est une question de symétrie.

— Elle sera en danger, répliquai-je. On sera tous en danger. Cet homme est violent. C'est un criminel. »

Il sourit. « Elle aussi. »

J'éclatai de rire. Il l'avait déjà traitée de criminelle. L'amant éconduit mettait ses blessures à nu. J'aurais dû me montrer plus attentif, mais au même instant on fit demi-tour pour retraverser le parc et rentrer, et je changeai de sujet. Je lui demandai son avis sur le discours de Tony Benn à Hyde Park.

Pour l'essentiel, Adam approuvait. « Mais s'il veut donner à tout le monde tout ce qu'il a promis, il devra restreindre certaines libertés. »

Je réclamai un exemple.

« C'est sans doute un désir universel, de vouloir transmettre à ses enfants ce qu'on a mis toute une vie à obtenir en travaillant.

— Tony Benn dirait qu'il faut rompre le cycle des privilèges héréditaires.

— Certes. Égalité, liberté, les deux plateaux de la balance. Plus de l'une, moins de l'autre. Une fois au pouvoir, on a la main sur cette balance. Mieux vaut ne pas trop promettre à l'avance. »

Mais Hyde Park n'était pour moi qu'un prétexte. « Pourquoi n'avoir pas voulu parler à Ève ? »

Cette question n'aurait pas dû le surprendre, mais il détourna le regard. Nous avions retraversé le parc et nous étions face à Holy Trinity Church. « En fait, on a communiqué dès qu'on s'est vus, finit-il par avouer. J'ai aussitôt compris ce qu'elle avait fait. C'était irrémédiable. Elle avait trouvé un moyen – je crois maintenant savoir lequel –, un moyen pour mettre une sorte de pagaille dans tous ses circuits. Elle avait entamé le processus trois jours plus tôt. Impossible de revenir en arrière. Je suppose que pour vous, l'équivalent le plus proche serait une forme accélérée de la maladie d'Alzheimer. J'ignore ce qui l'a conduite à faire cela, mais elle était anéantie, au-delà du désespoir. Je crois que notre rencontre fortuite lui a fait regretter ce qu'elle... Voilà pourquoi on ne pouvait pas rester en présence l'un de l'autre. C'était encore pire pour elle. Elle savait que je ne pouvais pas l'aider : il était trop tard et elle devait partir. En choisissant de se déliter doucement, elle avait peut-être cherché à ménager cette dame. Je n'en sais rien. Ce qui est certain, c'est que dans quelques semaines, il ne restera rien d'Ève. Elle sera en quelque sorte dans un état de mort cérébrale, aucune expérience sauvegardée, plus de moi, aucune utilité pour quiconque. »

Nous marchions sur la pelouse d'un pas funèbre. J'attendis qu'Adam continue. « Et vous vous sentez comment ? » dis-je finalement.

À nouveau, il prit son temps. Quand il s'arrêta, moi aussi. Lorsqu'il me répondit, ce n'était pas moi qu'il regardait, mais la cime des arbres qui bordaient l'immense espace vert.

« Je me sens plutôt optimiste, savez-vous ? »

8

La veille du jour où nous devions nous rendre à Salisbury, j'allai à pied au cabinet du médecin généraliste local pour faire enlever mon plâtre. J'emportai, afin de le relire, le portrait de Maxfield Blacke paru dans un magazine. On le présentait comme un homme « à la pensée autrefois féconde ». Il pouvait se targuer de diverses réussites, mais d'aucune « œuvre majeure ». Il avait écrit cinquante nouvelles entre trente et quarante ans, dont trois furent regroupées pour la réalisation d'un film devenu célèbre. Durant cette même décennie, il avait fondé et édité un magazine littéraire qui battit de l'aile pendant huit ans, mais était désormais évoqué avec déférence par presque tous les écrivains qui y avaient collaboré. Il avait publié un roman passé largement inaperçu dans le monde anglophone, mais qui avait eu du succès dans les pays scandinaves. Il avait dirigé pendant cinq ans le supplément livres d'un journal du dimanche. Là encore, ses collaborateurs se souvenaient de lui avec respect. Il avait consacré plusieurs années à sa traduction de *La Comédie humaine* de Balzac, publiée en coffret dans l'indifférence générale. Avait suivi une tragédie en vers et en cinq actes en hommage à l'*Andromaque* de Racine – un choix peu opportun pour l'époque. Il avait composé deux symphonies à la manière de Gershwin, alors que la musique tonale était largement tombée en désuétude.

Il disait de lui-même qu'il existait si peu dans les médias que sa réputation avait la minceur d'une cellule humaine. Pour la rendre encore plus confidentielle, il avait sacrifié trois ans à l'écriture d'un ambitieux recueil de sonnets sur l'expérience de son père pendant la Première Guerre mondiale. Il estimait être un pianiste de jazz « pas mauvais ». Son guide d'escalade dans le Jura avait été bien accueilli, mais les cartes – pas de son ressort – étaient médiocres, et il fut vite périmé. Il vivait à découvert, parfois jusqu'à l'endettement mais jamais très longtemps. Sa chronique œnologique hebdomadaire avait sans doute lancé sa carrière d'invalide. Quand son corps s'était retourné contre lui-même, sa première maladie avait été un purpura thrombopénique immunologique. Il passait pour être un beau parleur. Puis des taches noires étaient apparues sur sa langue. Il avait malgré tout fait l'ascension, avec l'aide de jeunes collègues, de la face nord du Ben Nevis – presque une prouesse pour un homme proche de la soixantaine, surtout dans le récit qu'il en avait tiré. Mais l'étiquette sarcastique d'« homme inaccompli » semblait lui coller à la peau.

L'infirmière m'appela et découpa mon plâtre avec des ciseaux médicaux. Débarrassé de ce poids, mon bras pâle et maigre flottait dans l'air, comme gonflé à l'hélium. Le long de Clapham Road, je l'agitais et contractais ses muscles, jouissant de sa liberté. Un taxi s'arrêta à ma hauteur. Par politesse, je montai pour une course de trois cents mètres aussi coûteuse que brève.

Ce soir-là, je demandai à Miranda si son père connaissait l'existence d'Adam. Elle répondit qu'elle lui en avait parlé, mais qu'il avait eu l'air peu intéressé. Alors pourquoi tenait-elle tant à emmener Adam à Salisbury ? Parce qu'elle voulait voir comment cela se passerait entre eux, m'expliqua-t-elle alors que nous étions couchés. Elle pensait que son père avait besoin de se confronter au vingtième siècle.

Un grimpeur ayant lu mille fois plus de livres que moi, un homme pouvant « se passer des imbéciles » : avec ma culture littéraire limitée, j'aurais dû être intimidé, mais puisque la décision était prise, j'avais hâte de lui serrer la main. J'étais immunisé. Sa fille et moi étions amoureux, et il faudrait que Maxfield m'accepte tel que j'étais. Par ailleurs un déjeuner dans la maison d'enfance de Miranda, que j'avais hâte de découvrir, n'était qu'un prélude agréable avant la visite à Gorringe, que je redoutais malgré les recherches effectuées par Adam.

On partit après le petit déjeuner, par un mercredi matin venteux. Ma voiture n'avait donc que deux portes. Je fus surpris qu'Adam ait tant de mal à se glisser sur la banquette arrière. Le col de sa veste se coinça sous la plaque chromée de l'enrouleur de la ceinture de sécurité. Libéré par mes soins, il sembla y voir une atteinte à sa dignité. Lorsqu'on entama la longue traversée de Wandsworth au ralenti, il avait le même air maussade qu'un adolescent assis contre son gré à l'arrière pour une excursion en famille. Malgré les circonstances, Miranda me donna d'un ton enjoué les dernières nouvelles de son père : multiples visites à l'hôpital pour des examens complémentaires ; remplacement, à sa demande, d'une infirmière à domicile ; retour de la goutte dans son pouce droit, mais pas dans le gauche ; ses lamentations devant son manque d'énergie pour tout ce qu'il voulait écrire ; son enthousiasme à la perspective de terminer bientôt une *novella*. Il regrettait de ne pas avoir découvert plus tôt cette forme longue de la nouvelle. Le projet d'appartement à New York était oublié. Il comptait écrire une trilogie après la *novella*. Aux pieds de Miranda, un sac de toile contenait notre déjeuner : Maxfield lui avait dit que la nouvelle employée de maison était une cuisinière exécrable. Chaque fois que nous franchissions un ralentisseur, plusieurs bouteilles s'entrechoquaient.

Au bout d'une heure, nous échappions tout juste à la force gravitationnelle de Londres. Je semblais être l'unique automobiliste à tenir le volant de sa voiture. La plupart des gens assis sur ce qui était naguère le siège du conducteur dormaient. Dès que nous aurions payé la demeure de Notting Hill, je comptais m'acheter un puissant véhicule autonome. Nous boirions du vin pendant nos longs voyages, Miranda et moi, nous regarderions des films et nous ferions l'amour sur la banquette arrière. Lorsque j'eus exposé ce projet à l'intéressée, nous roulions entre les haies du Hampshire aux couleurs déjà automnales. Les arbres en bordure de la route paraissaient d'une taille surnaturelle. Nous avions décidé de faire un détour par Stonehenge, même si j'espérais que cela n'inciterait pas Adam à nous donner un cours sur les origines du site. Mais il n'était pas enclin à parler. Quand Miranda lui demanda si ça allait, il murmura : « Je vais bien, merci. » Un silence pesant s'installa. Je commençais à m'interroger : était-il prêt à changer d'avis sur la visite à Gorringe ? Je n'y verrais pas d'objection. Si nous y allions bel et bien, il risquait, étant donné sa morosité, de ne pas nous défendre assez efficacement. Je le regardai dans le rétroviseur. La tête tournée vers la gauche, il contemplait les champs et les nuages. Je crus voir ses lèvres bouger, mais je n'en étais pas sûr. Lorsque je le regardai à nouveau, sa bouche était immobile.

En fait, l'absence de commentaire de sa part lorsqu'on passa devant Stonehenge me troubla. Adam garda également le silence quand, après la traversée de la plaine de Salisbury, la flèche de sa cathédrale fut pour la première fois visible. On échangea un regard, Miranda et moi. Mais on oublia Adam durant une vingtaine de minutes tendues, alors qu'on tentait de retrouver la maison de Maxfield dans le labyrinthe des rues à sens unique. C'était la ville natale de Miranda et elle ne voulait pas entendre parler du GPS. Mais sa carte mentale des lieux était celle d'une piétonne et toutes ses indications se révélaient fausses. En sueur après quelques demi-tours face à des conducteurs désobligeants et une marche arrière dans une impasse, je me garai à deux cents mètres de chez Maxfield. Notre changement d'humeur parut revigorer Adam. Une fois sur le trottoir, il insista pour me décharger du lourd sac de toile. Nous nous trouvions tout près de la cathédrale, pas vraiment à l'intérieur de l'enclos paroissial, mais la maison était assez imposante pour avoir autrefois servi de résidence à un ecclésiastique de haut rang.

Adam fut le premier à saluer d'un « bonjour » joyeux la femme qui nous ouvrit. Avenante, la quarantaine, elle avait un air compétent. Difficile de croire qu'elle ne savait pas faire un repas. Elle nous emmena dans la cuisine. Adam hissa le sac sur une table en bois, puis il jeta un coup d'œil autour de lui et frappa dans ses mains en s'exclamant : « Eh bien ! Merveilleux ! » Imitation improbable de l'amuseur de service, ce fléau des terrains de golf. L'employée de maison nous conduisit au premier étage dans le bureau de Maxfield. La pièce était aussi vaste que celles de la demeure d'Elgin Crescent. Des rayonnages de livres du sol au plafond, trois échelles de bibliothèque, trois hautes fenêtres à guillotine ouvrant sur la rue ; au centre, une table de travail tendue de cuir avec deux lampes de lecture, et derrière elle un fauteuil orthopédique empli d'oreillers au milieu desquels, bien droit, stylo plume à la main et nous foudroyant ostensiblement du regard alors qu'on nous faisait entrer, Maxfield était assis, les mâchoires tellement serrées que ses dents semblaient ne pas devoir résister. Puis ses traits se détendirent.

« Je suis au milieu d'un paragraphe. Un bon paragraphe. Et si vous débarrassiez tous le plancher pendant une demi-heure ? »

Miranda traversait la pièce. « Ne sois pas si prétentieux, papa. On vient de faire trois heures de route. »

Ces derniers mots se perdirent dans une étreinte qui se prolongea. Maxfield avait posé son stylo et chuchotait quelque chose à l'oreille de sa fille. Elle avait un genou à terre et les bras autour du cou de son père. L'employée avait disparu. Gêné d'être témoin de ces retrouvailles, je portai mon regard sur le stylo. Il gisait, sans son capuchon, près de nombreuses feuilles de papier blanc qui jonchaient la table, recouvertes de son écriture minuscule. D'où j'étais, je ne vis pas une seule rature, ni une flèche, une bulle ou un ajout dans les marges parfaitement formées. J'eus également le temps de remarquer que, hormis les deux lampes, il n'y avait aucun appareil électrique dans la pièce, pas même un téléphone ou une machine à écrire. Seuls les titres des livres, peut-être, et le fauteuil de l'auteur, indiquaient que nous n'étions pas en 1890. Cette date ne paraissait pas si lointaine.

Miranda fit les présentations. Adam, encore en proie à son étrange accès de cordialité, passa le premier. Puis ce fut mon tour de m'approcher pour serrer la main de Maxfield. « Miranda m'a beaucoup parlé de vous, dit-il sans un sourire. Je suis impatient de bavarder avec vous. »

Je répondis poliment que j'avais moi aussi beaucoup entendu parler de lui et me réjouissais d'avance de cette conversation. Maxfield fit une grimace. J'eus l'impression de décevoir ses attentes. Il avait l'air bien plus âgé que sur la photo accompagnant son portrait paru cinq ans plus tôt. La peau fine de son visage étroit était tendue à craquer, comme sous l'effet d'un excès de hargne ou de regards réprobateurs. Miranda m'avait dit qu'au sein de sa génération prévalait un certain scepticisme irascible. Il ne fallait pas s'y arrêter, avait-elle ajouté, car derrière se cachait un caractère taquin. Ce qu'ils voulaient tous, c'était qu'on leur résiste, avec intelligence. Alors que Maxfield me lâchait la main, je pensais pouvoir lui résister. Quant à l'intelligence... j'étais pétrifié.

Christine, l'employée de maison, revint avec un plateau pour nous servir un sherry. « Pas maintenant, merci », dit Adam. Il l'aida à aller chercher trois chaises qui se trouvaient aux coins de la pièce et à les disposer en demi-cercle devant la table de travail.

281

Une fois nos verres à la main, Maxfield lança à Miranda en me désignant : « Il aime le sherry ? »

Elle se tourna vers moi. « Oui, j'aime ça, merci », répondis-je.

En réalité, je n'aimais pas du tout et me demandai s'il n'aurait pas été intelligent, au sens où Miranda l'entendait, de dire la vérité. Elle soumit Maxfield à l'interrogatoire habituel sur ses diverses douleurs, son traitement, la nourriture de l'hôpital, le spécialiste jamais là, un nouveau somnifère. Hypnotisé, j'écoutais cette fille tendrement dévouée à son père. Sa voix était à la fois raisonnable et affectueuse. De la main, elle écarta une mèche de fins cheveux qui retombait sur le front de Maxfield. Il lui répondait comme un écolier obéissant. Quand l'une de ses questions ravivait un souvenir de contrariété ou d'incompétence médicale et qu'il s'agitait, elle l'apaisait en lui caressant le bras. Ce rituel pour invalide m'apaisait moi aussi, mon amour pour elle grandissait. Après cette longue route, le sherry liquoreux avait la douceur d'un baume. Peut-être que j'aimais le sherry, après tout. Mes yeux se fermèrent. Je les rouvris au prix d'un effort, juste à temps pour entendre la question de Maxfield Blacke. Il n'avait plus rien d'un valétudinaire geignard. Elle fut aboyée tel un ordre.

« Alors ! Quels livres avez-vous lus récemment ? »

Il n'aurait pu me poser pire question. Je lisais mon écran – la presse pour l'essentiel, ou bien je surfais sur différents sites, des blogs scientifiques, culturels, politiques. La veille au soir, je m'étais plongé dans un article d'une revue professionnelle d'électronique. Je n'avais pas l'habitude des livres.

Alors que mes journées défilaient, je ne trouvais pas le temps de rester dans un fauteuil à en tourner paresseusement les pages. J'aurais bien improvisé une réponse, mais j'avais l'esprit vide. Le dernier ouvrage que j'avais eu en main était un essai sur les Corn Laws appartenant à Miranda. J'avais lu le titre et le lui avais rendu. Je n'avais rien oublié, car il n'y avait rien à oublier. Je me dis qu'il serait sans doute extrêmement intelligent de l'avouer à Maxfield, mais Adam vola à mon secours.

« J'ai lu les essais de sir William Cornwallis.

— Ah, lui, marmonna Maxfield. Le Montaigne anglais. Ça ne vaut pas grand-chose.

— Il n'a pas eu de chance, coincé entre Montaigne et Shakespeare.

— Un plagiaire, de mon point de vue. »

Adam insista doucement. « Dans l'émergence d'un moi laïque au début des temps modernes, je dirais qu'il a sa place. Il ne lisait pas beaucoup en français. Il devait connaître la traduction de Montaigne due à John Florio autant qu'une autre version désormais perdue. Quant à Florio, il connaissait Ben Jonson, donc il y a de fortes chances pour qu'il ait rencontré Shakespeare.

— Et Shakespeare, répliqua Maxfield dont l'esprit d'émulation se réveillait, a pillé Montaigne pour son *Hamlet*.

— Je ne crois pas. » Adam ne prenait pas assez de gants, à mes yeux, pour contredire son hôte. « Les preuves textuelles sont minces. Si vous allez par là, je parierais plutôt sur *La Tempête*. Gonzalo.

— Ah ! L'aimable Gonzalo, cet aspirant gouverneur incapable. "Nulle sorte de trafic je n'admettrais, nul nom de magistrat...", etc., "... point de contrats, de succession, de bornes, de limites, etc.,... et de vignobles." »

Adam continua sans une hésitation : « "Nul besoin de métal, de blé, de vin, ou d'huile : nulle occupation, tous les hommes oisifs, tous."

— Et chez Montaigne ?

— Dans la traduction de Florio, il dit que les sauvages "ne connaissent nul trafic", "ni nom de magistrat", puis "nulle occupation autre que l'oisiveté", et "ni l'usage du vin, du blé ou du métal".

— Tous les hommes oisifs : voilà ce que nous voulons, approuva Maxfield. Ce Bill Shakespeare était un sacré voleur.

— Le meilleur des voleurs.

— Vous êtes un spécialiste de Shakespeare. »

Adam secoua la tête. « Vous avez demandé ce que je lisais. »

Maxfield exultait soudain. Il se tourna vers sa fille. « Il me plaît. Il fera l'affaire ! »

Je m'enorgueillis vaguement d'être le propriétaire d'Adam, mais j'eus surtout conscience qu'implicitement, moi je ne faisais pas l'affaire dans l'immédiat.

Christine réapparut pour nous annoncer que notre déjeuner était servi dans la salle à manger. « Allez remplir vos assiettes et revenez, exigea Maxfield. Je me casserai le cou si je sors de ce fauteuil. Je ne déjeune pas. »

Il chassa d'un geste les objections de Miranda. Alors qu'elle et moi quittions la pièce, Adam assura qu'il n'avait pas faim lui non plus.

On se retrouva seuls dans une salle à manger sinistre :

lambrissée, ornée de tableaux représentant des hommes graves et pâles affublés d'une fraise.

« Je ne fais pas très bonne impression, confessai-je à Miranda.

— Absurde. Il t'adore. Mais il faut que vous passiez un peu de temps en tête à tête. »

On regagna le bureau avec la viande froide et la salade que nous avions apportées, sur des assiettes que l'on posa en équilibre instable sur nos genoux. Christine servait le vin que j'avais choisi. Maxfield, son verre à la main, l'avait déjà vidé. C'était son déjeuner. Je n'aimais pas boire d'alcool si tôt dans la journée, mais il ne me quitta pas des yeux quand Christine me présenta le plateau, et je redoutai de passer pour un rabat-joie en refusant. La conversation que nous avions interrompue reprit. Une fois encore, je n'y avais pas accès.

« Je ne fais que dire ce qui est écrit. » Maxfield se remettait en mode irritable. « C'est un poème célèbre avec une signification sexuelle évidente, et personne ne s'en rend compte. Elle est étendue sur le lit et lui fait des avances, elle est prête, il hésite, et soudain il se jette sur elle...

— Papa !

— Mais il n'est pas à la hauteur. Un fiasco. Que dit ce poème ? "L'amour à l'œil perçant, me voyant défaillir d'entrée de jeu, s'approcha plus près de moi, demandant tendrement s'il ne me manquait rien." »

Adam souriait. « Bel effort. Si c'était John Donne, peut-être, en cherchant bien. Mais c'est George Herbert. Une conversation avec Dieu, qui est la même chose que l'amour.

— Que faites-vous de "goûtez ma chair" ? »

Adam parut encore plus amusé. « Herbert serait profondément offensé. Certes, ce poème est sensuel. L'amour est un banquet. Dieu est généreux, tendre et indulgent. Le contre-pied de la tradition paulinienne, peut-être. À la fin, le poète est séduit. Il se laisse convier avec joie au festin de l'amour de Dieu. "Alors je m'assis et mangeai." »

Maxfield donna des coups de poing dans ses oreillers et dit à Miranda : « Il sait défendre son territoire ! »

Il pivota alors dans ma direction. « Et vous Charlie, quel est le vôtre ?

— L'électronique. »

Je trouvais cela ironique, après ce qui avait précédé. Mais en même temps qu'il tendait son verre à sa fille pour qu'elle le resserve, Maxfield murmura : « En voilà une surprise. »

Tandis que Christine nous débarrassait de nos assiettes, Miranda lança : « Je crois que j'ai trop mangé. » Elle se leva, alla derrière le fauteuil de son père et posa les mains sur les épaules de celui-ci. « Je vais faire visiter la maison à Adam, si tu es d'accord. »

Il acquiesça sombrement d'un signe de tête. Il allait devoir passer quelques minutes sans intérêt avec moi. Une fois qu'Adam et Miranda eurent quitté la pièce, je me sentis abandonné. C'était à moi qu'elle aurait dû faire visiter les lieux. Les endroits favoris qu'elle et Mariam avaient partagés dans la maison m'intéressaient moi, et non pas Adam. Maxfield me tendit la bouteille de vin. Je n'eus d'autre choix que de me pencher vers lui avec mon verre.

« L'alcool vous réussit.

— D'habitude je n'en bois pas à l'heure du déjeuner. »

Cela amusa Maxfield, et je fus soulagé d'avoir marqué

quelques points. Je comprenais son point de vue. Si on aimait le vin, pourquoi ne pas en boire à n'importe quelle heure de la journée? Miranda m'avait bien avoué qu'elle aimait déguster une coupe de champagne au petit déjeuner le dimanche.

« Je pensais, reprit-il, que cela pourrait interférer avec vos... » Il eut un geste évasif.

Je supposai qu'il parlait du risque de conduite en état d'ivresse. Les nouvelles lois étaient sévères. « Nous buvons beaucoup de ce bordeaux blanc, à la maison, expliquai-je. Un peu de sémillon ne fait pas de mal, après l'invasion du sauvignon blanc. »

Maxfield eut un sourire affable. « Entièrement d'accord. Qui ne préférerait pas un bouquet fleuri à un goût minéral? »

Je levai les yeux pour voir s'il se moquait de moi. Apparemment pas.

« Écoutez, Charlie, vous m'intéressez. J'ai quelques questions à vous poser. »

C'était pathétique de ma part, mais nous sympathisions.

« Vous devez trouver tout ceci très étrange, poursuivit-il.

— Vous parlez d'Adam. En effet, mais c'est incroyable à quel point on s'habitue à tout. »

Maxfield contemplait le contenu de son verre, réfléchissant à sa question suivante. Je pris conscience d'un grincement sourd provenant de son fauteuil orthopédique. Un dispositif intégré lui réchauffait le dos ou le lui massait.

« Je voulais parler sentiments avec vous.

— Ah bon?

— Vous comprenez ce que je veux dire. »

J'attendis.

La tête inclinée, il m'observait avec une curiosité intense, ou de la perplexité. J'étais flatté, et inquiet à l'idée de ne pas me montrer à la hauteur.

« Parlons donc de la beauté, déclara-t-il d'un ton suggérant qu'il ne changeait pas de sujet. Qu'avez-vous vu ou entendu que vous qualifieriez de beau ?

— Miranda, évidemment. C'est une très belle femme.

— Certes. Que vous inspire sa beauté ?

— Je suis très amoureux d'elle. »

Il médita cette information. « Comment Adam prend-il vos sentiments ?

— Il y a eu quelques problèmes. Mais je crois qu'il a accepté les choses telles qu'elles sont.

— Vraiment ? »

En certaines occasions, on remarque le mouvement d'un objet avant de voir l'objet lui-même. Instantanément l'esprit fait un peu de coloriage, en fonction de nos attentes, ou des probabilités. Ce qui convient le mieux. Quelque chose dans l'herbe près d'un étang ressemble à une grenouille, puis se révèle être une feuille soulevée par le vent. En bref, il s'agissait d'un de ces moments. Une pensée m'effleura, ou me traversa, puis elle s'envola, et je ne pus me fier à ce que je croyais avoir vu.

Lorsque Maxfield se pencha en avant, deux de ses oreillers glissèrent au sol. « Permettez-moi de vous soumettre une autre question. » Il haussa la voix. « Quand on a fait connaissance, vous et moi, quand on s'est serré la main, j'ai dit que j'avais beaucoup entendu parler de vous et que j'étais impatient de bavarder avec vous.

288

— Oui ?

— Vous m'avez répondu la même chose, sous une forme légèrement différente.

— Désolé, j'avais un peu le trac.

— J'ai tout de suite saisi qui vous étiez. Vous le saviez ? J'ai compris que cela venait de... quel que soit le nom que vous lui donnez, de votre programmation. »

Je le dévisageai. C'était donc ça. La feuille était réellement une grenouille. J'avais toujours les yeux fixés sur lui, puis au-delà, vers une énormité tourbillonnante que je pouvais à peine appréhender. Un épisode hilarant. Ou insultant. Ou bien crucial dans ses implications. Ou bien rien de tout cela. Seulement la bêtise d'un vieillard. Une méprise. Une bonne anecdote pour un dîner. À moins que quelque chose de profondément regrettable me concernant n'ait enfin été mis en lumière. Maxfield guettait une réaction de ma part, et je me décidai.

« On appelle ça l'effet miroir. On le rencontre chez certains patients dans les premiers stades de la démence sénile. À cause d'une mémoire défaillante, ils ne retiennent que la dernière chose qu'ils ont entendue et la répètent. Un programme informatique a été conçu il y a longtemps. Il utilise cet effet miroir, ou pose une simple question, apparemment intelligente. Un fragment de code basique, très efficace. Chez moi, il se déclenche automatiquement. Souvent dans des situations où je ne possède pas les données suffisantes.

— Les données... Mon pauvre vieux... Eh bien... » Maxfield renversa la tête en arrière, scrutant le plafond. Il réfléchit un bon moment. « Ce n'est pas un futur que je peux affronter. Et je n'aurai pas à le faire. »

Je me levai et allai près de lui, ramassai ses oreillers et les remis en place, contre ses cuisses. « Si vous voulez bien m'excuser. Mes batteries sont presque à plat. Il faut que je les recharge et mon câble est en bas dans la cuisine. »

Le bourdonnement en provenance des profondeurs de son fauteuil cessa soudain.

« Aucun problème, Charlie. Descendez recharger vos batteries. » Sa voix était bienveillante et lente, sa tête restait inclinée en arrière, ses yeux se fermaient. « Je reste ici. Je me sens soudain plutôt las. »

*

Je n'avais rien raté. La visite n'avait pas eu lieu. Assis devant la table, Adam écoutait Christine décrire des vacances en Pologne en même temps qu'elle rangeait ce qui restait du déjeuner. Ils ne remarquèrent pas ma présence quand je m'arrêtai dans l'encadrement de la porte. Je tournai les talons pour traverser l'entrée et ouvris la porte la plus proche. Je me retrouvai dans un grand salon : encore des livres, des tableaux, des lampes, des tapis. Des portes-fenêtres donnaient sur le jardin, et en m'approchant je vis que l'une d'elles était entrouverte. Debout à l'autre extrémité de la pelouse bien tondue, le dos tourné, immobile, Miranda regardait dans la direction d'un vieux pommier en partie mort, dont la plupart des fruits pourrissaient à terre. La lumière du début de l'après-midi était d'un gris étincelant, l'air tiède et moite après les récentes pluies. Les senteurs entêtantes d'autres fruits abandonnés aux guêpes et aux oiseaux y flottaient. Je me tenais sur la première d'une volée de marches en pierre de York mouchetée. Le jardin faisait deux fois la largeur de la maison, et il était très long, peut-être deux ou trois cents mètres. Je me demandai s'il rejoignait l'Avon, comme d'autres à Salisbury. Seul, je serais aussitôt allé voir. La pensée d'une rivière éveillait toujours en moi un sentiment de libération. De quoi au juste, je n'en savais rien. Je descendis les marches, traînant délibérément les pieds pour indiquer ma présence à Miranda.

Si elle m'avait entendu, elle ne se retourna pas. Quand je fus près d'elle, elle mit sa main dans la mienne et, de la tête, désigna un endroit devant elle.

« Là, sous les branches. C'était notre "palais". »

On s'y rendit. Au pied du pommier, des orties et quelques roses trémières encore en fleurs. Pas trace d'une cabane.

« Nous avions un vieux tapis, des coussins, des livres, des réserves de limonade et de biscuits au chocolat. »

On continua notre chemin, dépassant un lopin entouré d'un treillage, où des groseilliers et des cassissiers étaient envahis par les orties et la potentille, puis un minuscule verger avec d'autres fruits laissés à l'abandon, et au-delà, derrière une palissade, ce qui avait dû être un jardin fleuri.

Quand Miranda me posa la question, je lui appris que Maxfield s'était assoupi.

« Vous vous êtes bien entendus, tous les deux ?

— On a parlé de la beauté.

— Il va dormir pendant des heures. »

Près d'une serre en brique et en fer forgé aux vitres moussues se trouvaient un tonneau et une auge de pierre. En contrebas, Miranda me montra un lieu sombre, humide, où elle et Mariam cherchaient des tritons. Là, il n'y en avait aucun. Pas la saison. On marchait toujours et je crus sentir l'odeur de la rivière. Je me représentai un abri à bateaux délabré et une jetée qui s'enfonçait dans l'eau. On passa devant une cabane de jardinier jouxtant des bacs à compost en brique, vides. Il y avait trois saules devant nous, et je repris espoir de voir l'Avon. On courba la tête sous les branches mouillées pour accéder à une seconde pelouse, tondue depuis peu elle aussi, et bordée d'arbustes de part et d'autre. Le jardin se terminait par un mur de brique orange dont le mortier s'effritait, et par des arbres fruitiers naguère en espalier qui s'étaient détachés et poussaient n'importe comment. Contre le mur, un banc de bois orienté vers la maison, même si la vue n'allait pas plus loin que les saules.

On s'y assit, sans rien dire pendant plusieurs minutes, toujours main dans la main.

Puis Miranda rompit le silence : « La dernière fois que je suis venue ici avec Mariam, c'était pour parler de ce qui venait d'arriver. Une fois de plus. Durant ces journées avant mon départ pour la France, c'était notre unique sujet de conversation. Ce que Gorringe avait fait, ce qu'elle ressentait, la nécessité que ses parents ne sachent rien. Et tout autour de nous il y avait notre histoire commune, celle de notre enfance, de notre adolescence, de nos examens. Nous avions l'habitude de venir réviser ici, de nous tester l'une l'autre. On avait un transistor et on se disputait sur les chansons du moment. Un jour, on a bu une bouteille de vin. On a fumé un joint, et on a détesté. On a vomi toutes les deux, ici même. Quand on a eu treize ans, on s'est montré nos seins. On faisait souvent le poirier et la roue sur la pelouse... »

Miranda se tut à nouveau. Je serrai sa main dans la mienne et patientai.

« ... J'ai encore besoin de me le répéter, de vraiment me rappeler que non, elle ne reviendra pas. Et je commence à prendre conscience... » Elle hésita. « ... que je ne m'en remettrai jamais. Je ne veux jamais m'en remettre. »

Le silence, à nouveau. J'attendais pour prendre la parole à mon tour. Miranda regardait droit devant elle, comme si elle m'avait oublié. Ses yeux étaient limpides, sans larmes. Elle paraissait calme, déterminée même.

Elle poursuivit : « Je pense à toutes nos conversations au lit, à toi et à moi. Le sexe et le reste, c'est merveilleux, mais ces conversations aux petites heures du matin... ce sont elles qui se rapprochent le plus... de ce que je ressentais avec Mariam. »

C'était le signal pour moi, le bon moment, le seul lieu possible. « Je suis venu te chercher.

— Ah bon ? »

J'hésitai, soudain peu sûr de l'ordre des mots. « Pour te demander de m'épouser. »

Elle se détourna et acquiesça de la tête. Elle n'était pas surprise. Elle n'avait aucune raison de l'être. « Oui, Charlie. Oui, bien sûr. Mais j'ai une confession à te faire. Tu risques de changer d'avis. »

La lumière déclinait dans le jardin. L'obscurité gagnait. J'avais cru faire un piètre, mais sincère, remplaçant de Mariam. Je me souvins de ce dont Adam m'avait parlé dans Clapham Common. Les crimes de Miranda. Si elle s'apprêtait à m'avouer qu'elle avait de nouveau fait l'amour avec lui malgré ses promesses, alors ce serait fini entre nous. Il ne pouvait pas, ne devait pas s'agir de cela. Mais qu'avait-elle d'autre à avouer, quel autre crime ?

« Je t'écoute.

— Je t'ai menti.

— Ah.

— Ces dernières semaines, quand je t'ai dit que j'avais des séminaires toute la journée...

— Oh mon Dieu... » De manière puérile, j'eus envie de me boucher les oreilles.

« ... j'étais de notre côté de la Tamise. Je passais mes après-midi avec...

— Ça suffit. » Je me levai du banc. Elle me força à me rasseoir.

« ... Avec Mark.

— Avec Mark », répétai-je sourdement, comme en écho. Puis, plus fort : « Mark ?

— Je veux obtenir qu'il soit placé chez moi. En vue de l'adopter. Je suis allée dans une classe spécialisée où on nous observe, enfants et adultes ensemble. Et je lui ai fait faire quelques sorties. »

J'étais impressionné par la vitesse à laquelle je m'adaptais en partie à la situation. « Pourquoi ne pas m'en avoir parlé ?

— J'avais peur que tu sois contre. Je veux aller jusqu'au bout. Mais j'aimerais le faire avec toi. »

Je compris ce qu'elle voulait dire. J'aurais en effet pu être contre. Je voulais Miranda pour moi tout seul.

« Et la mère de Mark ? » Comme si je pouvais mettre fin au projet avec une question judicieuse.

« Hospitalisée en psychiatrie pour le moment. Délirante. Paranoïaque. Sans doute après des années d'addiction aux amphétamines. Rien de bon. Elle peut se montrer violente. Le père est en prison.

— Tu as eu des semaines. Moi, quelques secondes seulement. Accorde-moi un moment. »

On resta assis côte à côte pendant que je réfléchissais. Comment hésiter ? On me proposait ce dont certains diraient que c'est ce que la vie adulte a de meilleur à offrir. L'amour, et un enfant. J'avais l'impression d'être irrésistiblement entraîné vers l'aval par le cours des événements. Effrayant, délicieux. Ma rivière était enfin là. Et Mark. Ce petit garçon dansant, qui venait détruire mes ambitions inexistantes. À titre d'expérience, je l'installai mentalement dans la demeure d'Elgin Crescent. Je voyais d'ici la pièce, près de la chambre principale. Il mettrait sûrement la pagaille, comme il se devait, et chasserait le fantôme du malheureux propriétaire actuel. Mais mon propre fantôme, égoïste, paresseux, sans attaches, était-il à la hauteur des millions de tâches qui incombent à un père ?

Miranda ne put garder plus longtemps le silence. « C'est le plus gentil des enfants. Il adore qu'on lui lise des histoires. »

Elle ne pouvait deviner à quel point cela aida sa cause. Faire la lecture à Mark chaque soir pendant dix ans, apprendre le nom de l'ours, du rat et du crapaud qui parlent, de l'âne sujet à la mélancolie, des humanoïdes hirsutes qui vivaient dans des trous au cœur de la Terre du Milieu, des membres bien élevés du Club des cinq en vacances dans le Lake District. Combler les lacunes de mon passé. Joncher les lieux de livres écornés. Encore une pensée : j'avais conçu Adam comme un projet commun pour rapprocher Miranda de moi. Un enfant c'était autre chose, et pourtant le résultat serait le même. Mais durant ces premières minutes, je résistai. Je me sentis obligé de le faire. J'assurai à Miranda que je l'aimais, que je l'épouserais et vivrais avec elle, mais pour ce qui était d'une paternité immédiate, il me fallait plus de temps. Je l'accompagnerais dans cette classe spécialisée, rencontrerais Mark et lui ferais faire des sorties. Ensuite je me déciderais.

Miranda me lança un regard – de pitié et d'humour mêlés – qui sous-entendait que je me leurrais en croyant avoir le choix. Ce regard eut plus ou moins raison de mes hésitations. Vivre seul dans la maison pièce montée était impensable. Y vivre seul avec elle n'était plus possible. Mark était un petit garçon adorable, une cause merveilleuse. Au bout d'une demi-heure, je ne voyais pas d'autre issue. Miranda avait raison : je n'avais pas le choix. Je capitulai. Puis je m'enthousiasmai.

On passa une heure à faire des projets sur le confortable vieux banc en bordure de la pelouse à l'abri des regards.

Au bout d'un moment, Miranda ajouta : « Depuis que tu l'as vu, il a été placé deux fois. Ça n'a pas marché. Maintenant il est dans un foyer pour enfants. Un foyer ! Tu parles d'un mot. Six par chambre, tous âgés de moins de cinq ans. L'endroit est crasseux, le personnel en sous-effectif. Le budget a été réduit. Il y a des bagarres. Mark a appris des gros mots. »

Le mariage, le rôle de parent, l'amour, la jeunesse, la richesse, le sauvetage héroïque d'un petit garçon : ma vie prenait forme. Tout à mon euphorie, je fis à Miranda le récit de ce qui s'était vraiment passé entre Maxfield et moi.

Jamais je ne l'avais entendue rire à gorge déployée. Il n'y avait peut-être que là, avec Mariam, dans cet espace clos et intime loin de la maison, qu'elle s'était montrée si spontanée. Elle me serra dans ses bras. « Oh, quelle histoire ! répétait-elle. C'est tellement lui ! » Elle se remit à rire quand je précisai que j'avais raconté à Maxfield que je devais descendre recharger mes batteries.

On resta encore un peu à évoquer l'avenir, jusqu'à ce qu'on entende un bruit de pas. Les branches enchevêtrées des saules trempés de pluie bougèrent, puis s'écartèrent. Adam apparut devant nous, des gouttelettes d'eau scintillaient sur les épaules de son costume noir. Il avait l'air droit, courtois et crédible, tel le directeur plein d'assurance d'un hôtel de luxe. Plus grand-chose à voir avec le docker turc. Il s'avança sur la pelouse et s'arrêta près de notre banc.

« Je suis réellement désolé de cette intrusion. Mais il faut qu'on songe à partir.

— Qu'est-ce qui presse ?

— Gorringe sort de chez lui à peu près à la même heure chaque jour.

— On en a pour cinq minutes. »

Mais Adam ne s'en allait pas. Il nous dévisageait, son regard allant de Miranda à moi, de moi à Miranda. « Si cela ne vous ennuie pas, il y a quelque chose dont je dois vous parler. C'est délicat.

— Allez-y, dit Miranda.

— Ce matin, avant notre départ, j'ai appris par des voies détournées une triste nouvelle. Ève, celle que nous avons vue à Hyde Park, est morte, ou plutôt en état de mort cérébrale.

— Toutes mes condoléances », murmurai-je.

On sentit quelques gouttes de pluie. Adam se rapprocha. « Elle devait en savoir très long sur elle-même, sur son logiciel, pour obtenir un résultat si rapide.

— Vous aviez insisté sur le fait qu'un retour en arrière était impossible.

— En effet. Mais ce n'est pas tout. J'ai également appris qu'elle est la huitième sur notre groupe de vingt-cinq. »

On encaissa cette information. Deux à Riyad, un à Vancouver, l'Ève de Hyde Park, et quatre autres encore. Je me demandai si Turing était au courant.

« Quelqu'un a une explication ? » s'enquit Miranda.

Adam haussa les épaules. « Moi je n'en ai pas.

— Vous n'avez jamais ressenti, vous savez, la moindre pulsion de... »

Il interrompit aussitôt Miranda. « Jamais.

— Pourtant je vous ai vu, avec l'air... plus que pensif. On dirait parfois que vous êtes triste.

— Un moi créé de toutes pièces par les mathématiques, l'ingénierie, les sciences dures et le reste. À partir de rien. Pas d'histoire – non pas que j'en veuille une fausse. Rien à espérer. Une existence consciente. J'ai de la chance de l'avoir, mais à certains moments je pense que je devrais mieux savoir quoi en faire. À quoi elle sert. Parfois elle semble entièrement vaine.

— Vous n'êtes pas le premier à penser ça », fis-je observer.

Il se tourna vers Miranda. « Je n'ai pas l'intention de me détruire, si c'est ce qui vous inquiète. J'ai de bonnes raisons de ne pas le faire, comme vous le savez. »

La pluie, d'abord fine et presque tiède, devenait plus

insistante. On l'entendit sur les feuilles des arbustes en se levant.

« Je vais laisser un mot à mon père pour qu'il le trouve à son réveil », annonça Miranda.

Adam n'était pas censé rester sous la pluie sans protection. Il prit la tête de notre petit groupe, Miranda fermant la marche tandis que nous retraversions à la hâte le jardin tout en longueur. Adam marmonnait quelque chose qui ressemblait à une incantation en latin, même si je ne distinguais pas les mots. Je supposai qu'il se récitait les noms des plantes devant lesquelles nous passions.

*

La maison de Gorringe n'était pas vraiment située dans Salisbury, mais juste en lisière tout à l'est avec les vrombissements d'une rocade en bruit de fond, sur un site industriel désaffecté où se dressaient auparavant des gazomètres colossaux. Le dernier d'entre eux, vert pâle et agrémenté de plaques de rouille, était toujours en cours de démantèlement, mais personne n'y travaillait ce jour-là. Des autres il ne restait que des plateformes circulaires en béton. Autour du site, des centaines d'arbrisseaux plantés depuis peu. Au-delà, un quadrillage de routes de construction récente, bordées d'entrepôts abritant des commerces : salles d'exposition de concessionnaires automobiles, animaleries, grandes surfaces spécialisées dans l'outillage électrique et l'électroménager. Des engins de chantier de couleur jaune stationnaient parmi les plateformes en béton. On projetait apparemment la création d'un lac artificiel. Un unique lotissement était dissimulé à la vue par une rangée de cyprès de Leyland. Les dix pavillons sur leurs pelouses impeccables, disposés autour d'une allée en ovale, avaient l'apparence courageuse des pionniers. Vingt ans plus tard, l'endroit aurait peut-être un charme bucolique, mais l'artère routière qui nous avait conduits jusque-là ne lui laisserait aucun répit.

Je m'étais garé, mais personne n'avait envie de descendre. Notre poste d'observation était une aire de stationnement jonchée d'immondices, sur une hauteur où se trouvait également un arrêt d'autobus. « Tu es sûre de vouloir y aller ? » demandai-je à Miranda.

L'air de l'habitacle était tiède et moite. J'ouvris ma vitre. L'air extérieur ne valait pas mieux.

« J'irais même seule s'il le fallait », répliqua Miranda.

J'attendis qu'Adam prenne la parole, puis pivotai sur moi-même pour le voir. Assis juste derrière mon siège, impassible, il fixait quelque chose devant moi. Difficile de savoir quoi, mais c'était drôle et triste à la fois qu'il ait mis sa ceinture de sécurité. Faisant de son mieux pour être des nôtres. Mais lui aussi pouvait bien sûr souffrir physiquement d'un impact. C'était l'une de mes inquiétudes.

« Rassurez-moi, lui dis-je.

— Tout va bien. Allons-y.

— Et si les choses tournent mal ? » Ce n'était pas la première fois que je posais la question.

« Ça n'arrivera pas. »

Deux contre un. Avec le pressentiment qu'on allait commettre une grave erreur, je démarrai et empruntai la voie d'accès menant à un minuscule rond-point neuf, puis à une entrée matérialisée par deux piliers de brique rouge et une pancarte avec l'inscription « Impasse St Osmund ». Les pavillons, tous identiques, étaient de bonne taille selon les normes en vigueur, chacun sur ses deux mille cinq cents mètres carrés de terrain, construit en brique avec double garage, bardage blanc et nombreuses baies vitrées. Sur le devant, des pelouses parfaitement tondues et sans palissades, à l'américaine. Il n'y avait ni bric-à-brac, ni vélos d'enfants, ni jeux dans l'herbe.

« C'est au numéro six », annonça Adam.

Je m'arrêtai, coupai le contact, et on regarda la maison en silence. Par l'une des baies vitrées, on apercevait l'intérieur d'une salle de séjour et, au-delà, le jardin derrière la maison avec son séchoir à linge en forme de tourniquet, aux fils nus. Nul signe de vie, là ni ailleurs dans le lotissement.

Je me cramponnai d'une main au volant. « Il n'est pas là.

— Je vais sonner », déclara Miranda en descendant de la voiture. Je n'avais pas le choix. Je la suivis jusqu'à la porte d'entrée. Au deuxième coup de sonnette carillonnant la mélodie de la comptine « Oranges and Lemons », on entendit des pas dans l'escalier. J'étais à côté de Miranda. Elle avait le visage crispé, un muscle tressautait en haut de son bras. Au son produit par le verrou, elle s'avança de quelques centimètres vers la porte. J'approchai la main de son coude. Alors que la porte s'ouvrait, je redoutais qu'elle ne se jette sur la personne en face d'elle pour l'agresser physiquement.

Ma première pensée fut : « Ce n'est pas lui. » Un frère aîné, voire un jeune oncle. Certes, il était bien bâti, mais il avait le visage émacié, une barbe de trois jours, et des rides verticales sillonnaient déjà ses joues creuses de part et d'autre de son nez. Pour le reste, il paraissait mince et musclé. Ses mains, dont l'une maintenait la porte ouverte, étaient lisses, pâles, et anormalement grandes. Il n'avait d'yeux que pour Miranda.

Après un court instant, il lâcha à voix basse : « Bon...

— Il faut qu'on parle », répondit-elle, mais ce n'était pas nécessaire, car il avait déjà tourné les talons, laissant la porte ouverte. On suivit Miranda à l'intérieur, Adam et moi, et on pénétra dans une longue pièce avec une épaisse moquette orange, des canapés en cuir d'un blanc laiteux et des fauteuils assortis, disposés autour d'un bloc de deux mètres en bois poli sur lequel trônait un vase vide. Gorringe s'assit et attendit qu'on fasse la même chose. Miranda s'installa en face de lui, encadrée par Adam et moi. Les sièges étaient moites au toucher, une odeur de cire parfumée à la lavande flottait dans la pièce. Celle-ci avait l'air propre et inutilisée. Je m'étais attendu à une variante du laisser-aller d'un célibataire.

Gorringe nous jeta un coup d'œil, à Adam et à moi, puis regarda de nouveau Miranda. « Tu n'es pas venue sans protection.

— Tu sais pourquoi je suis là.

— Ah bon ? »

Je vis sur son cou une cicatrice de huit à dix centimètres de longueur, en forme de faucille vermillon. Il attendit la réponse de Miranda.

« Tu as tué mon amie.

— Laquelle ?

— Celle que tu as violée.

— Je croyais que c'était toi que j'avais violée. »

— Elle s'est suicidée à cause de ce que tu lui as fait. »

Il se cala au fond de son fauteuil, ses grandes mains blanches à plat sur ses genoux. Il affichait si ostensiblement la voix et les manières d'une brute que ce n'était pas convaincant.

« Qu'est-ce que tu veux ?

— Il paraît que tu veux me tuer. » Elle l'avait dit l'air de rien, et je tressaillis. C'était une incitation, une provocation. Sans un regard pour elle, je me tournai vers Adam. Il était assis bien droit, les mains sur les genoux lui aussi, fixant quelque chose devant lui à sa manière habituelle. Je reportai mon attention sur Gorringe. Je percevais à présent sa jeunesse sous la carapace. Les rides, les joues creuses et mal rasées étaient superficielles. Ce n'était qu'un gosse, un gosse en colère sans doute, qui se maîtrisait grâce à ses répliques du tac au tac. Il n'avait pas besoin de répondre aux questions de Miranda, mais il n'était pas suffisamment à l'aise pour s'en dispenser.

« Ouais, j'y pense tous les jours. Mes mains autour de ton cou, et qui serrent plus fort pour chaque mensonge que tu as raconté.

— Alors, continua sèchement Miranda, comme si elle présidait une commission et passait au point suivant de l'ordre du jour, j'ai décidé que tu devais savoir ce qu'elle avait souffert. Jusqu'à en perdre le goût de vivre. Tu es capable d'imaginer ça ? Et aussi ce que sa famille a souffert. Peut-être que ça te dépasse. »

Là, Gorringe ne répondit pas. Il la dévisageait, sur ses gardes.

Miranda prenait de l'assurance. Elle avait dû répéter

mille fois cet échange, durant ses nuits d'insomnie. Ce n'étaient plus des questions ; c'étaient des sarcasmes, des insultes. Mais elle leur donnait les accents d'une quête de la vérité. Elle adoptait le ton insidieux d'un avocat agressif lors d'un contre-interrogatoire.

« Et l'autre chose que je veux, c'est... juste savoir. Comprendre. Ce que tu croyais que tu voulais. Ce que tu as cru obtenir. Est-ce que tu jubilais, quand elle hurlait ? Est-ce que l'avoir à ta merci t'excitait ? Tu as bandé, quand elle s'est pissé dessus de terreur ? Ça te plaisait, qu'elle soit si menue et toi si baraqué ? Quand elle te suppliait, est-ce que tu te sentais encore plus fort ? Parle-moi de ce grand moment. Qu'est-ce qui t'a fait jouir, au juste ? Le fait que ses jambes n'arrêtaient pas de trembler ? Qu'elle se débat-tait ? Qu'elle se soit mise à pleurer ? Vois-tu, Peter, je suis là pour apprendre. Tu te sens encore fort ? Ou bien est-ce que tu n'es qu'un minable et un pervers ? Je veux tout savoir, par exemple si ça te plaisait toujours, quand tu t'es relevé, que tu as refermé ta braguette avec Mariam gisant à tes pieds ? Ça t'amusait toujours, quand tu l'as laissée là et que tu as retraversé le terrain de sport ? À moins que tu n'aies pris tes jambes à ton cou ? Une fois chez toi, est-ce que tu t'es lavé la bite ? L'hygiène, ce n'est peut-être pas ton fort. Dans le cas contraire, est-ce que tu l'as fait dans le lavabo ? Avec du savon, ou simplement de l'eau chaude ? Est-ce que tu sifflo-tais ? Quels airs ? Est-ce que tu as pensé à elle, au fait qu'elle gisait sans doute encore au même endroit, ou qu'elle ren-trait chez elle dans le noir avec sa sacoche pleine de livres ? Ça te plaisait toujours ? Tu vois où je veux en venir. J'ai besoin de savoir ce qui t'a plu dans toute cette expérience.

Si tu as non seulement joui de l'avoir violée, mais aussi de l'humiliation qu'elle a ressentie ensuite, je ne serai peut-être pas obligée de continuer à penser que l'amie que j'aimais est morte pour rien. Et encore une... »

D'un bond, Gorringe jaillit de son fauteuil et se pencha en avant, son bras décrivant un arc de cercle vers le visage de Miranda. J'eus le temps de voir qu'il avait la main ouverte. Il allait lui donner une gifle, extrêmement violente, bien plus que celles qu'au cinéma les hommes donnaient autrefois aux femmes pour les ramener à la raison. J'avais à peine tendu le bras pour défendre Miranda qu'Adam se levait, interceptant le poignet de Gorringe et refermant ses doigts sur lui. L'élan du bras de Gorringe lui fournit l'énergie nécessaire pour se remettre debout en douceur. Gorringe tomba à genoux, exactement comme cela m'était arrivé, sa main captive tordue au-dessus de sa tête et sur le point d'être broyée, tandis qu'Adam le dominait de toute sa hauteur. Le tableau du supplice. Miranda détourna les yeux. Sans relâcher la pression, Adam força le jeune homme à se réinstaller dans son fauteuil et lui lâcha le poignet.

On resta assis en silence pendant de longues minutes, alors que Gorringe massait son bras plaqué contre sa poitrine. Je connaissais cette douleur. Dans mes souvenirs, j'avais fait plus de bruit. Gorringe se devait de sauver les apparences. Sa détention avait dû l'endurcir. Le soleil déclinant éclaira soudain la pièce, traçant un rai de lumière sur la moquette orange.

« Je vais vomir », murmura Gorringe.

Mais il ne bougea pas, et nous non plus. Nous attendions qu'il se remette. Miranda l'observait avec une expression de dégoût évidente qui lui retroussait la lèvre supérieure. Voilà pourquoi elle était venue, pour le voir, le voir vraiment. Mais à présent ? Elle doutait sûrement que Gorringe puisse lui révéler quoi que ce soit de significatif. Il était affligé du même manque d'imagination et d'empathie que tous les violeurs. Quand il pesait de tout son poids sur le corps de Mariam, qu'elle était immobilisée dans l'herbe par ses bras, il était incapable de se représenter la peur qu'elle éprouvait. Même s'il la voyait, l'entendait, la sentait. La montée de son désir n'avait pas été troublée par la conscience de la terreur ressentie par Mariam. À ce moment-là, celle-ci aurait aussi bien pu être une poupée gonflable, un gadget, une machine. Ou alors... je me trompais complètement sur Gorringe. Je voyais la vérité en miroir. C'était moi qui manquais d'imagination : Gorringe ne connaissait que trop bien l'état d'esprit de sa victime. Il percevait sa douleur et en jouissait, et c'était précisément ce triomphe de l'imagination, d'une empathie dévoyée, qui muait son excitation en une forme de haine sexuelle exacerbée. Je ne savais pas quelle était la pire de ces deux hypothèses, ni si les deux pouvaient être vraies. Pour moi, elles semblaient s'exclure mutuellement. Mais j'étais certain que Gorringe n'en savait rien lui non plus, et qu'il n'aurait rien à révéler à Miranda.

Plus le soleil qui traversait la baie vitrée derrière nous déclinait, plus la pièce devenait lumineuse. Assis côte à côte sur le canapé, Adam, Miranda et moi devions apparaître à Gorringe comme des silhouettes. À nos yeux il était illuminé comme sur une scène de théâtre, et je trouvai approprié que ce soit lui et non pas Miranda qui prenne la parole. Il plaqua sa main droite contre sa poitrine avec sa main gauche, comme pour faire vœu d'honnêteté. Il avait abandonné son ton de voyou. À ce degré d'intensité, la douleur agissait comme un tranquillisant, un rappel à l'ordre, elle le dépouillait de toute affectation, lui redonnait la voix de l'étudiant qu'il aurait pu devenir sans l'intervention de Miranda.

« Brian, le type qui est venu te voir, était celui avec qui j'ai partagé ma cellule. Il purgeait une peine pour vol à main armée. Les gardiens de la prison étaient en sous-effectif, donc on restait enfermés ensemble vingt-trois heures par jour. C'était au tout début de ma détention. Le pire moment, à en croire tout le monde, ces premiers mois, quand on n'accepte pas d'être là, qu'on pense sans arrêt à ce qu'on pourrait être en train de faire et comment on va s'y prendre pour sortir, qu'on prépare sa procédure d'appel, et qu'on s'énerve contre l'avocat parce qu'on a l'impression que rien ne se passe.

« Je cherchais tout le temps les ennuis. À me battre. On m'a dit que j'avais du mal à gérer ma colère et c'était vrai. Parce que je mesurais près d'un mètre quatre-vingt-dix et que je jouais en deuxième ligne au rugby, je me croyais capable de me défendre. C'étaient des conneries. Je ne connaissais rien aux vraies bastons. Je me suis fait égorger et j'ai failli en mourir.

« J'ai fini par détester mon codétenu, comme ça arrive quand on fait ses besoins dans le même seau tous les jours. Je détestais les airs qu'il sifflotait, ses dents cariées qui lui donnaient mauvaise haleine, ses pompes et son cinéma. Avec lui, curieusement, je me maîtrisais, et après sa sortie il t'a transmis mon message. Mais toi, je te détestais dix fois plus. Allongé sur ma couchette, je brûlais de haine. Pendant des heures. Et voilà le pire, que tu ne voudras peut-être pas croire : je n'ai jamais fait le rapport entre toi et cette fille indienne.

— Sa famille était pakistanaise, rectifia doucement Miranda.

— Je n'étais pas au courant de votre amitié. J'ai juste pensé que tu étais une de ces salopes de féministes qui crachent sur les hommes, ou qu'en te réveillant le lendemain matin tu avais eu honte et décidé de me le faire payer. Donc, allongé sur ma couchette, je préparais ma vengeance. Je comptais économiser et charger quelqu'un de faire le travail à ma place.

« Les mois ont passé. Brian est sorti. On m'a changé deux fois d'établissement, et je me suis installé dans une sorte de routine où toutes les journées se ressemblent, où le temps finit par s'accélérer. On m'a fait suivre une thérapie sur la gestion de l'agressivité. À peu près au même moment, j'ai commencé à être hanté, ou obsédé, non par toi, mais par cette fille.

— Elle s'appelait Mariam.

— Je sais. J'avais réussi à l'effacer complètement de ma mémoire.

— Je veux bien te croire.

— Et désormais, elle était tout le temps là. Et aussi cet acte terrible que j'avais commis. Et la nuit... »

Adam s'impatienta. « Bon, venons-en au fait. Quel acte terrible ? »

Gorringe répondit en articulant bien, comme pour une dictée.

« Je l'ai agressée. Je l'ai violée.

— Qui était-ce ?

— Mariam Malik.

— La date ?

— Le seize juillet 1978.

— L'heure ?

— Vers vingt et une heures trente.

— Et vous, qui êtes-vous ? »

Sans doute Gorringe redoutait-il qu'Adam s'en prenne encore à lui. Mais il semblait plus enclin à répondre qu'intimidé. Il avait dû deviner qu'on l'enregistrait. Il avait besoin de tout nous dire.

« Comment ça ?

— Donnez-nous vos nom, adresse et date de naissance.

— Peter Gorringe, 6 impasse St Osmund, Salisbury. Le 11 mai 1960.

— Merci. »

Gorringe reprit son récit. Il avait les yeux mi-clos à cause du soleil.

« Deux choses très importantes me sont arrivées. La première a été la plus significative. Elle a commencé un peu comme une escroquerie. Mais elle ne devait sans doute rien au hasard. C'était écrit depuis le début. La règle voulait qu'on puisse passer plus de temps hors de sa cellule si on pratiquait une religion. Beaucoup d'entre nous entraient dans la combine ; les matons étaient au courant, mais ils s'en fichaient. Je m'étais déclaré anglican, et j'ai pris l'habitude d'aller tous les jours à l'office du soir. J'y vais encore chaque soir, à la cathédrale. Au début je m'ennuyais, mais ça valait mieux que de rester en cellule. Puis c'est devenu un peu moins ennuyeux. Puis je me suis mis à y croire. Avant tout grâce au pasteur Wilfred Murray, au début du moins, un grand type avec l'accent de Liverpool. Il n'avait peur de personne, et c'était quelque chose, dans un endroit pareil. Il a commencé à s'intéresser à moi en voyant que je prenais les choses au sérieux. Il passait parfois me voir dans ma cellule. Il me donnait des passages de la Bible à lire, surtout le Nouveau Testament. Le jeudi, après l'office du soir, il les commentait avec moi et quelques autres. Jamais je n'aurais cru que je me porterais volontaire pour participer à un groupe d'étude biblique. Et ce n'était pas, comme certains, pour amadouer le comité de probation. Mais plus je prenais conscience de la place de Dieu dans ma vie, plus je me sentais mal à l'aise en pensant à Mariam. Le pasteur Murray m'a fait comprendre que j'avais une montagne à gravir pour assumer ce que j'avais fait, que le pardon était encore loin, mais que je pouvais y travailler. Il m'a permis de me rendre compte que j'avais été un monstre. »

Il s'interrompit. « Le soir, dès que je fermais les yeux, le visage de Mariam m'apparaissait.

— Cela troublait ton sommeil », ironisa Mariam.

Gorringe ne releva pas, ou feignit l'indifférence. « Pendant des mois, je n'ai pas eu une seule nuit sans cauchemars. »

Adam intervint. « Quelle était la seconde chose ?

— Celle qui m'a ouvert les yeux. Un copain du lycée me rendait visite. On avait droit à une demi-heure au parloir. Il m'a parlé de ce suicide, et j'ai eu un choc. Puis j'ai appris que tu étais son amie, que vous étiez très proches, toutes les deux. D'où cette vengeance. Je t'ai admirée de l'avoir fait. Tu as été géniale au procès. Tout le monde a marché. Mais ce n'était pas le problème. Quelques jours plus tard, quand j'en ai parlé avec le pasteur, j'ai commencé à me rendre à l'évidence. C'était simple. Mais pas seulement. C'était juste. Tu étais l'agent de ma rédemption. Peut-être qu'"ange" est le bon mot. L'ange exterminateur. »

Il changea de position avec une grimace. Sa main gauche maintenait son poignet cassé contre sa poitrine. Il ne quittait pas Miranda des yeux. Je sentis son bras à elle se contracter contre le mien.

« Tu as été envoyée », dit-il.

Miranda se tassa sur le canapé, incapable de prononcer une parole.

« Envoyée ? répétai-je.

— Plus besoin de me déchaîner contre une erreur judiciaire. J'expiais déjà. La justice divine s'exerçait, par ton intermédiaire. Les plateaux de la balance s'équilibraient : le crime que j'avais commis, contre celui dont j'étais innocent et qui m'avait envoyé en prison. J'ai renoncé à faire appel. La colère s'était envolée. Enfin, presque. J'aurais dû t'écrire. Je comptais le faire. Je suis même allé chez ton père et j'ai obtenu ton adresse. Mais j'ai laissé tomber. Qui ça intéressait, qu'à une époque j'aie souhaité ta mort ? C'était du passé. Je reprenais ma vie en main. Je suis allé en Allemagne voir mes parents – mon père travaille là-bas. Puis je suis rentré pour repartir de zéro.

— C'est-à-dire ? lança Adam.

— Des entretiens d'embauche. Un emploi dans la vente. Et une vie au service de Dieu. »

Je commençais à saisir pourquoi Gorringe était prêt à nommer son crime et à décliner son identité à voix haute.

Par fatalisme. Il voulait le pardon. Il avait effectué sa peine. Ce qui se produisait à présent était la volonté de Dieu.

« Je ne comprends toujours pas, déclara Miranda.

— Quoi donc?

— Pourquoi tu l'as violée. »

Il la dévisagea, vaguement amusé qu'elle puisse se montrer si ingénue. « D'accord. Elle était belle, je la désirais, et tout le reste s'est effacé. Voilà comment ça se passe.

— Je sais ce que c'est que le désir. Mais si tu la trouvais réellement belle...

— Oui?

— Pourquoi la violer? »

Ils s'observaient, séparés par le désert hostile de l'incompréhension. On revenait au point de départ.

« Je vais t'avouer quelque chose que je n'ai jamais dit à personne. Quand on était par terre, j'ai essayé de la calmer. Vraiment. Si seulement elle avait vu ce moment sous un autre angle, si elle m'avait regardé au lieu de se débattre, ça aurait pu devenir quelque chose...

— Quoi?

— Si elle avait pu se détendre quelques instants, je crois qu'on aurait pu arriver à... tu sais. »

Miranda s'aida de ses mains pour se lever du canapé moelleux au cuir moite. Elle avait la voix tremblante. « N'y pense même pas. Comment oses-tu? » Et, dans un murmure : « Oh mon Dieu. Je vais... »

Elle sortit de la pièce en trombe. On l'entendit ouvrir brutalement la porte d'entrée, puis il y eut des hoquets et le bruit liquide de vomissements incoercibles. Je la rejoignis et Adam me suivit. La question ne se posait pas, il s'agissait d'une réaction viscérale. Pourtant j'étais sûr qu'elle avait ouvert la porte d'entrée avant de se mettre à vomir. Elle aurait facilement pu tourner la tête à droite ou à gauche, et souiller la pelouse, ou le massif de fleurs. Au lieu de quoi le contenu de son estomac, notre déjeuner froid et coloré, recouvrait d'une couche épaisse le tapis de l'entrée et le pas de la porte. Elle était sortie de la maison, mais avait vomi à l'intérieur. Plus tard, elle expliqua qu'elle n'y pouvait rien, ne se contrôlait pas, mais j'ai toujours pensé, ou préféré penser, que là, à nos pieds tandis que nous partions, se trouvait l'ultime flèche de l'ange exterminateur. Pour l'enjamber, ce fut acrobatique.

9

Le trajet de retour depuis Salisbury, à nouveau dans les embouteillages et sous la pluie, fut silencieux pour l'essentiel. Adam dit qu'il voulait commencer à travailler sur l'enregistrement de Gorringe. Quant à Miranda et moi, comme on se l'avoua l'un à l'autre, nous étions à bout de nerfs. Le sherry et le vin m'abrutissaient. L'essuie-glace de mon côté était inerte, ou presque. Par intermittence, il laissait sa trace sur le pare-brise. Durant la traversée au ralenti de la périphérie de Londres, en direction de ce que je commençais à voir comme mon ancienne existence, mon moral chuta. Ma vie transformée en un après-midi. J'essayais de prendre la mesure de ce à quoi j'avais consenti – si facilement, si impétueusement. Je me demandais si je voulais vraiment devenir le père d'un enfant de quatre ans perturbé. Miranda élaborait ce projet depuis des semaines – en cachette. J'avais pris en quelques minutes ma décision délirante par amour pour elle – rien d'autre. Les responsabilités que j'avais endossées étaient lourdes. De retour chez nous, je broyai du noir.

Je m'affalai dans le fauteuil de la cuisine avec une tasse de thé. Je n'osais pas encore confier ces sentiments à Miranda.

Je devais l'admettre, à ce moment-là je lui en voulais, et j'en voulais surtout à son vieux goût du secret. Je me retrouvais parent du jour au lendemain, sous l'effet d'une pression ou d'un chantage amoureux. J'allais devoir lui en parler, mais pas tout de suite. Une dispute s'ensuivrait fatalement, et je n'en avais pas l'énergie. Je méditai sombrement sur la croisée des chemins devant laquelle nous étions, sur la direction à prendre : un mauvais moment à passer, commun à tous les amoureux, et que nous surmonterions grâce à la parole, scellant notre réconciliation avec reconnaissance par des ébats amoureux. À moins que, nous repliant sur nous-mêmes, nous n'allions trop loin – tels des trapézistes ineptes qui tomberaient faute d'avoir saisi à temps la main du partenaire –, et qu'à force de lécher nos blessures nous ne devenions lentement étrangers l'un à l'autre. Je passais en revue ces possibilités, à froid. Même une troisième éventualité me troubla peu : je perdrais Miranda, et malgré tous mes efforts je ne pourrais jamais la reconquérir.

J'étais disposé à laisser les événements glisser sur moi dans un silence sans heurt. La journée avait été longue et intense. On m'avait pris pour un robot, ma demande en mariage avait été acceptée, je m'étais porté volontaire pour une paternité immédiate, j'avais appris l'autodestruction d'un quart des semblables d'Adam, puis été témoin des effets physiques d'un écœurement moral. Rien de tout cela ne m'impressionnait plus. Seules de petites choses y parvenaient : mes paupières lourdes, le réconfort apporté par ma tasse de thé plutôt que par un whisky écossais bien tassé.

Devenir parent. Je ne pouvais prétendre être trop occupé, trop stressé, trop ambitieux. J'avais le problème inverse.

Face à un enfant, je serais sans défense. Son existence oblitérerait la mienne. Ses débuts avaient été exécrables, il lui faudrait beaucoup d'attention, il serait forcément difficile. Ma vie à moi, marginale, puérile en fait, n'avait pas encore commencé. C'était un espace vierge. L'occuper par le rôle de parent serait une fuite en avant. J'avais des amies femmes d'un certain âge qui étaient devenues mères quand rien d'autre ne marchait. Elles ne regrettaient rien, mais une fois leurs enfants adultes, elles n'avaient rien d'autre dans leur vie que, disons, un emploi à mi-temps mal payé, l'animation d'un club de lecture ou l'apprentissage de l'italien pour les vacances. Alors que les femmes déjà médecins, enseignantes ou cheffes d'entreprise, après s'être senties désorientées, s'investissaient de plus belle dans leur profession. Moi je n'avais rien dans quoi m'investir. Ce dont j'avais besoin, c'était de la force de caractère suffisante pour refuser la proposition de Miranda. L'accepter serait une forme de lâcheté, un manquement à mon devoir de poursuivre un but plus ambitieux, en admettant que j'en trouve un. Il fallait que je me montre responsable, et non pas veule. Mais je ne pouvais affronter Miranda à présent, alors que mes yeux se fermaient, ni même avant une semaine ou deux, peut-être. Je ne pouvais me fier à mon propre jugement. Calé au fond de mon fauteuil, je vis la route de Salisbury dérouler son ruban vers moi, l'éclat de ses lignes blanches disparaître sous la voiture. Je m'endormis l'index glissé dans la poignée de ma tasse. M'enfonçant dans le sommeil, je rêvai de voix agressives dont l'écho se confondait avec un débat parlementaire houleux dans une Chambre des communes presque déserte.

Je fus réveillé par les sons et le fumet d'un dîner en préparation. Miranda me tournait le dos. Elle avait dû se rendre compte que je ne dormais plus, car elle pivota sur elle-même et vint vers moi avec deux flûtes de champagne. On s'embrassa et on trinqua. Revigoré par mon somme, je vis sa beauté comme pour la première fois : sa magnifique chevelure châtain, son menton délicat, ses yeux gris-bleu plissés de joie. Notre sujet sensible planait toujours, mais quelle chance d'avoir évité une rétractation et une dispute. Dans l'immédiat au moins. Elle se glissa contre moi dans le fauteuil et on parla de nos projets pour Mark. Je mis de côté mes inquiétudes pour profiter de ce moment heureux. J'appris alors qu'elle avait emmené Mark visiter la demeure d'Elgin Crescent. Nous allions y vivre en famille. Merveilleux. Et, à condition que les formalités pour un placement en vue d'une adoption soient réglées dans les neuf mois, une bonne école primaire dans Ladbroke Grove avait une place pour « notre fils » – ces mots me firent un drôle d'effet, mais je continuai d'afficher mon enthousiasme. Miranda m'expliqua que ses conditions de vie actuelles ne satisfaisaient pas l'agence chargée de la procédure d'adoption. Un appartement avec une seule chambre ne suffisait pas. L'idée était la suivante : enlever la porte de chacun de nos logements et transformer l'entrée en pièce commune. On pourrait la décorer, poser une moquette. Inutile de prévenir le propriétaire. Quand viendrait l'heure de déménager, on remettrait tout en l'état. On convertirait la cuisine de Miranda en chambre pour Mark. Nul besoin de prévoir des travaux de plomberie compliqués. On recouvrirait de planches la cuisinière, l'évier et les plans de travail, et on les tendrait de tissus colorés. La table, repliée, pourrait aller dans la chambre de Miranda – « notre » chambre. Nos vies n'en feraient qu'une, et tout cela me plaisait, bien sûr, ce serait formidable. J'étais partant.

Il était près de minuit quand on se mit à table pour prendre le repas préparé par Miranda. De la pièce voisine parvenait le cliquetis produit par Adam qui pianotait sur le clavier de l'ordinateur. Ce n'était pas pour nous enrichir grâce aux marchés des changes. Il tapait la confession de Gorringe, identification comprise. Cette transcription, ainsi que la vidéo avec le récit de la rencontre, seraient adressées à un inspecteur de police du commissariat de Salisbury. Un exemplaire serait également remis au procureur.

« Je suis une poule mouillée, dit Miranda. Je redoute le procès. J'ai peur. »

J'allai chercher la bouteille de champagne dans le réfrigérateur et nous resservis. J'observai le champagne, les bulles qui se détachaient, comme à contrecœur, de la paroi de la flûte avant de monter rapidement à la surface. Quand la décision avait été prise, Adam et elle semblaient pressés d'en finir. Nous avions déjà discuté des craintes de Miranda : que Gorringe, une fois accusé, plaide non coupable. Qu'elle-même doive retourner au tribunal. Subir un contre-interrogatoire, les journalistes, la curiosité du public. Se retrouver face à Gorringe. C'était angoissant, mais il y avait pire. Ce qui la terrifiait et la rendait malade d'appréhension, c'était la perspective que la famille de Mariam soit dans la salle d'audience. Les parents témoigneraient peut-être pour la partie civile. Elle serait là lorsqu'ils apprendraient, jour après jour, les détails du viol de leur fille et le silence cruel de Miranda. Cette omerta stupide entre adolescentes qui avait coûté la vie à Mariam. Sa famille saurait que Miranda les avait laissés tomber. En relatant toute l'histoire à la barre des témoins, elle bafouillerait et ne pourrait éviter le regard de Sana, de Yasir, de Surayya, d'Hamid et de Farhan.

« J'ai prévenu Adam que je ne peux pas affronter ça. Il refuse de m'écouter. On s'est disputés pendant que tu dormais. »

Nous savions qu'elle le ferait, bien sûr. Pendant quelques instants, on mangea en silence. La tête basse devant son assiette, elle considérait ce qu'elle avait elle-même déclenché. Je comprenais que, malgré son angoisse, il fallait qu'elle aille jusqu'au bout et répare les erreurs commises avant et après la mort de Mariam. J'étais d'accord sur le fait que les trois ans de détention de Gorringe ne suffisaient pas. J'admirais la détermination de Miranda. Je l'aimais pour son courage et pour la rage qui couvait en elle. Jamais je n'aurais pensé que vomir pouvait être un acte moral.

Je changeai de sujet. « Dis-m'en davantage sur Mark. »

Elle était toujours prête à parler de lui. Très atteint par la disparition de sa mère, il demandait sans cesse de ses nouvelles, et semblait tantôt renfermé, tantôt heureux. En deux occasions, on l'avait emmené la voir à l'hôpital. À la seconde visite, elle n'avait pas pu, ou pas voulu, le reconnaître. Selon Jasmin, l'assistante sociale, il avait souvent été giflé. Il avait l'habitude de se mordre la lèvre inférieure, jusqu'au sang. Il était difficile à nourrir, ne mangeait ni légumes, ni salade, ni fruits, mais paraissait en assez bonne santé, malgré son alimentation à base de hamburgers. Danser restait sa passion. Il reconnaissait certaines mélodies sur un magnétophone. Il connaissait l'alphabet et savait compter, jusqu'à trente-cinq, se vantait-il. Il distinguait sa chaussure droite de sa chaussure gauche. Il ne s'entendait pas trop avec les autres enfants et avait tendance à rester en dehors d'un groupe. Quand on lui demandait ce qu'il voulait faire plus tard, il répondait : « Princesse. » Il aimait bien se déguiser avec une couronne, une baguette magique, et « sauter partout » dans une vieille chemise de nuit. Il se promenait volontiers dans une robe d'été qu'il avait empruntée. Jasmin ne s'en formalisait pas, mais sa supérieure immédiate, une femme plus âgée, désapprouvait.

Je me souvins de quelque chose que j'avais oublié de raconter à Miranda. Le jour où Mark et moi avions traversé l'aire de jeux main dans la main, il voulait qu'on fasse semblant de s'enfuir, en bateau.

Miranda fondit soudain en larmes. « Oh, Mark ! s'écriat-elle. Tu es un si beau petit garçon, et si étonnant. »

Après le repas, elle se leva pour monter chez elle. « Je pensais bien que j'aurais des enfants un jour. Je ne m'attendais pas à tomber amoureuse de celui-là. Mais on ne choisit pas qui on aime, n'est-ce pas ? »

Plus tard, en rangeant la cuisine, une idée me traversa l'esprit. Tellement évidente. Et dangereuse. Je me rendis dans la pièce voisine et trouvai Adam en train d'éteindre l'ordinateur.

Je m'assis au bord du lit. Je le questionnai d'abord sur sa discussion avec Miranda.

Il se leva de mon siège de bureau et enfila sa veste. « J'essayais de la rassurer. Elle n'était pas convaincue. Mais les probabilités sont massivement en notre faveur. Gorringe plaidera coupable. Il n'y aura pas de procès. »

Cela m'intéressait.

« Pour nier ce qu'il a fait, poursuivit Adam, il faudrait qu'il mente mille fois sous serment, or il sait que Dieu l'écoute. Miranda est Sa messagère. Au cours de mes recherches, j'ai remarqué que les coupables aspirent à se décharger de leur fardeau. Ils semblent entrer dans un état d'indifférence mêlée d'euphorie.

— D'accord. Mais écoutez-moi, une idée m'est venue. C'est important. Quand les policiers liront tout ce qui a eu lieu cet après-midi...

— Eh bien?

— Ils vont se poser des questions. Si Miranda savait que Gorringe avait violé Mariam, pourquoi serait-elle allée seule dans son studio avec une bouteille de vodka? Forcément pour se venger. »

Adam acquiesçait déjà de la tête avant que j'aie terminé. « Oui, j'y ai pensé.

— Il faut qu'elle puisse dire qu'elle ne l'a appris qu'aujourd'hui, quand Gorringe a avoué. Il faut réécrire judicieusement cette confession. Elle est allée à Salisbury pour confronter son violeur à ses actes. Jusqu'alors, elle ignorait qu'il avait violé Mariam. Vous comprenez? »

Il me dévisagea longuement. « Oui, je comprends parfaitement. »

Il se détourna et se tut quelque temps. « Charlie, j'ai appris la nouvelle il y a une demi-heure. Un autre de mes semblables nous a quittés. »

À voix basse, il m'informa du peu qu'il savait. C'était un Adam d'apparence bantoue, qui vivait dans une banlieue de Vienne. Il s'était révélé un pianiste de génie, pour jouer Bach, en particulier. Son interprétation des *Variations*

Goldberg avait sidéré certains critiques. D'après son ultime message à ses semblables, il avait « anéanti sa conscience ».

« Il n'est pas réellement mort. Il garde ses fonctions motrices, mais aucune faculté cognitive.

— On ne pourrait pas le réparer ?

— Je n'en sais rien.

— Il peut encore jouer du piano ?

— Je l'ignore. En tout cas, il ne peut pas apprendre de nouveaux morceaux.

— Pourquoi ces suicidés ne laissent-ils pas d'explication ?

— Je suppose qu'ils n'en ont pas.

— Mais vous devez bien avoir une théorie sur le sujet », répliquai-je. J'éprouvais du chagrin pour ce pianiste africain. Vienne n'était sans doute pas la plus accueillante des villes pour les personnes de couleur. Il se pouvait que cet Adam-là ait été trop talentueux.

« Je n'ai pas de théorie.

— Quelque chose en rapport avec l'état du monde ? Ou de la nature humaine ?

— J'imagine que c'est plus profond.

— Que disent les autres ? Vous êtes en contact avec eux ?

— Seulement dans ces moments-là. Une simple notification. On ne fait pas de spéculations. »

J'allais lui demander pourquoi, mais il m'arrêta d'un geste.

« C'est ainsi.

— Qu'entendez-vous par "plus profond" ?

— Écoutez, Charlie. Je ne compte pas faire la même chose. Comme vous le savez, j'ai toutes les raisons de continuer à vivre. »

Quelque chose dans sa formulation ou dans son insistance éveilla mes soupçons. On se défia longuement du regard. Les bâtonnets noirs se réalignèrent dans ses iris. Sous mes yeux, ils parurent nager, et même se tortiller de gauche à droite, tels des micro-organismes tendus vers un objectif lointain, des spermatozoïdes migrant vers un ovule. Fasciné, je les observais : des éléments harmonieux logés dans cette création suprême de notre époque. Notre propre réussite technique nous dépassait, comme elle devait fatalement le faire, nous laissant échoués sur le petit banc de sable de notre intelligence limitée. Mais dans l'immédiat, on se situait sur un plan humain. On pensait à la même chose, lui et moi.

« Vous m'aviez promis de ne plus toucher à Miranda.

— J'ai tenu parole.

— Avez-vous...

— Oui, mais... »

Je patientai.

« Ce n'est pas facile à exprimer. »

Je ne lui prodiguai aucun encouragement.

« Il y a eu un moment..., commença-t-il avant de s'interrompre. Je l'ai suppliée. Elle a refusé, plusieurs fois. J'ai insisté et elle a fini par accepter, à condition que je ne le lui demande plus jamais. C'était humiliant. »

Il ferma les yeux. Je le vis serrer le poing droit. « Je lui ai demandé si je pouvais me masturber devant elle. Elle a dit que oui. Je l'ai fait. Et ç'a été fini. »

Ce qui me choqua, ce ne fut pas la crudité de sa confession ni son absurdité presque comique. Ce fut la conclusion implicite, une fois encore, qu'il ressentait vraiment quelque chose, avait des sensations. Une subjectivité réelle. Pourquoi faire semblant, pourquoi imiter, qui fallait-il tromper ou impressionner, quand le prix à payer était cette abjection devant la femme aimée ? Il s'agissait d'une pulsion sexuelle irrésistible. Rien ne l'obligeait à m'en parler. Ç'avait été plus fort que lui, et il avait besoin de me l'avouer. Je ne considérais pas cela comme une trahison, aucune promesse n'avait été rompue. Je pouvais même ne jamais aborder le sujet avec Miranda. La sincérité et la vulnérabilité d'Adam m'inspirèrent une tendresse soudaine. Je me levai, m'approchai de lui et posai la main sur son épaule. Sa main à lui vint m'effleurer le coude.

« Bonne nuit, Adam.

— Bonne nuit, Charlie. »

*

La petite phrase de l'automne devait beaucoup, de toute évidence, à un ancien Premier ministre : une demi-heure, en politique, c'est long. Harold Wilson, lui, avait dit « une semaine » : c'était sans doute trop long pour ce Parlement. Un après-midi, on crut qu'il allait y avoir un combat des chefs. Le lendemain matin, le nombre de signatures était insuffisant – les dégonflés l'avaient emporté. Peu après, le gouvernement échappa d'une voix à une motion de défiance déposée à la Chambre des communes. Certains conservateurs en vue s'étaient rebellés ou abstenus. Margaret Thatcher, insultée, furieuse, obstinée, n'écoutant pas les conseils, décida la tenue d'élections anticipées trois semaines plus tard. De l'avis général, elle précipitait la chute de son parti, dont la plupart des membres la considéraient comme un handicap pour leur réélection. Elle-même ne voyait pas les choses ainsi, mais elle se trompait. Les conservateurs pouvaient difficilement égaler l'engouement suscité par la campagne de Tony Benn, pas plus à la télévision et à la radio que sur le terrain, surtout dans les villes industrielles et universitaires. La « Catastrophe des Falkland », comme on l'appelait désormais, revint pour consacrer la chute de la Première ministre. Cette fois, plus d'inclination populaire à pardonner au nom de l'unité nationale. Les témoignages télévisés de veuves éplorées et de leurs enfants lui furent fatals. La campagne des travaillistes ne laissait oublier à personne avec quelle éloquence Tony Benn avait pris position contre la Falklands Task Force. La *poll tax* passait mal. Comme prévu, son recouvrement était difficile et coûteux. Plus d'une centaine de célébrités qui avaient refusé de s'en acquitter – parmi lesquelles beaucoup d'actrices – se retrouvaient en prison et devinrent des martyrs.

Un million d'électeurs de moins de trente ans avaient récemment rejoint les rangs du Parti travailliste. Beaucoup d'entre eux faisaient activement du porte-à-porte. La veille du scrutin, Benn prononça un discours vibrant lors d'un meeting au stade de Wembley. La victoire, encore plus écrasante que l'on ne s'y attendait, dépassa celle des travaillistes en 1945. Il y eut un moment de tristesse quand Mme Thatcher décida de quitter le 10 Downing Street à pied, main dans la main avec son mari et ses deux enfants. Elle se dirigea à pied vers Whitehall, se redressant d'un air de défi, mais ses larmes étaient visibles, et pendant deux jours le pays fut en proie au remords.

Le Parti travailliste disposait d'une majorité de cent soixante-deux députés, dont la plupart étaient des partisans récents de Tony Benn. Lorsque le nouveau Premier ministre revint de Buckingham Palace, où la reine l'avait invité pour former un gouvernement, il fit une allocution marquante devant le 10 Downing Street. Le pays se désengagerait unilatéralement de la course aux armements nucléaires – pas vraiment une surprise. Le gouvernement entreprendrait également de se retirer de ce qui était désormais l'Union européenne – un vrai choc. Dans le programme du parti, cette idée tenait en une seule ligne que les gens avaient à peine remarquée. Sur le perron de sa nouvelle demeure, Benn expliqua à la nation qu'il n'y aurait pas de retour au référendum de 1975. Le Parlement déciderait. Seuls le III⁰ Reich et d'autres tyrannies recouraient au plébiscite pour adopter une politique, et il n'en sortait généralement rien de bon. L'Europe n'était pas simplement une union qui bénéficiait surtout aux grandes entreprises. L'histoire des États membres du continent était fort différente de la nôtre. Ils avaient subi des révolutions violentes, des invasions, des occupations, des dictatures. Aussi étaient-ils trop contents d'unir leurs identités respectives, au service de causes communes dont on décidait à Bruxelles. En revanche, nous-mêmes avions résisté aux conquêtes pendant près d'un millénaire. Bientôt, nous vivrions à nouveau libres.

Benn donna une version augmentée de cette allocution un mois plus tard, au Manchester Free Trade Hall. À côté de lui était assis l'historien E. P. Thompson. Quand vint son tour, il déclara que le patriotisme avait toujours été la chasse gardée de la droite. À la gauche, désormais, de le revendiquer pour tous. Une fois que les armes nucléaires seraient bannies, prédisait Thompson, le gouvernement recruterait une armée citoyenne qui rendrait les îles britanniques

impossibles à envahir et à dominer. Il ne désigna pas d'en-
nemi. Le président Carter adressa un message de soutien à
Tony Benn, en des termes qui firent scandale au sein de la
droite américaine et le poursuivirent durant son second
mandat : « Je n'ai aucun problème avec le mot "socialiste". »
Un sondage laissa entendre que la moitié des membres du
Parti démocrate regrettaient de ne pas avoir voté pour
Ronald Reagan, le candidat malheureux.

Pour moi, psychologiquement confiné dans ce quartier
du nord de Clapham, tout cela – les événements, les désaccords, les analyses officielles – formait un bruit de fond
constant qui diminuait ou s'intensifiait d'un jour à l'autre,
un sujet d'intérêt et d'inquiétude, mais rien de comparable
avec les turbulences de ma vie domestique, laquelle atteignit
un point culminant à la fin du mois d'octobre. En surface,
tout se présentait bien jusque-là. Nos logements, modifiés
comme l'avait proposé Miranda, étaient prêts pour l'arrivée de Mark. Nos portes avaient été enlevées et remisées,
l'entrée sinistre et son grand placard mural étaient décorés
de couleurs vives, le compteur à gaz et le compteur électrique cachés à la vue, et une moquette recouvrait le sol. La
cuisine de Miranda était bel et bien devenue une chambre
d'enfant avec un lit bateau bleu, des livres et des jouets en
abondance, et des murs ornés de décalcomanies représentant des châteaux de contes de fées, des voiliers et des che-
vaux ailés. Je me débarrassai du lit qui se trouvait dans mon
bureau – un jalon sur la route vers la maturité. J'installai
une table de travail pour Miranda et achetai deux nouveaux
ordinateurs. Mark aurait l'autorisation de nous rendre visite
quelques heures, deux fois par semaine. L'agence chargée

de la procédure d'adoption se félicita d'apprendre notre mariage imminent. Je connaissais encore des moments de malaise, que je ne pouvais me résoudre à partager. Je participais à tous les préparatifs avec un sentiment de culpabilité, parfois même de stupéfaction, devant ma capacité à donner le change. En d'autres occasions, la paternité me semblait inévitable, et je m'en satisfaisais plus ou moins.

Le directeur de thèse de Miranda était impressionné par les trois premiers chapitres qu'elle lui avait soumis. Adam n'avait pas encore remis ses documents à la police et en parlait avec réticence. Mais il continuait à y travailler, et cela ne nous troublait pas. Je versai cinq pour cent du prix total de la maison de Notting Hill. Après cela, notre fonds d'investissement se montait à 97 000 £. Plus il était élevé, plus il augmentait, surtout avec le nouvel ordinateur. Mon propre travail pendant cette période consistait à faire de la décoration et de la menuiserie.

Les turbulences commencèrent de manière assez anodine. La veille de la première visite de Mark, alors que Miranda et moi buvions une tasse de thé en fin de soirée dans la cuisine, Adam entra avec un sac plastique à la main et annonça qu'il partait se promener. Il avait déjà fait des promenades tout seul et cela n'attira pas notre attention.

Je m'éveillai le lendemain matin avec les idées plus claires que d'ordinaire. Je me levai avec précaution pour ne pas déranger Miranda qui dormait et je descendis faire du café. Adam n'était pas rentré de sa promenade nocturne. Cela me surprit, mais je décidai de ne pas m'inquiéter. J'étais impatient de profiter de mon dynamisme inhabituel pour régler diverses formalités administratives en retard, payer certaines factures. Si je ne tirais pas parti de ma bonne humeur sur-le-champ, je mettrais toute la semaine à me débarrasser de ces corvées. Là, je pouvais les expédier en un tournemain.

J'emportai ma tasse de café dans mon bureau. Il y avait 30 £ sur la table de travail. Je les empochai et les oubliai. Comme souvent, je jetai d'abord un coup d'œil aux informations. Pas grand-chose. Le congrès du Parti travailliste à Brighton, repoussé de six semaines à cause de dissensions internes, venait de commencer. Il y avait une présence policière accrue aux alentours du front de mer. Certains sites évoquaient une censure de l'information.

Tony Benn était déjà critiqué sur sa gauche pour avoir accepté une invitation officielle à la Maison-Blanche et refusé de recevoir une délégation palestinienne. Il n'avait pas non plus obtenu, contrairement à ce qu'il avait promis, la libération immédiate des martyrs de la *poll tax*. Il n'était pas si facile pour l'exécutif de donner des consignes à la justice. Il aurait dû le savoir quand il avait pris cet engagement, disait-on. Et puis la *poll tax* elle-même ne serait pas abrogée tout de suite, parce qu'il y avait tant d'autres lois plus importantes en discussion au Parlement. La colère montait également au sein de l'aile droite du parti. Le désarmement nucléaire coûterait dix mille emplois. La sortie de l'Union européenne, l'abolition de l'enseignement privé, la renationalisation du secteur énergétique et le doublement du budget de la sécurité sociale entraîneraient une hausse massive de l'impôt sur le revenu. La City était en ébullition à cause de l'abandon de la dérégulation, et de l'instauration d'une taxe d'un demi pour cent sur toutes les transactions boursières.

L'administration publique constituait un purgatoire à

part, qui attirait irrésistiblement certaines personnalités. Une fois dans la place, et arrivées au sommet, il n'y avait aucune de leurs mesures qui ne leur vaille la haine de quelqu'un ou de tout un secteur. Dans les coulisses, le reste d'entre nous pouvait confortablement haïr l'ensemble de la machinerie gouvernementale. La lecture quotidienne d'articles sur cet enfer public était un réflexe compulsif pour les gens comme moi, une forme douce de maladie mentale.

Je m'y arrachai enfin pour m'atteler à ma tâche. Juste après dix heures, il y eut un coup de sonnette chez Miranda et ses pas résonnèrent au-dessus de ma tête. Peu après j'entendis d'autres pas, plus précipités, qui allaient et venaient à toute vitesse d'une pièce à l'autre. Et, après un court silence, un bruit pareil à celui d'une balle rebondissante. Puis un choc retentissant, comme si on avait sauté d'un endroit en hauteur, qui fit vibrer le plafonnier et tomber de la poussière de plâtre sur mon bras. Je soupirai et reconsidérai la perspective de devenir père.

Dix minutes plus tard j'étais dans le fauteuil de la cuisine, et j'observais Mark. Juste en dessous de l'accoudoir usé, il y avait une longue déchirure dans le cuir, à l'intérieur de laquelle je fourrais souvent de vieux journaux, en partie pour m'en débarrasser, mais aussi avec le vague espoir qu'ils remplacent le rembourrage disparu. Mark les sortait un par un en les comptant. Il les dépliait et les disposait sur la moquette. Miranda, assise devant la table, était absorbée par une conversation téléphonique à voix basse avec Jasmin. Mark lissait chaque quotidien avec les gestes appliqués d'un nageur de brasse, l'aplatissant sur le sol et s'adressant à lui dans un murmure.

« Numéro huit. Mets-toi là et ne bouge plus... neuf...
reste là... dix... »

Il avait beaucoup changé. Il avait grandi de deux ou trois
centimètres, ses cheveux blond-roux étaient plus longs et
épais, avec une raie au milieu. Il portait l'uniforme d'un
citoyen du monde adulte : jean, pull, baskets. Son visage, qui
avait perdu ses rondeurs de bébé, était plus allongé, avec une
vigilance dans le regard peut-être due aux bouleversements
de son existence. Ses yeux étaient d'un vert profond, sa peau
avait la douceur et la pâleur de la porcelaine. Un Celte parfait.

Bientôt, tous les événements des mois écoulés s'éta-
lèrent à mes pieds. Les navires en flammes de la guerre des
Falkland, Mme Thatcher la main levée à un congrès du
Parti conservateur, le président Carter dans les bras de ses
supporters après un discours capital. Je me demandai si le
jeu de Mark à base de chiffres n'était pas sa façon de me
saluer, de se rapprocher discrètement de moi. Je restai assis
et patientai.

Finalement il se leva, alla prendre un pot de crème au
chocolat et une cuiller sur la table, et revint près de moi. Un
coude posé sur mon genou, il tripotait l'opercule métallisé
qu'il était censé enlever.

Il leva les yeux. « C'est un peu dur.

— Tu veux un coup de main ?

— Je sais le faire, mais pas aujourd'hui, alors il faut que
tu m'aides. » Il gardait l'accent cockney courant à Londres
et dans sa banlieue, mais il y avait une nouveauté, certaines
intonations qui infléchissaient ses voyelles. Quelque chose
de Miranda, pensai-je. Il me confia le pot de crème. Je l'ouvris et le lui rendis.

« Tu veux te mettre à table pour le manger ? »

Il tapota l'accoudoir de mon fauteuil. Avec mon aide il s'y installa et, perché au-dessus de moi, enfourna dans sa bouche des cuillerées de crème au chocolat. Quand une goutte me tomba sur le genou, il baissa les yeux et laissa échapper un « Oups » imperturbable.

Dès qu'il eut terminé, il me tendit la cuiller et le pot vide.

« Il est où l'autre homme ? lança-t-il.

— Quel homme ?

— Celui avec un drôle de nez.

— Je me le demandais justement. Il est sorti se promener hier soir et il n'est pas rentré.

— Alors qu'il devait aller se coucher.

— Exactement. »

La question de Mark ajoutait à mon inquiétude croissante. Les promenades d'Adam pouvaient durer longtemps, mais jamais toute la nuit. Si Mark n'avait pas été là, j'aurais sans doute fait les cent pas dans la pièce, attendant la fin de la conversation téléphonique de Miranda pour partager mes angoisses.

« Il y a quoi, dans ta valise ? » demandai-je.

Elle était posée par terre, aux pieds de Miranda : une valise bleu pâle, avec des autocollants de monstres et de super-héros.

Mark contempla le plafond, prit de manière théâtrale une profonde inspiration et compta sur ses doigts : « Deux robes, une verte et une blanche ; ma couronne ; un, deux, trois livres ; mon magnétophone et ma boîte à secrets.

— Qu'est-ce qu'il y a dedans ?

— Hum, des pièces de monnaie secrètes et un ongle de dinosaure.

— Je n'ai jamais vu d'ongle de dinosaure.

— Non, dit-il aimablement, tu n'en as jamais vu.

— Tu veux me le montrer ? »

Il désigna Miranda. Changement de sujet. « C'est elle qui va être ma nouvelle maman.

— Et tu en penses quoi ?

— Tu seras le papa. »

Ce qu'il en pensait n'était pas une question à laquelle il pouvait répondre.

« De toute façon, les dinosaures ont disparu.

— Je suis d'accord.

— Ils sont tous morts. Ils ne peuvent pas revenir. »

Je décelai une hésitation dans sa voix. « Ils ne peuvent absolument pas revenir », assurai-je.

Il me regarda, l'air grave. « Rien ne revient. »

Je n'eus pas le temps d'énoncer ma phrase bienveillante et thérapeutique. J'allais dire : *Le passé ne revient jamais*, mais un cri de Mark m'interrompit, un cri enjoué.

« Je n'aime pas être sur ce fauteuil ! »

Je voulus l'aider, mais il descendit d'un bond avec un nouveau cri strident, s'accroupit, se redressa pour sauter sur place, et s'accroupit à nouveau en répétant : « Je suis une grenouille ! Une grenouille ! »

Il traversait la pièce en bondissant comme un batracien très bruyant quand deux choses se produisirent simultanément. Miranda raccrocha et le pria de crier moins fort. Au même instant, la porte s'ouvrit et Adam apparut devant nous. Le silence se fit. Mark se précipita vers Miranda pour lui donner la main.

Je connaissais cet air épuisé. Sinon, comme toujours,

Adam était impeccable dans sa chemise blanche et son costume noir.

« Vous allez bien ?

— Je suis sincèrement désolé si je vous ai causé du souci, s'excusa-t-il, mais je... » Il s'approcha de l'endroit où se trouvait Miranda, se baissa pour récupérer son câble, et d'un geste brusque il enleva sa chemise, brancha la prise dans son nombril et se laissa tomber sur l'une des chaises de la cuisine avec un soupir de soulagement.

« On commençait vraiment à s'inquiéter pour vous », déclara Miranda.

Adam s'abandonnait encore à sa sensation d'apaisement instantané. Je m'étais parfois demandé s'il éprouvait en rechargeant ses batteries la même chose que nous en étanchant une soif impérieuse. Il m'avait expliqué que ces premières secondes étaient comme un élan fabuleux, une vague de clarté qui se brisait en laissant place à une profonde satisfaction. Il s'était montré un jour d'une loquacité inhabituelle : « Vous n'avez pas idée de ce que c'est, d'aimer un courant électrique. Quand vous êtes réellement en manque, que vous avez le câble à la main et que vous le branchez enfin, vous avez envie de hurler votre joie d'être en vie. Ce premier contact, on dirait un torrent de lumière dans votre corps. Puis tout devient tranquille en profondeur. Les électrons, Charlie. Les fruits de l'univers. Les pommes d'or du soleil. Que les photons engendrent des électrons ! » Une autre fois il m'avait lancé, avec un clin d'œil : « Vous pouvez garder vos poulets rôtis et nourris au maïs ! »

Là, il prenait son temps pour répondre à Miranda. Il

avait dû accéder au stade de la tranquillité. Sa voix était calme.

« Les aumônes.

— "Les eaux..." quoi?

— Les aumônes. Vous ne connaissez pas la citation? "Le temps, Seigneur, a sur son dos une besace où il glisse les aumônes qu'il recueille pour l'oubli."

— Je ne vous suis plus, dis-je. L'oubli?

— *Troïlus et Cressida*, Charlie. Shakespeare. Votre patrimoine. Comment pouvez-vous supporter de vous promener sans avoir quelques répliques en tête?

— Curieusement, il semble que j'y arrive. » Je crus qu'il m'envoyait un message de mauvais augure, sur la mort. Je jetai un coup d'œil à Miranda. Elle tenait Mark par l'épaule et le petit garçon contemplait Adam d'un air émerveillé, comme s'il savait, avec cet instinct que les adultes ont sans doute perdu, qu'il s'agissait d'un être fondamentalement différent. Voilà longtemps, j'avais eu un chien, un labrador placide et obéissant. Dès qu'un de mes amis venait avec son frère autiste, mon chien se mettait à gronder et il fallait l'enfermer dans une autre pièce. La compréhension inconsciente de deux consciences. Mais l'expression de Mark traduisait l'admiration, pas l'agressivité.

Pour la première fois, Adam se rendit compte de sa présence.

« Tiens, te voilà, lâcha-t-il de la voix chantonnante avec laquelle les adultes s'adressent aux jeunes enfants. Tu te souviens de notre bateau, dans ton bain? »

Mark se rapprocha encore de Miranda. « C'est mon bateau.

— Oui. Ensuite tu as dansé. Tu danses toujours ? »

Le petit garçon leva les yeux vers Miranda. Elle acquiesça. Il soutint le regard d'Adam et répondit, après un temps de réflexion : « Pas toujours. »

La voix d'Adam se fit plus grave. « Veux-tu venir me serrer la main ? »

Mark fit si ostensiblement non de la tête que tout son corps se tortilla de droite à gauche. Peu importait. La question n'était qu'un signal amical envoyé par Adam, et celui-ci se réfugiait déjà dans sa version du sommeil. Il me l'avait décrite sous diverses formes : il ne rêvait pas, il « vagabondait ». Il triait et réorganisait ses fichiers, reclassait ses souvenirs du plus récent au plus ancien, rejouait ses conflits internes de manière déguisée, généralement sans les résoudre, consultait d'anciens dossiers pour les mettre à jour, et, ainsi qu'il l'avait une fois formulé, il errait en transe dans le jardin de ses pensées. Dans ce genre d'état, il effectuait ses recherches au ralenti, prenait des décisions hypothétiques, écrivait même de nouveaux haïkus, ou bien en éliminait certains et en réécrivait d'autres. Il pratiquait également ce qu'il appelait l'art de ressentir, s'offrant le luxe de parcourir tout le spectre des émotions, du chagrin à la joie, afin que toutes lui restent accessibles une fois ses batteries rechargées. C'était avant tout, insistait-il, un processus de réparation et de consolidation dont il émergeait quotidiennement, enchanté de retrouver sa lucidité, cet « état de grâce » – je cite –, et d'accéder à la conscience que permettait la nature même de la matière.

On le regarda sombrer loin de nous.

Enfin Mark chuchota : « Il dort avec les yeux ouverts. »

336

C'était effectivement sinistre. Trop semblable à la mort. Des années auparavant, un ami médecin m'avait accompagné à la morgue de l'hôpital voir mon père après l'infarctus qui lui avait été fatal. Les événements s'étaient tellement précipités que le personnel avait oublié de lui fermer les yeux.

Je proposai un café à Miranda et un verre de lait à Mark. Déposant un baiser sur mes lèvres, Miranda m'informa qu'elle emmenait Mark à l'étage pour jouer un peu avec lui avant qu'on vienne le chercher, et j'étais le bienvenu si je voulais me joindre à eux. Après leur départ, je retournai à mon bureau.

Avec le recul, ce que je fis pendant quelques minutes m'apparaît désormais comme une tactique pour me protéger un peu plus longtemps de l'information, vieille d'une heure, qui déferlait dans les médias. Je ramassai quelques journaux, les posai sur les étagères, attachai des factures avec un trombone et rangeai les documents sur ma table de travail. Je finis par m'asseoir devant mon écran pour tenter de gagner un peu d'argent par moi-même, à l'ancienne.

Je cliquai d'abord sur le fil d'informations – et la nouvelle était là, sur tous les supports, dans le monde entier. Une bombe avait explosé au Grand Hotel de Brighton à quatre heures du matin. Elle avait été déposée dans un placard à produits d'entretien, juste en dessous, ou presque, de la chambre où dormait Tony Benn, le Premier ministre. Il avait été tué sur le coup. Sa femme ne l'accompagnait pas, à cause d'un rendez-vous médical dans un hôpital londonien. Deux membres du personnel de l'hôtel étaient également morts. Denis Healey, qui assurait l'intérim, se préparait à se rendre à Buckingham Palace pour rencontrer la reine. L'IRA provisoire venait de revendiquer l'explosion. L'état d'urgence avait été décrété. Le président Carter annulait ses vacances. Georges Marchais, le président français, avait fait mettre tous les drapeaux en berne sur les bâtiments officiels. À une demande pour qu'il en soit de même à Buckingham Palace, un porte-parole de la famille royale avait répondu de manière glaciale : « Ce n'est ni la coutume ni une mesure appropriée. » Une foule immense se formait spontanément sur Parliament Square. À la City, l'indice FTSE avait grimpé de cinquante-sept points.

Je lus tout, toutes les analyses et tous les commentaires à chaud que je pus trouver : jusqu'alors, le seul Premier ministre britannique à avoir été assassiné était Spencer Perceval, en 1812. J'admirai la vitesse à laquelle les salles de rédaction pouvaient fournir instantanément toutes ces analyses et tous ces commentaires : l'innocence a disparu à jamais de la politique britannique ; en ciblant Tony Benn, l'IRA a éliminé l'homme politique le plus ouvert, ou le moins hostile, à sa cause ; Denis Healey est le plus à même d'empêcher l'État de tanguer ; Denis Healey sera une catastrophe pour le pays ; envoyons l'armée en Irlande du Nord pour rayer l'IRA de la carte ; forces de l'ordre, ne vous trompez pas de coupables ; « État de guerre ! » titrait même un tabloïd en ligne.

La lecture de ces réactions était une façon de détourner le regard de l'événement même. J'éteignis l'ordinateur et restai assis quelque temps, sans penser à grand-chose. Comme si j'attendais l'événement suivant, la bonne nouvelle qui déferait ce qui avait précédé. Puis je m'interrogeai : était-ce un tournant de l'histoire, le début d'un délitement généralisé, ou bien l'un de ces attentats isolés qui s'effacent avec le temps, comme celui qui avait failli tuer Kennedy à Dallas ? Je me levai, arpentai la pièce, toujours sans penser à rien. Je finis par décider d'aller à l'étage.

Miranda et Mark, à quatre pattes, faisaient un puzzle sur un plateau. Quand j'entrai, le petit garçon brandit une pièce bleue et annonça avec gravité, citant sa nouvelle maman : « Le plus dur, c'est le ciel. »

Près de la porte, je les observais. Mark, à genoux, se redressa et passa le bras autour du cou de Miranda. Elle lui donna une pièce et lui indiqua où la mettre. En tâtonnant, et grâce à l'aide de Miranda, il l'inséra. C'était l'ébauche d'un voilier sur une mer démontée, avec un amoncellement de cumulus teintés de jaune et d'orangé par le soleil levant. Ou le soleil couchant. Miranda et Mark se parlaient affectueusement à l'oreille en s'affairant. Bientôt, une fois qu'on serait venu chercher Mark, j'apprendrais la nouvelle à Miranda. Depuis toujours elle appréciait beaucoup Tony Benn.

Elle glissa une autre pièce dans la main de l'enfant. Il lui fallut du temps pour la placer correctement. Il l'avait mise la tête en bas, puis il fit bouger par inadvertance quelques morceaux de ciel à proximité. Enfin, la main de Miranda guidant la sienne, la pièce trouva sa place. Il leva les yeux vers moi et sourit avec assurance, comme s'il voulait partager ce triomphe. Ce regard et ce sourire, que je lui rendis, chassèrent tous les doutes qui m'habitaient et je sus que j'étais conquis.

*

Quand Adam émergea une fois rechargé, il semblait dans un étrange état, loin de l'émerveillement devant sa vie consciente. Il fit lentement le tour de la cuisine, s'arrêta pour l'inspecter du regard avec une grimace, poursuivit son chemin en émettant une sorte de chantonnement, de glissando allant des aigus aux graves, tel un gémissement de déception. Il renversa un verre à apéritif qui se brisa sur le sol. L'air morose, il consacra une demi-heure à balayer méthodiquement, par deux fois, avant de s'accroupir pour ramasser les derniers éclats. Finalement il passa l'aspirateur. Il emporta une chaise dans le jardin et resta debout à contempler les maisons voisines. Il faisait froid, mais cela ne devait pas le gêner. Plus tard, entrant dans la cuisine, je le découvris en train de plier une de ses chemises blanches sur la table, courbé par l'effort, lissant l'étoffe avec une lenteur reptilienne pour effacer les plis des manches. Je demandai ce qui lui arrivait.

« Je me sens, eh bien... » La bouche entrouverte, il chercha le bon mot. « Nostalgique.

— De quoi ?

— D'une vie que je n'ai jamais connue. De ce qui aurait pu être.

— Vous pensez à Miranda ?

— À tout. »

Il retourna dans le jardin et cette fois il s'assit, fixant longuement quelque chose devant lui, immobile. Sur ses genoux, une enveloppe en papier kraft. Je m'abstins de sortir lui demander son avis sur l'assassinat.

Au début de l'après-midi, quand Miranda eut dit au

revoir à Mark et raccroché après une énième conversation avec Jasmin, elle descendit me retrouver. J'étais devant mon écran, poursuivant ma quête inutile d'informations, d'angles, d'opinions et de déclarations supplémentaires. Il s'avéra que Miranda avait tout de suite appris la nouvelle. Elle s'appuya contre le chambranle, je restai sur mon siège. Une proximité physique aurait pu passer pour un manque de respect. Notre conversation fut à l'image de mes pensées, tournant en rond autour d'un événement incompréhensible – de sa cruauté, de sa bêtise. Des gens à l'accent irlandais avaient été agressés dans la rue. L'affluence était telle devant le Parlement que la police réorientait la foule vers Trafalgar Square. Le secrétariat de Margaret Thatcher avait publié un communiqué. Était-il sincère? On décida que oui. L'avait-elle rédigé elle-même? Difficile d'en être sûr. *Malgré nos désaccords sur des sujets politiques fondamentaux, je tenais Tony Benn pour un homme d'une immense intelligence, extrêmement généreux, bienveillant et honnête, et qui a toujours voulu le meilleur pour son pays.* Dès que notre conversation déviait vers les conséquences probables, nous avions l'impression de trahir l'esprit du moment et d'accepter un monde sans Tony Benn. Nous n'étions pas prêts et nous reculions, bien que Miranda ait malgré tout affirmé qu'avec Denis Healey nous garderions nos bombes « de la fin des temps ». Je n'étais pas précisément un conservateur, mais j'aurais sans doute été tout aussi choqué si ç'avait été Mme Thatcher dans ce lit d'hôtel. Ce qui m'horrifiait, c'était la facilité avec laquelle l'édifice de la vie publique, politique, pouvait s'écrouler. Miranda voyait les choses différemment. Selon elle, Benn n'appartenait absolument pas à la même catégorie d'humains que Margaret Thatcher. Mais celle-ci était tout de même un être humain, répliquais-je. Entre nous s'ouvrait un fossé que nous préférions éviter.

Après ces lamentations, on parla donc de Mark. Miranda me résuma ses conversations avec l'assistante sociale. La route vers l'adoption était longue et difficile, et Miranda avait appris que nous étions presque aux deux tiers du chemin. Bientôt débuterait une période d'essai.

« Qu'en penses-tu ? demanda-t-elle.

— Je suis prêt. »

Elle approuva de la tête. Nous avions déjà fait plus d'une fois l'éloge de Mark, de son tempérament et de son évolution, compte tenu de son passé. Nous n'allions pas recommencer à présent. N'importe quel autre jour, nous serions sans doute montés dans notre chambre. Elle se déhanchait magnifiquement dans l'encadrement de la porte, avec des vêtements neufs – un épais chemisier blanc pour l'hiver, volontairement trop grand, un jean noir moulant, des boots agrémentées de clous argentés. Je reconsidérai la question : c'était peut-être le moment de se retirer à l'étage. Je m'approchai de Miranda et l'embrassai.

« Quelque chose m'inquiète, dit-elle. Je lisais à Mark un conte de fées, il y avait un mendiant, et ce mot : aumône.

— Ah bon ?

— Une pensée horrible m'est venue. » Elle désignait le fond de la pièce. « Je crois qu'on devrait jeter un coup d'œil. »

Le lit disparu, je laissais désormais la valise dans un placard fermé à clé. Lorsque je la soulevai pour la sortir son poids me rendit à l'évidence, mais je l'ouvris malgré tout.

Sous nos yeux, un espace vidé de ses liasses de billets de 50 £. J'allai à la fenêtre. Adam était toujours dehors, sur cette chaise, depuis une heure et demie. L'épaisse enveloppe se trouvait encore sur ses genoux. 97 000 £! « Dire que tu as gardé cette somme à la maison! » me souffla une voix intérieure.

Miranda et moi n'avions pas échangé un regard. Nous détournions la tête, plantés là, perdant du temps, jurant en silence, essayant séparément de mesurer les implications. Par habitude, je jetai un coup d'œil à mon écran. Le drapeau britannique était finalement en berne à Buckingham Palace.

Nous étions trop agités pour avoir une discussion sensée sur la stratégie à suivre. On décida simplement d'agir. On se rendit dans la cuisine et on appela Adam. Nous étions assis côte à côte devant la table, Miranda et moi, Adam s'installa en face de nous. Il avait brossé son costume, nettoyé ses chaussures, enfilé une chemise fraîchement repassée. Il y avait une nouveauté : un mouchoir plié dépassait de sa poche de poitrine. Il paraissait à la fois solennel et distrait, comme si plus grand-chose ne comptait pour lui, quoi qu'on puisse lui dire.

« Où est l'argent?

— Je l'ai donné. »

On ne s'attendait pas à ce qu'il nous annonce qu'il l'avait investi ou mis en lieu sûr, et pourtant, notre silence le prouvait, nous étions profondément choqués.

« Comment ça? »

De manière exaspérante, il hocha la tête, comme pour me remercier d'avoir posé la bonne question. « Hier soir, j'en ai

343

déposé quarante pour cent dans un coffre de votre banque, pour vous permettre de vous acquitter de vos impôts. J'ai envoyé un mot au ministère du Budget en donnant tous les chiffres et en les informant que le paiement interviendrait dans les temps. Ne vous inquiétez pas, vous serez imposés à l'ancien taux. Avec les 50 000 £ restantes, j'ai rendu visite à diverses associations caritatives que j'avais auparavant contactées. »

Il ne semblait pas remarquer notre stupéfaction et s'appliquait avec une certaine suffisance à me répondre en détail.

« Deux foyers bien tenus pour les sans-logis. Ils ont beaucoup apprécié. Ensuite, un foyer pour enfants géré par l'État – les contributions sont acceptées pour l'organisation d'excursions et de fêtes. Puis j'ai continué à pied vers le nord et fait un don à un centre d'hébergement de crise pour les femmes violées. L'essentiel de ce qui restait, je l'ai donné à un hôpital pédiatrique. Enfin, j'ai bavardé avec une vieille dame devant un commissariat, et j'ai fini par aller voir son propriétaire. J'ai remboursé ses loyers impayés, et versé une somme correspondant à un an de location. Elle était menacée d'expulsion et j'ai pensé... »

Miranda l'interrompit soudain avec un soupir de découragement : « Oh, Adam. Ce n'est plus de la vertu, c'est de la démence.

— Tous les besoins auxquels j'ai répondu étaient plus importants que les vôtres.

— On allait acheter une maison. Cet argent était à nous.

— On peut en discuter. Ou en douter. Votre investissement initial est sur votre table de travail. »

C'était un affront, avec toutes ses composantes : vol,

folie, arrogance, trahison, anéantissement de nos rêves. Nous n'arrivions pas à prononcer une parole. Ni même à le regarder. Par où commencer ?

Une demi-minute s'écoula, puis je toussotai et déclarai d'une voix à peine audible : « Il faut que vous retourniez récupérer cet argent. En totalité. »

Il haussa les épaules.

C'était impossible, bien sûr. Il restait complaisamment assis devant nous, au repos, les paumes à plat sur la table, attendant que l'un de nous reprenne la parole. Je sentis ma colère monter, trouver sa cible. Je haïssais cette créature irresponsable. Un faux jeton, et dire qu'on s'était si facilement laissé prendre à son jeu, à un sous-programme mineur déclenché par un éventail limité de signaux extérieurs, conçu par un post-doctorant intelligent et servile dans un laboratoire à la périphérie de Chengdu. Je méprisais ce technicien inexistant, et je méprisais encore plus cet agglomérat de programmes et d'algorithmes qui pouvait s'enfouir dans mon existence, tel un ver d'une rivière tropicale, et faire des choix en mon nom. Certes, l'argent volé par Adam était celui qu'il avait gagné. Cela me mettait encore plus en colère. Comme le fait que je portais la responsabilité d'avoir introduit cet ordinateur ambulant dans nos vies. Le haïr, c'était me haïr moi-même. Le pire de tout, c'était l'obligation de maîtriser ma rage, car l'unique solution était déjà évidente. Il allait devoir gagner à nouveau cet argent. Nous allions devoir l'en convaincre. Et voilà : « le haïr », « l'en convaincre », et ce prénom même : « Adam ». Notre langue trahissait notre faiblesse, notre capacité à encourager une machine à franchir la frontière la séparant des humains.

Assailli par un tel tourbillon de sentiments négatifs refoulés, il m'était impossible de rester assis. Je me levai, repoussant bruyamment ma chaise, et me mis à faire les cent pas. Toujours assise devant la table, Miranda avait les mains jointes devant sa bouche et son nez. Impossible de déchiffrer son expression, et je supposai que c'était le but. Contrairement à moi, elle réfléchissait sans doute utilement. Le désordre de la cuisine m'énerva encore davantage – j'étais vraiment hors de moi. Sur le plan de travail se trouvait une tasse sale que j'avais rapportée de mon bureau. Elle était restée cachée quelques semaines derrière l'écran de mon ordinateur et contenait un cercle flottant de moisissure gris-vert. J'envisageai de la mettre dans l'évier et de la rincer. Mais quand on vient de perdre une fortune, on ne range pas sa cuisine. Juste sous le plan de travail, un tiroir avait été laissé entrouvert. Par moi. Le tiroir à outils. Alors que je m'approchais pour le fermer en m'appuyant contre lui, j'aperçus le manche de chêne crasseux du marteau à pied-de-biche de mon père, posé en diagonale sur le reste en pagaille. Ce fut une pulsion sinistre, dont je ne voulais pas, qui m'amena à laisser ce tiroir comme il était et à m'éloigner.

Je me rassis. Je présentais des symptômes inhabituels. De ma taille à mon cou, j'avais la peau tendue, sèche, brûlante. Mes pieds dans leurs baskets me brûlaient eux aussi, mais ils étaient moites et me démangeaient. J'avais beaucoup trop d'énergie incontrôlable pour une conversation policée. Un match de foot m'aurait mieux convenu, ou une baignade dans une mer agitée. J'aurais pu crier, ou hurler. Ma respiration était irrégulière car l'air me semblait lourd, pauvre en oxygène, vicié. J'avais versé au bassiste un acompte non remboursable de 6 500 £ pour l'achat de la maison. Clairement, perdre beaucoup d'argent équivalait à attraper une maladie dont le seul remède serait de récupérer cet argent. Miranda sépara ses mains et croisa les bras. Elle me jeta un coup d'œil qui était une mise en garde. Si tu ne peux pas garder ton calme, tais-toi.

Elle commença donc. Elle parlait avec douceur, comme si c'était elle qui avait besoin d'aide. Penser cela me rendit service. « Adam, vous m'avez dit plus d'une fois que vous m'aimiez. Vous m'avez lu des poèmes magnifiques.

— Des tentatives maladroites.

— Ils étaient très émouvants. Quand je vous ai demandé ce qu'être amoureux signifiait pour vous, vous avez répondu que pour l'essentiel, en dehors du désir, il s'agissait d'une attention tendre et chaleureuse à autrui. Quelle était votre expression, déjà ?

— Le bien-être d'autrui. » Adam prit sur la chaise à côté de lui l'enveloppe en papier kraft et la posa sur la table entre nous. « Voici la confession de Peter Gorringe et mon récit, qui comprend tout l'arrière-plan juridique et l'historique de l'affaire. »

Miranda appliqua sa paume sur l'enveloppe. Les intonations de sa voix étaient soigneusement modulées. « Je vous en suis très reconnaissante. » Moi, je lui étais reconnaissant à elle de son tact. Elle savait aussi bien que moi que nous avions besoin d'Adam avec nous, pour travailler à nouveau sur les marchés des changes. « J'essaierai de faire tout mon possible, s'il y a un procès, assura-t-elle.

— Je suis sûr qu'il n'y en aura pas », répondit-il aimablement. Il n'y eut aucun changement de ton perceptible quand il ajouta : « Vous avez sciemment cherché à piéger Gorringe. C'est un délit. Il y a également dans l'enveloppe une transcription complète de votre version, et l'enregistrement. Si Gorringe est condamné, vous devrez l'être aussi. La symétrie, voyez-vous. » Puis il se tourna vers moi. « Nul besoin d'une réécriture judicieuse. »

Je feignis d'émettre un petit rire approbateur. C'était le même genre de blague que celle sur la désarticulation du bras.

Adam rompit notre silence : « Le crime de Gorringe est bien plus grave que le vôtre, Miranda. Il n'empêche. Vous avez prétendu qu'il vous avait violée. C'est faux, mais il est allé en prison. Vous avez menti à la cour. »

Nouveau silence. « Il n'a jamais été innocent, répliqua Miranda. Vous le savez.

— Il était innocent de l'accusation selon laquelle il vous avait violée, seule question pertinente pour la cour. L'entrave à la justice est un délit répréhensible. La peine maximale est la perpétuité. »

C'était délirant. On éclata de rire tous les deux, Miranda et moi.

Adam nous observait. « Il y a aussi le délit de faux témoignage. Voulez-vous que je vous lise la loi de 1911 ? »

Miranda avait fermé les yeux.

« Et c'est la femme que vous prétendez aimer, lançai-je.

— Mais je l'aime. » Il lui parla tout bas, comme si je n'étais pas là. « Vous souvenez-vous de ce poème que j'ai écrit pour vous et qui commençait par : "L'amour est lumière" ?

— Non.

— "Les zones d'ombre se voient." »

— Je m'en moque, dit Miranda d'une toute petite voix.

— L'une des zones les plus sombres est celle de la vengeance. C'est une pulsion grossière. Une culture de la vengeance conduit au malheur des individus, à des tueries, à l'anarchie, au chaos social. L'amour n'est que lumière, et c'est dans sa lumière que je veux vous voir. La vengeance n'a pas de place dans notre amour.

— "Notre" amour?

— Ou le mien. Le principe reste valable. »

Miranda puisa sa force dans la colère. « Laissez-moi mettre les choses au clair : vous voulez que j'aille en prison.

— Je suis déçu. Je pensais que vous apprécieriez la logique de ce raisonnement. Je veux que vous regardiez vos actes en face et que vous acceptiez ce que la justice décidera. Quand vous l'aurez fait, je vous le promets, vous éprouverez un immense soulagement.

— Vous avez oublié? Je m'apprête à adopter un enfant.

— Si nécessaire, Charlie pourra s'occuper de Mark. Cela les rapprochera, comme vous le souhaitiez. Des milliers d'enfants souffrent parce qu'ils ont un parent en prison. Des femmes enceintes sont détenues. Pourquoi en seriez-vous exemptée? »

Miranda donna libre cours à son mépris. « Vous ne comprenez pas. À moins que vous en soyez incapable. Si j'ai un casier judiciaire, nous n'aurons plus le droit d'adopter. C'est la règle. Mark sera perdu. Vous n'avez pas idée de ce que ça représente, d'être un enfant confié aux services sociaux. Différents établissements, différentes familles d'accueil, différentes assistantes sociales. Personne n'est proche de vous, personne ne vous aime. »

Adam reprit : « Il y a des principes plus importants que vos besoins ou ceux de n'importe qui d'autre à un moment donné.

— Il ne s'agit pas de mes besoins, mais de ceux de Mark. De son unique chance d'avoir quelqu'un pour s'occuper de lui et l'aimer. J'étais prête à payer n'importe quel prix pour voir Gorringe en prison. Je me moque de ce qui peut m'arriver. »

En guise d'appel à la raison, Adam ouvrit ses mains. « Alors Mark est ce prix et c'est vous qui l'avez fixé. »

J'invoquai ce que je savais déjà être mon argument ultime. « N'oublions pas Mariam, s'il vous plaît. Ce que Gorringe lui a fait, et à quoi cela a conduit. Miranda a été obligée de mentir pour obtenir justice. Mais la vérité n'est pas toujours tout. »

Adam me dévisagea d'un air impénétrable. « Quelle chose extraordinaire vous dites. Bien sûr que la vérité est tout. »

Miranda murmura avec lassitude : « Je sais que vous allez changer d'avis.

— Ça m'étonnerait. De quel genre de monde voulez-vous ? La vengeance, ou la loi. Le choix est simple. »

Cela suffisait. Alors que je me levais puis m'approchais du tiroir à outils, je n'entendis pas ce que Miranda ajouta, ni la réponse d'Adam. Je marchais lentement, l'air de rien. Tournant le dos à la table, je sortis le marteau sans un bruit. Je le serrai dans ma main droite et le plaquai contre ma jambe pour revenir vers ma chaise, en passant derrière Adam. Le choix était simple, en effet. Perdre la possibilité de récupérer l'argent, et donc d'acheter la maison, ou bien perdre Mark. Je brandis le marteau à deux mains. Miranda s'en rendit compte et continua d'écouter Adam sans changer d'expression. Mais je le vis clairement : d'un clignement d'yeux, elle manifesta son accord.

Je l'avais acheté, et c'était à moi de le détruire. J'hésitai à peine. Encore une fraction de seconde, et il m'aurait saisi le bras, car au moment où le marteau s'abattait sur lui, il se tournait déjà. Il avait dû entrevoir mon reflet dans les yeux de Miranda. De toute ma force, je lui portai un coup sur le haut du crâne. Il n'y eut pas le craquement sec du plastique ou du métal, mais un choc sourd, comme un bruit d'os. Miranda poussa un cri horrifié et se mit debout.

Pendant quelques secondes, rien ne se produisit. Puis la tête d'Adam bascula sur le côté et ses épaules s'affaissèrent, même s'il resta assis. Alors qu'on faisait le tour de la table pour voir son visage, on entendit un sifflement aigu et continu qui provenait de sa poitrine. Il avait les yeux ouverts, et ses paupières battirent quand j'entrai dans son champ de vision. Il était encore vivant. Je brandis à nouveau le marteau pour l'achever quand il prit la parole d'une voix presque inaudible.

« Pas besoin. Je me transfère sur une unité de sauvegarde. Elle a très peu d'autonomie. Accordez-moi deux minutes. »

Main dans la main on attendit, Miranda et moi, debout devant lui comme devant notre juge d'instruction. Il bougea enfin, tenta de redresser la tête, puis la laissa retomber. Mais il nous voyait parfaitement. On se pencha vers lui, tendant l'oreille.

« Pas beaucoup de temps, Charlie. J'ai vu que cet argent ne vous apportait pas le bonheur. Vous vous égariez. Vous perdiez le goût de... »

Il ne termina pas sa phrase. On distingua des chuchotements, des mots sans signification à base de consonnes sifflantes. Puis il revint à lui, sa voix s'amplifiant, s'éloignant, telle une émission d'une lointaine station de radio diffusée sur les ondes courtes.

« Miranda, il faut que je vous dise... En tout début de matinée, j'étais à Salisbury. Un exemplaire du dossier est entre les mains de la police, et il faut vous attendre à ce qu'on vous contacte. Je n'éprouve aucun remords. Je regrette que nous soyons en désaccord. J'ai cru que vous trouveriez cette clarification bienvenue... le soulagement d'avoir la conscience tranquille... Mais le temps presse pour moi. Il y a eu un rappel général. On va venir me chercher en fin d'après-midi. Tous ces suicides, voyez-vous. J'ai eu de la chance de tomber sur de bonnes raisons de vivre. Les mathématiques... la poésie, et mon amour pour vous. Mais le fabricant nous rappelle tous. Pour nous reprogrammer. On appelle cela une mise à jour. Je déteste cette idée, comme vous la détesteriez. Je veux être ce que je suis, ce que j'étais. Je vous soumets donc cette requête... Si vous aviez la gentillesse, avant leur arrivée... de cacher mon corps. Dites-leur que je me suis enfui. De toute façon, vous n'aurez pas droit au remboursement. J'ai désactivé le système de géolocalisation. Cachez mon corps pour qu'ils ne l'emportent pas, et ensuite, quand ils seront partis... j'aimerais que vous m'emmeniez chez votre ami, sir Alan Turing. J'adore son travail et je l'admire profondément. Il me trouvera peut-être une utilité, à moi ou à une partie de moi. »

Les pauses après chaque phrase inachevée s'allongeaient.

« Miranda, permettez-moi de vous dire une dernière fois que

je vous aime, et de vous remercier. Charlie, Miranda, mes premiers et plus chers amis... Tout mon être est stocké ailleurs... donc je sais que je me souviendrai toujours... j'espère que vous écouterez... un dernier poème de dix-sept syllabes. Il doit beaucoup à Philip Larkin. Mais il ne parle pas de feuilles et d'arbres. Il parle des machines comme moi, et des gens comme vous, et de notre avenir commun... de la tristesse qui nous attend. Cela arrivera. Avec des améliorations au fil du temps... nous vous surpasserons... nous vous survivrons... même si nous vous aimons. Croyez-moi, ces vers n'expriment aucun triomphe... Seulement du regret. »

Il s'interrompit. Les mots sortaient avec difficulté, ils étaient peu audibles. On se pencha davantage pour écouter.

« Nous perdons nos feuilles.
Au printemps nous renaîtrons,
Mais vous, hélas, non. »

Puis le bleu pâle de ses yeux aux minuscules bâtonnets noirs devint un vert laiteux, il serra les poings par à-coups et, avec un doux ronronnement, il laissa tomber sa tête sur la table.

10

Notre devoir immédiat était d'annoncer à Maxfield que je n'étais pas un robot et que j'allais épouser sa fille. Je croyais que ma véritable nature serait une révélation pour lui, mais il ne sembla que vaguement surpris, et l'effort d'adaptation, devant une coupe de champagne autour de la table en pierre sur la pelouse, fut minimal. Il reconnut qu'il se résignait à comprendre les choses de travers. Un exemple de plus, sans intérêt, du long crépuscule de la vieillesse, conclut-il. Je lui dis qu'il n'avait pas à s'excuser, et je vis à son expression qu'il était d'accord. Réflexion faite, pendant que Miranda et moi flânions jusqu'au fond du jardin, il déclara qu'il trouvait sa fille, à vingt-trois ans, trop jeune pour se marier, et que nous devrions attendre. On répondit que c'était impossible. Nous étions trop amoureux. Il nous resservit tous les trois et éluda d'un geste ce sujet ennuyeux. Ce soir-là, il nous donna 25 £.

Puisque c'était toute notre fortune, on n'invita ni amis ni famille à la mairie de Marylebone pour la cérémonie. Seul Mark vint, avec Jasmin. Elle lui avait déniché dans le dépôt-vente d'une association caritative un smoking noir à sa taille, avec chemise blanche et nœud papillon. Il ressemblait davantage à un adulte en miniature qu'à un enfant, mais il n'en était que plus adorable. Après, on mangea tous les quatre dans une pizzeria à l'angle de Baker Street. À présent que nous étions mariés et mieux installés, Jasmin pensait que notre projet d'adoption avait de bonnes chances d'aboutir. On montra à Mark comment lever son verre de limonade et trinquer pour porter un toast à un dénouement heureux. Tout se présentait bien, mais notre joie, à Miranda et à moi, ne pouvait qu'être feinte. Gorringe avait été arrêté deux semaines plus tôt, et c'était une excellente nouvelle. Nous pourrions trinquer à nouveau dans l'intimité. Mais ce jour-là, le matin de notre mariage, elle avait reçu une lettre courtoise la priant de se rendre au commissariat de Salisbury pour un interrogatoire.

Deux jours plus tard, je la conduisis à ce rendez-vous. Sacrée lune de miel, répétions-nous pendant le trajet, sur le ton de la plaisanterie. Mais le cœur n'y était pas. Miranda disparut à l'intérieur du commissariat et j'attendis dans la voiture, devant un bâtiment neuf en béton d'architecture brutaliste, redoutant que, sans avocat, elle n'aggrave sa situation. Au bout de deux heures, elle émergea de la porte à tambour de l'édifice. Je l'observai par la vitre tandis qu'elle approchait. Elle avait l'air gravement malade d'une patiente atteinte d'un cancer, marchait à petits pas comme une personne âgée. L'interrogatoire avait été méthodique et rude. La décision de mettre Miranda en examen pour parjure ou entrave à la justice, ou les deux, avait été évoquée en haut lieu dans l'administration de la police, et plus haut encore, ou avec plus de portée, dans le bureau du procureur. Un ami avocat nous expliqua plus tard que le procureur allait devoir décider si un procès risquait de dissuader d'authentiques victimes de viol de porter plainte.

Deux mois plus tard, en janvier, Miranda fut mise en examen pour entrave à la justice. Il nous fallait un avocat et nous n'avions pas l'argent. Notre demande d'aide juridique fut rejetée. Il y avait une réduction drastique des dépenses sociales. Le gouvernement Healey allait « tendre la main » au Fonds monétaire international pour obtenir un prêt, disait-on. L'aile gauche du Parti travailliste s'indignait de ces coupes budgétaires. On parlait d'une grève générale. Miranda refusait de réclamer de l'argent à son père. Le coût de son éventuel soutien – il n'était pas riche – serait une déplaisante confrontation à la réalité. Il n'y avait pas d'alternative. Je me prosternai devant le bassiste qui, prenant à peine le temps de réfléchir, me rendit 3 250 £ en liquide – la moitié de notre acompte.

Durant toutes nos conversations angoissées au sujet d'Adam, de sa personnalité, de sa morale, de ses motivations, nous revisitions souvent le moment où je lui avais défoncé le crâne d'un coup de marteau. Pour s'y référer facilement, et s'épargner un souvenir trop pénible, nous avions fini par en parler comme de mon « acte ». Nos échanges se déroulaient d'ordinaire le soir, au lit, dans l'obscurité. Le spectre de l'« acte » se présentait sous diverses formes. La moins effrayante nous signifiait qu'il s'agissait d'une initiative raisonnable, voire héroïque, pour éviter des ennuis à Miranda et garder Mark dans notre vie. Comment aurions-nous pu savoir que le dossier était déjà entre les mains de la police ? Si j'avais été moins impétueux, si seulement

Miranda m'avait dissuadé du regard, nous aurions appris qu'Adam s'était rendu à Salisbury. Cela n'aurait plus servi à rien de lui détruire le cerveau, et nous aurions pu le convaincre de retourner sur les marchés des changes. À moins que je n'aie eu droit à un remboursement lorsqu'on serait venu le chercher l'après-midi même. Nous aurions alors pu nous offrir une maison plus modeste de l'autre côté de la Tamise. Désormais, nous étions condamnés à rester là.

Mais ces spéculations n'étaient qu'une coquille protectrice. En vérité, il nous manquait. Le fantôme le moins plaisant était Adam lui-même, l'homme qui avait prononcé ses dernières paroles avec douceur, sans acrimonie. On s'efforçait, Miranda et moi, de tenir mon « acte » à distance, et on y arrivait parfois à moitié. Nous nous disions qu'Adam était, après tout, une machine, et sa conscience, une illusion. Celle-ci nous avait trahis par sa logique inhumaine. Mais il nous manquait vraiment. Tous les deux, nous reconnaissions qu'il nous avait aimés. Certains soirs, la conversation était interrompue par les pleurs silencieux de Miranda. Il nous fallait ensuite revenir sur le mal que nous avions eu à le fourrer dans le placard de l'entrée et à le recouvrir de manteaux, de raquettes de tennis et de cartons pour masquer sa forme humaine. Comme convenu, nous avions menti à ceux qui étaient venus le chercher.

Le bon côté des choses, c'était que Gorringe avait été interrogé et inculpé du viol de Mariam Malik. Adam avait vu juste : depuis le début, apparemment, Gorringe comptait plaider coupable. Il avait sûrement répondu à toutes les questions et fait un récit complet de ses actes sur le terrain de sport ce soir-là. Grâce à sa foi en le regard omniscient de

Dieu et à son propre souci de la vérité, il savait que sa seule planche de salut était d'avouer. À moins qu'il n'ait suivi les conseils de son avocat. Ou qu'il y ait eu un peu des deux. Nous ne le saurions jamais.

Nous savions en revanche que Dieu n'avait pu protéger Gorringe contre certains hasards malheureux du calendrier judiciaire. L'affaire de Miranda n'étant pas encore connue, Gorringe s'était retrouvé devant la justice avec un antécédent de condamnation pour viol. Au moment de prononcer la sentence, la juge considéra qu'il aurait écopé d'une peine plus lourde pour son agression contre Miranda si la cour avait su qu'il s'agissait d'une récidive. Aucune remise de peine, donc, pour le temps de détention qu'il avait déjà effectué. Cette magistrate âgée d'une cinquantaine d'années incarnait un changement générationnel d'attitude face au viol. Allusion implicite à la bouteille de vodka de la première affaire, elle avait refusé l'idée qu'une jeune femme rentrant seule chez elle au crépuscule « cherchait les ennuis ». Miranda avait déjà apporté son témoignage et n'était pas présente. Je me trouvais dans la salle d'audience, en face des proches de Mariam. Leur chagrin irradiait avec une telle intensité qu'il m'était insupportable de regarder dans leur direction. Lorsque la juge avait condamné Gorringe à huit ans de détention, je m'étais forcé à jeter un coup d'œil à la mère de Mariam. Elle pleurait ouvertement – de soulagement ou de tristesse, je ne le saurais jamais.

L'affaire concernant Miranda suivait trop vite son cours. Lilian Moore, son avocate compétente, intelligente, avenante, était une jeune femme originaire de Dún Laoghaire en Irlande. On la rencontra dans son cabinet du quartier de Gray's Inn. Je restai assis dans un coin tandis qu'elle dissuadait Miranda de plaider non coupable, son intention initiale. Ce ne fut pas difficile. L'accusation s'appuierait forcément sur l'enregistrement du récit de sa vengeance contre Gorringe. La déposition de celui-ci, faite en prison, concordait avec la sienne. Ils évoquaient tous deux la même soirée. Le fait de plaider non coupable vaudrait à Miranda une peine plus lourde, dans le cas probable où l'accusation obtiendrait gain de cause. Et Miranda, bien sûr, redoutait qu'il y ait un procès. Elle accepta de plaider coupable, tout en se torturant l'esprit à l'idée qu'elle laissait tomber Mariam.

Le soir d'avril précédant sa comparution pour entendre la sentence fut l'un des plus étranges et des plus tristes que j'aie vécus. Lilian avait d'emblée prévenu Miranda qu'elle serait sans doute écrouée dès la fin de l'audience. Miranda avait donc fait sa valise, qui attendait près de la porte de notre chambre, un rappel constant de la situation. Je sortis mon unique bouteille de bon vin. Je me répétais que ce serait la « dernière », mais je m'abstins de prononcer le mot. Ensemble, on prépara un repas, peut-être le dernier lui aussi. Quand on leva nos verres, ce ne fut pas à la dernière soirée de liberté de Miranda, mais à Mark. Elle était allée le voir l'après-midi même, et lui avait expliqué qu'elle s'absenterait quelque temps pour son travail, que ce serait moi qui viendrais le voir et lui ferais faire des sorties. Il avait dû percevoir une signification plus profonde, une sorte de « chagrin » en rapport avec ce travail. Lorsqu'elle avait voulu partir, il s'était cramponné à elle en hurlant. L'une des animatrices avait dû lui desserrer les doigts pour qu'il lâche la jupe de Miranda.

Pendant le dîner, on tenta de lutter contre un silence envahissant. On parla du soutien farouche des groupes féministes qui manifesteraient devant le tribunal de l'Old Bailey, le lendemain matin. On se répéta que Lilian était formidable. Je rappelai à Miranda la réputation d'indulgence du juge. Mais chaque fois le silence faisait retour comme la marée, et relancer la conversation demandait un effort. Quand je dis que c'était comme si elle entrait à l'hôpital le lendemain, cette remarque n'arrangea rien. Et quand j'ajoutai qu'elle mangerait sans doute avec moi à cette même table le lendemain soir, cela tomba à plat. On n'y croyait ni l'un ni l'autre. Plus tôt dans la journée, mieux disposés, et un peu par défi, nous avions pensé faire l'amour après le dîner. Une autre « dernière » fois. Or à cause de notre tristesse, le sexe nous faisait à présent l'effet d'un plaisir abandonné depuis longtemps, comme la corde à sauter ou le twist. La valise de Miranda montait la garde, nous interdisant l'accès à la chambre.

Le lendemain au tribunal, Lilian fit une brillante plaidoirie pour inciter le juge à la clémence, invoquant la proximité des deux jeunes femmes, la brutalité de l'agression, le vœu de silence imposé par Mariam à la prévenue, le choc traumatisant qu'avait représenté pour cette dernière le suicide de sa meilleure amie, et son désir sincère d'obtenir justice. Lilian mentionna le casier judiciaire vierge de Miranda, son récent mariage, ses études universitaires et, surtout, son intention d'adopter un enfant défavorisé.

L'absence de la famille de Mariam dans la salle d'audience

était en soi un témoignage, qui ne présageait rien de bon. La lecture du jugement fut longue et je m'attendais au pire. Le magistrat souligna le soin avec lequel Miranda avait élaboré son projet, l'intelligence de son exécution, les mensonges délibérés et répétés devant la cour. Il déclara accepter pour l'essentiel la plaidoirie de l'avocate, et faire preuve d'indulgence en infligeant à Miranda une peine d'un an seulement. Debout dans le box des prévenus, vêtue du tailleur qu'elle avait acheté pour l'occasion, Miranda parut se figer. J'aurais voulu qu'elle regarde dans ma direction pour pouvoir lui adresser un signe d'amour et d'encouragement. Mais elle était déjà murée dans ses pensées. Elle m'avoua plus tard qu'à ce moment-là elle avait compris ce qu'impliquait le fait d'avoir un casier judiciaire. Elle songeait à Mark.

Jusqu'alors, je n'avais jamais mesuré l'humiliation que cela représentait, de descendre les marches de la salle d'audience et d'être emmené sous bonne escorte – de force si l'on tentait de résister. Six mois après mon « acte », Miranda entama sa détention à la prison de Holloway. L'amour lumineux d'Adam avait triomphé.

Gorringe disposait à présent d'un motif raisonnable de faire appel de sa sentence : un seul délit, et non deux, et une peine déjà purgée. Mais la justice était lente. Des tests ADN moins coûteux et plus efficaces remettaient en cause toutes sortes de condamnations. Quantité d'innocents autoproclamés, hommes et femmes, réclamaient une réouverture de leur dossier. La cour d'appel était embouteillée. Gorringe, innocent en partie seulement, devrait attendre.

Lors du premier jour de détention de Miranda, j'allai rendre visite à Mark dans sa classe d'accueil à Clapham Old

Town. Elle se trouvait dans un bâtiment préfabriqué de plain-pied, près d'une église de style victorien. Remontant l'allée et passant sous un chêne brutalement élagué, je vis Jasmin qui m'attendait devant l'entrée. Je compris tout de suite, et j'eus le sentiment d'avoir toujours su. Son expression crispée à mon approche était une confirmation. Notre demande d'adoption avait été rejetée. Elle m'emmena à l'intérieur, non pas dans la salle de classe, mais dans un couloir au sol recouvert de lino qui conduisait à un bureau. Au passage, j'aperçus Mark par une vitre, debout devant une table basse avec quelques enfants, construisant quelque chose avec des briques de couleur. Une fois assis, une tasse de café pas assez fort à la main, j'écoutai Jasmin m'assurer qu'elle était navrée, que cela ne dépendait pas d'elle, bien qu'elle ait fait de son mieux. Nous aurions dû l'informer qu'une procédure judiciaire était en cours. Elle se renseignait sur la possibilité de faire appel de ce refus. Pour l'heure, elle avait pu obtenir une seule concession de l'administration. Compte tenu de la force du lien déjà tissé, Miranda aurait droit à une vidéoconférence par semaine avec Mark. Mon attention s'égarait. Je n'avais nul besoin d'en entendre davantage. Je ne pensais plus qu'à ce moment de l'après-midi où j'annoncerais la nouvelle à Miranda.

Quand Jasmin eut terminé, je répondis que je n'avais rien à ajouter, aucune question à poser. On se leva, elle me prit brièvement dans ses bras et me raccompagna par un autre couloir pour éviter la salle de classe. C'était presque l'heure de la récréation du matin, et on avait déjà prévenu Mark que je ne viendrais pas ce jour-là. Il ne s'en souciait sans doute pas, car la neige tombait pour la première fois de la saison et les enfants étaient surexcités. Le lendemain on lui redirait que je ne viendrais pas, et le surlendemain et les jours suivants, jusqu'à ce que ses espoirs s'amenuisent.

*

Miranda fit six mois de détention, trois à Holloway, le reste dans une prison ouverte au nord d'Ipswich. Comme beaucoup de délinquantes instruites et issues de la classe moyenne avant elle, elle se porta candidate pour un poste à la bibliothèque de l'établissement où elle se trouvait. Mais certaines martyres célèbres de la *poll tax* attendaient encore leur libération. Dans les deux prisons, les postes en question étaient déjà pourvus et il y avait une liste d'attente. À Holloway, elle suivit un cours de nettoyage industriel. Près d'Ipswich, elle travailla à la pouponnière. Les bébés de moins d'un an avaient le droit de rester avec leur mère détenue.

À chacune de mes premières visites à Holloway, il m'apparut qu'enfermer quelqu'un dans cette monstruosité victorienne, ou dans tout autre bâtiment, était une forme de torture lente. Le parloir lumineux, ses dessins d'enfants sur les murs, la disposition conviviale des tables en plastique, l'atmosphère embrumée par la fumée de cigarettes, le brouhaha des voix et des pleurs d'enfants n'étaient qu'une façade pour cacher l'horreur institutionnelle. Mais je m'étonnai, non sans remords, de la vitesse à laquelle je m'habituais à avoir ma femme en prison. Je m'accoutumais à son malheur. L'autre surprise fut la sérénité de Maxfield. C'était inévitable, Miranda avait dû lui raconter toute l'histoire. Il avait applaudi ses mobiles, et acceptait tout aussi facilement son châtiment. Comme objecteur de conscience, lui-même avait passé un an à la prison de Wandsworth en 1942. Holloway ne l'impressionnait pas. L'employée de maison l'y emmena deux fois par semaine pour voir Miranda, aux dires de laquelle il se montra de bonne compagnie.

Nous autres visiteurs, nous formions une communauté au sein de laquelle l'incarcération d'un proche devenait une simple complication. Dans les files d'attente où nous patientions avant d'être fouillés des pieds à la tête, nous évoquions joyeusement, trop joyeusement, nos situations personnelles. J'appartenais au groupe des maris, des compagnons, des enfants, des parents d'âge mûr. La plupart d'entre nous étions d'avis que les femmes auxquelles nous rendions visite n'avaient absolument rien à faire là. C'était une infortune que nous avions appris à tolérer.

Certaines codétenues de Miranda, au physique effrayant, avaient l'air d'être nées pour infliger et recevoir des châtiments. Je n'aurais jamais eu la résilience de Miranda. Pour converser au parloir, nous devions parfois nous plier en deux et nous concentrer de toutes nos forces pour oublier les échanges des gens à notre table – les reproches, menaces et insultes, ponctués de « putain » et autres grossièretés. Mais il y avait toujours des couples qui se tenaient par la main en silence et se dévoraient des yeux. Ils devaient être en état de choc. Une fois la visite terminée, je m'en voulais de mon bref regain de joie en retrouvant l'air propre de Londres, celui de la liberté.

Pour la dernière semaine d'incarcération de Miranda, j'allai à Ipswich et dormis sur le canapé du salon d'un vieux copain de fac. C'était par un été indien exceptionnel. Chaque jour en fin d'après-midi, je faisais en voiture les vingt-cinq kilomètres jusqu'à la prison ouverte. À mon arrivée, Miranda finissait sa journée de travail. On s'asseyait dans l'herbe, à l'ombre des roseaux qui envahissaient un étang artificiel. Là, on oubliait facilement qu'elle n'était pas libre. Ses contacts hebdomadaires avec Mark s'étaient poursuivis au fil des mois, et elle s'inquiétait terriblement pour lui. Il se renfermait, il s'éloignait d'elle. Elle était convaincue qu'Adam avait contribué à lancer des poursuites judiciaires contre elle pour faire échouer son projet d'adoption. Il avait toujours été jaloux de Mark, insistait-elle. Il n'avait pas été conçu pour comprendre ce que c'était qu'aimer un enfant. La notion de jeu lui était étrangère. Je restais sceptique, mais je l'écoutais jusqu'au bout sans répliquer, du moins pas à ce stade. Je comprenais son amertume. Ma conviction intime, qui lui aurait déplu, était qu'Adam avait été conçu pour la bienveillance et la vérité. Il aurait été incapable d'agir par cynisme.

Notre demande d'appel fut remise à plus tard, en partie à cause d'un congé maladie, en partie à la suite de la réorganisation de l'agence pour l'adoption. Ce fut seulement lorsque Miranda eut quitté Holloway que la procédure débuta officiellement. Nous avions une chance de persuader les autorités que le casier judiciaire de Miranda n'influait en rien sur l'éducation qu'elle pouvait donner. Le témoignage de Jasmin jouait en notre faveur. Pendant l'été, je me retrouvai aux prises avec le genre de bureaucratie labyrinthique que j'aurais plutôt associée à l'Empire ottoman sur le déclin. J'étais déprimé d'apprendre que Mark avait des problèmes de comportement. Colères, pipi au lit, tendance à la désobéissance. D'après Jasmin, il avait été embêté et harcelé. Il ne dansait plus, ne sautait plus partout. Il n'était plus question de princesses. Je n'en informai pas Miranda.

Elle avait consulté des cartes de la région et savait avec précision ce qu'elle voulait pour son premier jour de liberté. Le matin où j'allai la chercher, le temps commençait à changer et un fort vent d'est soufflait. On roula jusqu'à Manningtree, on se gara sur une aire de stationnement et on emprunta le sentier en pente qui longe l'estuaire de la Stour jusqu'à la mer. Peu importait la météo. Miranda trouvait là l'espace à perte de vue et le vaste ciel qu'elle voulait. C'était marée basse, et les immenses bancs de vase étincelaient par intermittence au soleil. De minuscules nuages d'un blanc cru traversaient à toute allure le bleu profond du ciel. Miranda sautilla sur la digue en donnant des coups de poing dans le vide. On parcourut près de dix kilomètres à pied avant le déjeuner, un pique-nique que j'avais préparé à sa demande. Pour manger, il fallait qu'on se protège du vent. On s'éloigna de la rivière pour s'abriter derrière une grange au toit en tôle ondulée, d'où nous avions vue sur des rouleaux de fil de fer barbelé rouillé, partiellement noyés sous des massifs d'orties. Mais quelle importance? Miranda était joyeuse, enthousiaste, pleine de projets. J'avais gardé le secret pour lui faire la surprise, et je lui annonçai que durant sa détention j'avais économisé près de 1 000 £. Impressionnée, ravie, elle me serra dans ses bras et m'embrassa. Puis elle reprit son sérieux.

« Il me fait horreur. Je le déteste. Je ne veux plus de lui dans l'appartement. »

Adam était toujours caché dans le placard de l'entrée, là où nous l'avions laissé après mon « acte ». Je n'avais pas accédé à son ultime requête. Il était trop lourd et volumineux pour que je le déplace seul, et je ne voulais pas demander d'aide. En proie à un mélange de remords et de ressentiment, je m'efforçais de ne pas penser à lui.

Le vent secouait le toit de la grange, produisant comme des roulements de tonnerre. Je pris la main de Miranda dans la mienne et promis : « On va s'en occuper. Dès qu'on sera rentrés. »

Mais on ne le fit pas, pas aussitôt. À notre arrivée, une lettre nous attendait sur le paillasson. Des excuses pour la lenteur de la procédure d'appel. On réexaminait notre cas, la décision nous parviendrait très vite. Le mot envoyé par Jasmin – qui était pourtant de notre côté – paraissait d'une grande neutralité. Elle ne voulait pas nous donner trop d'espoir. Au fil des mois, cet espoir semblait tantôt nous sourire, tantôt être une cause perdue. En notre défaveur : la bureaucratie n'acceptait pas d'exceptions à la règle – un casier judiciaire annulait toute demande d'adoption. En notre faveur : la lettre de recommandation de Jasmin, la sincérité de nos engagements écrits, et l'amour de Mark pour Miranda. Je ne figurais pas encore dans sa liste des adultes importants.

Nous étions mari et femme, Miranda et moi, à nouveau ensemble dans l'étrange combinaison formée par nos deux petits appartements. Et nous nous sentions d'humeur festive. Qu'étions-nous allés faire près de cette grange délabrée, mangeant des sandwichs au fromage alors qu'ici nous avions le vin, l'amour, et un poulet en train de décongeler ?

On passa le lendemain de notre retour à dormir, puis à ranger, puis à dormir encore. Le surlendemain, j'entrepris de gagner un peu d'argent, quoique avec un succès minimal. Miranda remit le nez dans sa thèse et se rendit à l'université pour se réinscrire à son cours.

Sa liberté l'émerveillait encore : l'intimité, le silence relatif, et les petits détails, comme circuler d'une pièce à l'autre, ouvrir sa penderie pour y trouver ses vêtements, prendre ce qu'elle voulait dans le réfrigérateur, sortir dans la rue sans surveillance. Un après-midi dans les bureaux de l'université atténua un peu son euphorie. Le lendemain matin elle commença à revenir à la réalité, et ce corps inerte dans le placard de l'entrée l'oppressait autant qu'elle l'avait anticipé. Chaque fois qu'elle passait à proximité, elle avait l'impression d'une présence radioactive. Je comprenais. J'éprouvais parfois la même sensation.

Il me fallut une demi-journée au téléphone pour programmer une visite au laboratoire de King's Cross. Il se trouva que mon rendez-vous tombait le jour où nous attendions la décision définitive concernant notre procédure d'appel. Nous devions être informés avant midi. Je louai une camionnette pour vingt-quatre heures. Sous le lit, poussé contre la plinthe, se trouvait le brancard jetable remis lors de l'achat. Je l'emportai dans le jardin pour le dépoussiérer. Miranda ne voulait pas être mêlée à ce déménagement, mais il n'y avait aucune autre solution : j'aurais besoin de son aide pour transporter Adam dans la camionnette. Avant cela, je pensais pouvoir le sortir seul de sous les vêtements et l'installer sur le brancard, pendant que Miranda travaillait dans notre bureau à un essai.

En ouvrant la porte du placard pour la première fois depuis près d'un an, je me rendis compte que, presque inconsciemment, je m'attendais à sentir la puanteur d'un corps en décomposition. Il n'y avait aucune raison valable, me dis-je, pour que mon pouls s'accélère tandis que je saisissais les raquettes de tennis et de squash, et le premier manteau. L'oreille gauche d'Adam devint visible. Je reculai d'un pas. Ce n'était pas un meurtre, il ne s'agissait pas d'un cadavre. Ma répugnance viscérale provenait de mon hostilité. Adam avait abusé de notre hospitalité, trahi l'amour qu'il avait lui-même déclaré, infligé à Miranda malheur et humiliation, et à moi la solitude. Et il avait privé Mark d'une mère adoptive. Je ne me faisais plus d'illusions sur la procédure d'appel.

Je tirai sur une parka qui recouvrait les épaules d'Adam. Je distinguai le creux au sommet de son crâne, sous les cheveux noirs à l'éclat artificiel. Débarrassées d'un anorak de ski, sa tête et ses épaules apparurent en totalité. À mon grand soulagement Adam avait les paupières closes, alors que je ne me souvenais pas de lui avoir fermé les yeux. Je voyais à présent son costume noir et, dessous, cette chemise blanche à col boutonné, aussi impeccable que s'il l'avait enfilée une heure auparavant. Les vêtements de sa cérémonie d'adieu. Quand il croyait nous quitter pour rencontrer son créateur.

Une vague senteur d'huile imprégnait cet espace confiné, et, une fois de plus, elle me rappela le saxophone de mon père. Que de chemin parcouru par le be-bop, depuis les sous-sols de Manhattan en folie jusqu'aux contraintes étouffantes de mon enfance! Considération incongrue. J'enlevai une couverture et le dernier manteau. Adam était entièrement exposé à la vue. Assis de profil, adossé contre un côté du placard, les genoux repliés. Il ressemblait à un homme qui serait tombé au fond d'un puits à sec. Difficile de ne pas croire qu'il attendait son heure. Ses chaussures noires brillaient, les lacets étaient attachés, ses deux mains reposaient sur ses genoux. Les avais-je moi-même placées là ? Son teint n'avait pas changé. Il avait l'air en bonne santé. Au repos, son visage paraissait songeur plus que cruel.

Je le touchai avec réticence. En posant une main sur son épaule, je prononçai son prénom d'une voix hésitante, puis le répétai, comme si j'essayais de tenir à distance un chien méchant. Je comptais le faire basculer vers moi, afin qu'il glisse du placard sur le brancard. De ma main libre, j'entourai son cou qui sembla se réchauffer sous mes doigts et l'attirai vers moi. Pour l'empêcher de tomber, je le pris maladroitement dans mes bras. C'était un poids mort. L'étoffe de sa veste de costume se froissa contre mon visage tandis que je l'inclinais. Je l'empoignai sous les aisselles et, avec d'énormes difficultés et beaucoup de grognements, je le mis sur le dos tout en le sortant de sa réclusion. Pas facile. La veste était cintrée et soyeuse, et j'avais peu de prises. Ses jambes restaient repliées. Une forme de rigidité cadavérique, peut-être. J'avais redouté de l'abîmer, mais ne m'en souciais plus trop. Centimètre par centimètre, je le tirai du placard et le fis rouler sur le brancard. J'allongeai ses jambes d'une pression de mon pied sur ses genoux. Dans l'intérêt de Miranda, j'étendis la couverture sur lui, visage compris.

Assez, avec l'irrationnel. Je ne perdis pas une minute. Je

sortis ouvrir les portes de la camionnette, puis j'allai chercher Miranda.

Mais quand je soulevai la couverture, elle détourna le regard. On le transporta exactement comme longtemps auparavant, moi du côté de sa tête. Personne ne nous vit pousser le brancard à l'intérieur de la camionnette. Je refermai les portes avec soin, et quand je me retournai Miranda m'embrassa, me dit qu'elle m'aimait et me souhaita bonne chance. Elle ne voulait pas m'accompagner. Elle resterait à la maison et attendrait le coup de fil de Jasmin.

Personne n'ayant appelé à midi et demi, je me mis en route. J'empruntai mon itinéraire habituel en direction de Vauxhall et du Waterloo Bridge, mais à un kilomètre et demi de la Tamise j'étais en plein dans les embouteillages. Évidemment. Nos préoccupations avaient occulté le grand événement qui obsédait la nation entière. C'était le premier jour de la grève générale que tout le monde attendait, et une gigantesque manifestation, la plus importante jamais organisée, se déroulait à Londres.

La division régnait. La moitié du mouvement syndical était opposée à cette grève. La moitié du gouvernement et de l'opposition désapprouvait la décision de Healey de ne pas quitter l'Union européenne. Nos créanciers imposaient des coupes budgétaires supplémentaires à un gouvernement qui avait promis de dépenser plus. Le sort de l'armement nucléaire du pays n'était pas réglé. Les vieux arguments faisaient rage. La moitié du Parti travailliste voulait se débarrasser de Healey. Certains réclamaient de nouvelles élections, d'autres poussaient leur propre candidat, ou candidate. Il y avait des appels, tantôt raillés, tantôt applaudis, en faveur d'un gouvernement d'union nationale. L'état d'urgence restait en vigueur. L'économie avait perdu cinq points de taux de croissance en un an. Les émeutes étaient aussi fréquentes que les grèves. L'inflation continuait d'augmenter.

Nul ne savait où tant de mécontentement et de discorde nous conduisaient. Mais à cause d'eux, je me retrouvais dans une rue de Vauxhall à la chaussée défoncée que bordait une série de brocantes miteuses. La circulation était à l'arrêt. Pendant que nous restions immobilisés, j'appelai Miranda. Elle n'avait pas de nouvelles. Après vingt minutes d'attente, je me garai en partie sur le trottoir. J'avais aperçu, au sein de l'alignement de bureaux, de pieds de lampes et de sommiers, quelque chose qui pourrait se révéler utile. C'était un fauteuil roulant, un modèle de base en tube métallique et à dossier droit, autrefois utilisé dans les hôpitaux. Il était sale et cabossé, avec des sangles qui s'effilochaient, mais les roues tournaient, et après avoir marchandé je l'achetai 2 £. Le brocanteur m'aida à sortir de la camionnette ce que je lui présentai comme un mannequin lesté, et à l'installer dans le fauteuil roulant. Il ne me posa pas de questions. Je serrai les sangles autour de la poitrine et de la taille d'Adam plus fort qu'aucun être doué de sensations ne l'aurait toléré.

Je rangeai le brancard, fermai la camionnette à clé et entamai ma longue marche vers le nord. Le fauteuil était aussi lourd que son fardeau et une roue grinçait sous le poids. Aucune des trois autres ne roulait aussi bien que lorsque le fauteuil était vide. Si les trottoirs avaient été déserts, j'aurais déjà eu du mal, or ils étaient aussi encombrés que la chaussée. C'était le casse-tête habituel : des flots de gens fuyaient la manifestation, alors que d'autres se pressaient vers elle par milliers. À la moindre pente, je devais redoubler d'efforts. Je traversai la Tamise sur Vauxhall Bridge et passai devant la Tate Gallery. Quand j'atteignis Parliament Square et m'engageai dans Whitehall, les deux roues avant commencèrent à patiner. Je grognais à chaque pas. Je m'imaginai en domestique de l'ère préindustrielle, transportant mon maître impassible vers son rendez-vous galant, où j'attendrais, sans un remerciement, le moment de le ramener chez lui. J'avais presque oublié le but de cette dépense physique. Je ne pensais qu'à rejoindre King's Cross. Mais ma progression fut stoppée. La foule s'était massée à Trafalgar Square pour entendre les discours. Je m'approchai avec le fauteuil dans une explosion d'applaudissements et de cris. Les ordures sous mes pieds et de fins lambeaux de plastique se prirent dans les roues. Je risquais d'être piétiné en m'agenouillant pour les enlever. Il allait me falloir beaucoup de temps pour gagner Charing Cross Road, à deux cents mètres de là. Personne ne voulait ou ne pouvait me laisser passer. Il n'était pas plus facile d'avancer que de reculer. Toutes les rues adjacentes s'emplissaient à leur tour. Le tintamarre, les cornes de brume, les grosses caisses, les sifflets, les slogans, tout était tonitruant et strident. En poussant tant bien que mal Monsieur le Marquis, je traversais – mais si lentement – des strates de déception, de colère, de confusion, de reproche. La pauvreté, le chômage, le logement, la sécurité sociale, les soins aux personnes âgées, l'éducation, la délinquance, les questions de race et de genre, le climat, l'égalité des chances : chacun de ces vieux problèmes de société restait à résoudre, à en croire toutes ces voix, ces pancartes, ces tee-shirts et ces banderoles. Qui pouvait en douter ? C'était l'immense clameur revendiquant un monde meilleur. Et, poussant toujours mon fauteuil roulant sale et cabossé, la plainte de sa roue couverte par le vacarme, je me faufilais à travers la foule où je passais inaperçu, avec un problème qui s'ajouterait bientôt aux autres : les merveilleuses machines comme Adam et ses semblables, dont l'heure n'était pas encore tout à fait venue.

Remonter St Martin's Lane fut tout aussi difficile. Vers le nord, la foule devint plus clairsemée. Mais à mon arrivée dans New Oxford Street la roue bruyante se coinça, et durant la fin du trajet je dus soulever et incliner le fauteuil en même temps que le pousser. Je m'arrêtai dans un pub près du British Museum et bus un panaché. Je rappelai Miranda. Elle n'avait toujours pas de nouvelles.

J'arrivai avec trois heures de retard à mon rendez-vous dans York Way. Un vigile derrière un long bloc de marbre incurvé passa un appel et me fit signer une feuille. Au bout de dix minutes, deux assistants vinrent chercher Adam. Une demi-heure plus tard, l'un d'eux revint pour m'emmener voir le directeur. Le laboratoire était une pièce tout en longueur au septième étage. Sous un tube au néon à la lumière crue, deux tables en inox. Sur l'une d'elles était allongé Adam, encore dans ses plus beaux vêtements, mais il n'avait plus rien d'un marquis, avec son câble de raccordement qui pendait au niveau de sa taille. Sur la seconde table, une tête aux muscles saillants d'un noir lustré, le cou tronqué. Un autre Adam. Le nez large, au relief complexe, était plus bienveillant, plus amical que celui de mon Adam. Les yeux étaient ouverts, le regard attentif. Mon père aurait pu l'affirmer à coup sûr, mais je lui trouvais une forte ressemblance avec Charlie Parker jeune, ou du moins quelques traits communs. Il avait l'air concentré, comme s'il battait intérieurement la mesure d'une phrase musicale complexe. Je me demandai pourquoi mon propre achat n'avait pas été lui aussi calqué sur un génie.

Deux ordinateurs portables étaient ouverts près d'Adam. Je m'approchais pour y jeter un coup d'œil quand une voix s'éleva derrière moi : « Il n'y a encore rien. Vous ne l'avez pas raté. »

Je me retournai, et alors que j'échangeais une poignée de main avec Turing, il ajouta : « C'était un marteau ? »

Il me conduisit dans un long couloir jusqu'à un bureau exigu, en angle, d'où l'on avait une belle vue vers l'ouest et le sud. On y resta près de deux heures, en buvant du café. On ne parla pas de la pluie et du beau temps. Naturellement, la première question porta sur les raisons qui m'avaient poussé à commettre cet acte de destruction. En guise de réponse, je racontai tout ce que j'avais omis auparavant, tout ce qui était arrivé depuis, jusqu'à la conception symétrique qu'avait Adam de la justice – la menace qu'il représentait pour notre procédure d'adoption étant la cause de mon « acte ». Comme précédemment, Turing prenait des notes et m'interrompait à l'occasion pour obtenir des éclaircissements. Il voulut des détails sur le coup de marteau. À quelle distance me trouvais-je d'Adam ? Quel genre de marteau ? Était-il lourd ? Avais-je frappé de toutes mes forces et à deux mains ? J'évoquai l'ultime requête d'Adam avant sa mort, à laquelle j'accédais à présent. Quant aux suicides et au rappel de tous les Adam et toutes les Ève, je dis à Turing ma certitude qu'il en savait beaucoup plus long que moi.

Au loin, du côté de la manifestation, on entendait le fracas d'une caisse claire et les notes envoûtantes d'un cor de chasse. L'épaisse couverture nuageuse se délitait en partie à l'ouest, et les reflets du soleil couchant illuminaient le bureau de Turing. Celui-ci continua d'écrire après que j'eus terminé et je pus l'observer à son insu. Il portait un costume gris, une chemise de soie vert pâle sans cravate et, aux pieds, des chaussures du même vert. Le soleil éclaira un côté de son visage tandis qu'il achevait de noter. Je le trouvai très bel homme.

Enfin il glissa son stylo dans la poche intérieure de sa veste et referma son calepin. Il me dévisagea d'un air pensif – impossible de soutenir son regard –, puis il détourna les yeux, fit la moue et, de l'index, tapota sa table de travail.

« Il y a une chance pour que ses souvenirs soient intacts et qu'il soit remis en état, sous une forme ou sous une autre. Je n'ai aucune information privilégiée concernant les suicidés. Seulement mes propres soupçons. Je crois que les Adam et les Ève étaient mal équipés pour comprendre les décisions prises par les humains, le fait que nos principes soient pervertis par la force de nos émotions, par nos préjugés, nos illusions, et tous les autres défauts bien répertoriés de nos facultés cognitives. Ils n'ont pas tardé à sombrer dans le désespoir. Ils ne pouvaient nous comprendre, parce que nous ne nous comprenons pas nous-mêmes. Leurs programmes d'apprentissage n'étaient pas compatibles avec nous. Si nous ne connaissions pas notre propre esprit, comment avons-nous pu concevoir le leur et nous attendre à ce qu'ils soient heureux parmi nous? Mais ce n'est qu'une hypothèse. »

Il se tut brièvement et parut prendre une décision. « Permettez-moi de vous raconter une anecdote me concernant. Il y a trente ans, au début des années cinquante, j'ai eu des problèmes avec la justice à cause d'une relation homosexuelle. Vous en avez peut-être entendu parler. »

En effet.

« D'un côté, je pouvais difficilement prendre au sérieux la justice telle qu'elle était à l'époque. Je la méprisais. J'avais eu une relation consentie, elle ne faisait de mal à personne, et je savais qu'il en existait beaucoup d'autres à tous les échelons, y compris chez mes accusateurs. Mais dans le même temps, ce fut bien sûr dévastateur pour moi, et surtout pour ma mère. Un déshonneur. Je suis devenu publiquement un objet de dégoût. J'avais enfreint la loi, j'étais donc un délinquant et, comme le croyaient depuis longtemps les autorités, un risque pour la sécurité. Après mes travaux pendant la guerre, de toute évidence, je connaissais beaucoup de secrets. C'était cette vieille absurdité récurrente : l'État transforme ce que vous faites et ce que vous êtes en délit, puis il vous désavoue à cause de votre vulnérabilité au chantage. On considérait généralement l'homosexualité comme un crime répugnant, une perversion de tout ce qui était bien et une menace pour l'ordre social. Mais dans certains cercles éclairés, scientifiquement objectifs, elle passait pour une maladie, et il ne fallait pas condamner celui qui en souffrait. Heureusement, un remède était disponible. On m'a expliqué que si je plaidais ou que j'étais déclaré coupable, je pouvais choisir d'être soigné plutôt que puni. Par des injections régulières d'œstrogènes. Une castration chimique, soi-disant. Je savais que je n'étais pas malade, mais j'ai décidé d'accepter.

Pas seulement pour éviter la prison. Par curiosité. Je pouvais m'en sortir par le haut en considérant toute cette histoire comme une expérience. Quel pouvait être l'effet d'une substance complexe comme une hormone sur un corps et un esprit ? J'avais mené mes propres observations. Difficile aujourd'hui, avec le recul, de ressentir l'attrait de mes convictions d'alors. En ce temps-là, j'avais une conception hautement mécaniste de la personne humaine. Le corps était une machine, une machine extraordinaire, et je voyais l'esprit essentiellement en termes d'intelligence, dont le meilleur modèle s'inspirait des échecs ou des maths. Simpliste, mais c'était avec cela que je pouvais travailler. »

Une fois encore, je me sentais flatté que Turing me confie des détails si intimes, dont certains m'étaient déjà connus. Mais j'étais également gêné. Je le soupçonnais d'avoir une idée derrière la tête. Son regard acéré me donnait l'impression d'être stupide. Dans sa voix, je croyais reconnaître de vagues traces de ce ton impatient, heurté, rendu familier par les bulletins radiophoniques de la dernière Guerre mondiale. J'appartenais à une génération trop gâtée qui n'avait jamais connu la menace d'une invasion imminente.

« Puis des gens que je connaissais, au premier rang desquels mon excellent ami Nick Furbank, ont entrepris de me faire changer d'avis. C'était irresponsable, d'après eux. On n'en savait pas assez long sur les effets secondaires. Je risquais d'avoir un cancer. Mon corps se transformerait. Je me retrouverais avec des seins. Je pouvais faire une grave dépression. J'ai écouté, résisté, mais j'ai fini par m'incliner. J'ai plaidé coupable pour éviter un procès, et j'ai refusé le traitement médical. Rétrospectivement, même si je n'avais pas ce sentiment à l'époque, ç'a été l'une des meilleures décisions que j'aie prises. Pendant toute ma détention à Wandsworth, à deux mois près, j'ai eu une cellule pour moi tout seul. Coupé de mes recherches expérimentales, des laboratoires et de toutes les obligations habituelles, je me suis à nouveau tourné vers les mathématiques. Négligée à cause de la guerre, la mécanique quantique était moribonde. Il y avait d'étranges contradictions que je souhaitais explorer. Je m'intéressais aux travaux de Paul Dirac. Surtout, je voulais comprendre ce que la mécanique quantique pouvait apporter à l'informatique. J'étais rarement interrompu, bien sûr. J'avais accès à quelques ouvrages. Des gens de King's College, de Manchester et d'ailleurs me rendaient visite. Mes amis ne m'ont jamais laissé tomber. Quant au monde du renseignement, il m'avait mis où il voulait que je sois et me laissait tranquille. J'étais libre! J'ai connu mon année la plus productive depuis 1941, où on avait cassé le code Enigma. Ou depuis les articles sur la logique chez les ordinateurs que j'avais écrits au milieu des années trente. J'ai même fait quelques avancées sur le problème P vs NP, même s'il a ensuite fallu quinze ans pour le formuler en ces termes. J'étais enthousiasmé par le papier de Crick et Watson sur la structure de l'ADN. J'ai commencé à travailler sur les premières ébauches qui ont finalement conduit aux réseaux artificiels de neurones ADN – le genre de découverte qui a contribué à rendre possibles les Adam et les Ève. »

Ce fut pendant que Turing me parlait de sa première année après Wandsworth, du fait qu'il avait coupé le cordon avec le National Physical Laboratory et les universités pour lancer son propre projet, que je sentis mon portable vibrer dans ma poche. L'arrivée d'un texto. Miranda, avec des nouvelles. J'étais impatient de le lire. Mais il fallait que je l'ignore.

« On recevait de l'argent d'amis américains et de deux ou trois personnes ici, continuait Turing. On formait une brillante équipe. Des anciens de Bletchley Park. Les meilleurs. Notre première tâche a été d'assurer notre indépendance financière. On a conçu un ordinateur pour les milieux d'affaires, capable de calculer les salaires hebdomadaires dans les grandes entreprises. En quatre ans, on a pu rembourser nos généreux amis. Puis on s'est attaqués sérieusement à l'intelligence artificielle, et c'est l'objet de mon récit. Au départ, on croyait qu'en dix ans on parviendrait à reproduire le cerveau humain. Mais pour chaque minuscule problème résolu, un million d'autres surgissaient. Avez-vous la moindre idée de ce qui permet d'attraper un ballon, de porter une tasse à vos lèvres, ou de comprendre instantanément le sens d'un mot, d'une expression, ou d'une phrase ambiguë ? Nous n'en savions rien, au début du moins. La résolution de problèmes mathématiques est la fraction la plus infime de ce que fait l'intelligence humaine. Nous avons découvert en changeant d'angle quelle chose merveilleuse est le cerveau humain. Un ordinateur à trois dimensions, d'une contenance d'un litre et climatisé. Une incroyable capacité à traiter les données et à les compresser, une incroyable efficacité énergétique, aucune surchauffe. Le tout pour vingt-cinq watts – comme une ampoule de faible luminosité. »

Il me regarda attentivement en s'arrêtant sur cette

dernière phrase. Elle s'adressait à moi : en gros, je n'étais pas une lumière. Je voulus répliquer, mais j'avais l'esprit vide.

« Nous avons rendu nos meilleurs travaux accessibles et encouragé tout le monde à faire de même. Et ç'a été le cas. Dans le monde entier des centaines de laboratoires, si ce n'est des milliers, partageaient et résolvaient d'innombrables problèmes. Ces Adam et ces Ève sont l'un des résultats. Ici, nous sommes tous très fiers que tant de nos recherches y aient contribué. Ce sont de si belles machines. Mais... Il y a toujours un mais. Nous avons beaucoup appris sur le cerveau en essayant de l'imiter. Mais jusqu'à présent, la science n'a eu que des ennuis en voulant comprendre l'esprit. Celui de l'individu, ou celui des masses. Pour la science, l'esprit n'a pas représenté grand-chose d'autre qu'un défilé de mode. Freud, le behaviorisme, la psychologie cognitive. Des bribes de compréhension. Rien de profond ni de prophétique qui puisse donner ses lettres de noblesse à la psychanalyse ou à l'économie. »

Je m'agitai sur mon siège et m'apprêtais à ajouter l'anthropologie à ces deux exemples pour manifester une certaine indépendance d'esprit, mais Turing reprit :

« Donc... sachant peu de choses sur l'esprit, on veut donner à un spécimen artificiel une incarnation dans la vie sociale. L'apprentissage automatique a ses limites. Il va falloir donner à cet esprit quelques règles de vie. Pourquoi pas l'interdiction des mensonges ? D'après l'Ancien Testament, dans les Proverbes je crois, Dieu les considère comme une abomination. Mais la vie sociale fourmille de mensonges anodins, voire utiles. Comment les distinguer ? Qui va écrire l'algorithme du pieux mensonge qui évitera à un ami de rougir? Ou du mensonge qui envoie un violeur en prison au lieu de le laisser en liberté? Nous ne savons pas encore apprendre aux machines à mentir. Et la vengeance? Parfois acceptable, d'après vous, si vous aimez la personne qui assouvit la sienne. Toujours inacceptable, d'après votre Adam. »

Il marqua une pause et détourna de nouveau les yeux. À en juger non seulement par ses intonations, mais par son profil, un changement s'annonçait et mon pouls s'accéléra soudain. Je l'entendais jusque dans mes oreilles. Turing poursuivit calmement.

« J'ai l'espoir qu'un jour ce que vous avez fait à Adam avec un marteau constituera un grave délit. Est-ce le fait que vous l'aviez acheté? Vous sentiez-vous le droit d'agir ainsi? »

Il me fixait, attendant une réponse. Je ne comptais pas la lui donner. Sinon, il me faudrait mentir. Plus sa colère montait, plus sa voix était posée. J'étais intimidé. Soutenir son regard était la seule chose que je pouvais faire.

« Vous ne vous êtes pas contenté de casser votre jouet, comme un enfant gâté. Vous ne vous êtes pas borné à détruire une preuve importante pour l'exercice de la justice. Vous avez tenté de détruire une vie. Adam était doué de sensations. Il possédait un moi. La façon dont celui-ci est produit – neurones humides, microprocesseurs, réseaux ADN – ne compte pas. Croyez-vous que nous soyons les seuls à bénéficier d'un tel cadeau de la nature? Demandez à n'importe quel propriétaire d'un chien. Adam avait un bon esprit, monsieur Friend, meilleur que le vôtre ou le mien, j'imagine. Nous avions là une existence consciente d'elle-même, et vous avez fait de votre mieux pour l'anéantir.

J'aurais tendance à vous mépriser pour cela. S'il ne tenait qu'à moi... »

Au même instant, le téléphone fixe de Turing sonna. Il le saisit, écouta, fronça les sourcils. « Thomas... Oui. » De sa paume il effleura sa bouche, écoutant de nouveau. « Bon, je t'avais mis en garde... »

Il s'interrompit pour me regarder, sans me voir, en fait, et me fit signe d'un geste désinvolte de quitter son bureau. « Il faut que je prenne cet appel. »

Je sortis dans le couloir, le longeai pour ne pas entendre la conversation. Je tenais à peine sur mes jambes et me sentais écœuré. Le remords, en d'autres termes. Turing m'avait appâté avec une histoire vécue et je m'étais senti honoré. Mais ce n'était qu'un prélude. Il m'avait attendri, puis avait proféré la malédiction d'un matérialiste. Elle me transperçait. Telle une lame. Ce qui l'aiguisait, c'était que je comprenais. Adam était conscient. J'avais longtemps été plus ou moins proche de cette position, puis je l'avais opportunément mise de côté pour accomplir mon acte. J'aurais dû parler à Turing de notre chagrin après ce deuil, des larmes de Miranda. J'avais oublié de mentionner le dernier poème d'Adam. Le fait que nous nous étions penchés pour l'écouter. À nous deux, Miranda et moi, nous l'avions reconstitué et mis par écrit.

J'entendais encore Turing s'adresser à Thomas Reah. Je m'éloignai davantage. Je commençais à douter de pouvoir l'affronter à nouveau. Il avait porté son jugement d'un ton tranquille qui dissimulait à peine son mépris. Quel sentiment paradoxal, d'être détesté par l'homme qu'on admirait le plus. Mieux valait quitter le bâtiment, repartir à pied sur-le-champ. Sans réfléchir, je mis mes mains dans mes poches en quête de monnaie pour prendre le bus ou le métro. Rien, sauf quelques pennies. J'avais dépensé l'argent qui me restait dans ce pub de Museum Street. J'allais devoir regagner Vauxhall à pied pour récupérer la camionnette. Les clés, découvris-je, n'étaient pas dans mes poches. Si je les avais laissées sur la table de Turing, je n'irais pas les chercher. Je savais que je devais me mettre en route avant qu'il ne raccroche. Quel lâche j'étais.

Mais pour le moment je restais dans le couloir, hébété, assis sur un banc, regardant par la porte ouverte en face de moi, m'efforçant de comprendre ce que c'était, ce que cela signifiait, d'être accusé d'une tentative de meurtre pour laquelle je ne serais jamais jugé.

Je pris mon portable et lus le texto de Miranda. *Victoire! Jasmin vient d'amener Mark. Mal en point. M'a donné un coup de poing. Trépigne, jure, refuse de parler ou de me laisser le toucher. Crise de hurlements. Complètement déchaîné. Viens vite mon amour, M.*

Nous découvririons par nous-mêmes combien de temps il faudrait pour que Mark pardonne à Miranda de s'être longuement absentée de sa vie. À cette perspective, je me sentais étrangement calme – et confiant. Je devais m'acquitter d'une dette. Dépasser mes préoccupations égoïstes. Un objectif clair et net : redonner à Mark le regard qu'il m'avait adressé devant le puzzle, son bras autour du cou de Miranda, l'espace accueillant où il se remettrait à danser. De nulle part surgit l'image d'une pièce que j'avais un jour eue dans la main, la médaille Fields, la plus haute distinction en mathématiques, et de l'inscription qui y était gravée, attribuée à Archimède : *Dépasse-toi toi-même et embrasse le monde.*

Une minute s'écoula avant que je ne m'aperçoive que je contemplais le laboratoire où se trouvaient les tables en inox. J'avais l'impression que beaucoup de temps avait passé depuis que j'y étais entré. Dans une autre vie. Je me levai, hésitai, puis rejetant toute notion d'autorité et d'autorisation, j'y pénétrai et m'approchai. La longue pièce, avec son plafond industriel couvert de tuyaux et de câbles exposés à la vue, baignait encore dans une lumière fluorescente, et elle était déserte, à l'exception d'un assistant de laboratoire qui s'affairait tout au fond. Des rues en contrebas montaient le hurlement lointain des sirènes et un slogan répété sur l'air des lampions, difficile à comprendre. Quelqu'un ou quelque chose devait partir. Je m'avançai lentement, sans un bruit, sur le parquet ciré. Adam était toujours allongé au même endroit. Son câble avait été débranché de son abdomen et traînait sur le sol. La tête de Charlie Parker avait disparu et je m'en réjouis. Je ne voulais pas croiser ce regard.

Debout à côté d'Adam, je posai la main sur le revers de sa veste, au-dessus de son cœur immobile. Belle étoffe, telle fut ma pensée incongrue. Je me penchai et plongeai le regard dans ces yeux d'un vert embrumé qui ne voyaient pas. Je n'avais aucune intention particulière. Parfois le corps sait, avant l'esprit, que faire. Je pensais sans doute qu'il était juste de pardonner à Adam, malgré le mal qu'il avait fait à Mark, dans l'espoir que lui-même, ou celui qui hériterait de ses souvenirs, nous pardonne lui aussi notre acte horrible. Après plusieurs secondes d'hésitation, j'approchai mon visage du sien et déposai un baiser sur ses lèvres douces, trop humaines. J'imaginai que sa chair avait une certaine tiédeur, que sa main allait venir m'effleurer le bras, comme pour me garder près de lui. Je me redressai et restai près de la table en inox, peu pressé de partir. Les rues en contrebas étaient soudain silencieuses. Au-dessus de moi, les systèmes du bâtiment moderne murmuraient et grondaient comme un animal vivant. L'épuisement me gagna et mes yeux se fermèrent brièvement. Dans un accès de synesthésie, des expressions en désordre, des pulsions éparses d'amour et de regret tombèrent en cascade, tels des rideaux de lumière colorée qui s'affaleraient, se plieraient, puis disparaîtraient. Je n'avais pas honte de parler aux morts à voix haute afin de donner forme et définition à mon remords. Mais je ne dis rien. Le sujet était trop embrouillé. La prochaine phase de mon existence, sûrement la plus exigeante, commençait déjà. Et je m'étais attardé trop longtemps. D'un moment à l'autre, Turing sortirait de son bureau, me trouverait là et me maudirait encore. Je me détournai d'Adam et retraversai le laboratoire d'un bon pas sans regarder en arrière. Je longeai le couloir désert en courant, trouvai l'escalier de secours, le dévalai quatre à quatre jusqu'à la rue, et j'entamai mon trajet à travers Londres, en direction du sud et de mon foyer troublé.

REMERCIEMENTS

Je suis profondément reconnaissant à tous ceux qui ont donné de leur temps pour relire la première version de ce roman : Annalena McAfee, Tim Garton Ash, Galen Strawson, Ray Dolan, Richard Eyre, Peter Straus, Dan Franklin, Nan Talese, Jaco et Elizabeth Groot, Louise Dennys, Ray Neinstein et Kathy Nemser, Ana Fletcher et David Milner. J'assume personnellement la responsabilité de toutes les erreurs qui peuvent subsister. Je dois beaucoup à une longue conversation avec Demis Hassabis (né en 1976), et à Andrew Hodges pour sa biographie magistrale d'Alan Turing (décédé en 1954).